आदिवासी स्वर–2

वाचिक परंपरा व साहित्य

आदिवासी स्वर–2

वाचिक परम्परा व साहित्य

सम्पादक

वी.एस. चटर्जी

जयशंकर उपाध्याय

वाणी प्रकाशन

वाणी प्रकाशन

4695, 21-ए, दरियागंज, नयी दिल्ली 110 002

शाखा

अशोक राजपथ, पटना 800 004

फ़ोन : +91 11 23273167 फ़ैक्स : +91 11 23275710

www.vaniprakashan.in
vaniprakashan@gmail.com
sales@vaniprakashan.in

Aadivasi Swar-2
VACHIK PARAMPARA WA SAHITYA
edited by V.S. Chatarjee, Jaishankar Upadhyaya

ISBN : 978-93-5229-708-5
Social Science

संस्करण 2006
आवृत्ति 2017

मूल्य : ₹695

रजौरिया प्रिंटर्स, दिल्ली-110 093 में मुद्रित

वाणी प्रकाशन का लोगो मक़बूल फ़िदा हुसेन की कूची से

प्रकाशकीय वक्तव्य

'वाचिक परंपरा व साहित्य' आदिवासी स्वर पुस्तक माला का दूसरा खंड है। यह महत्त्वपूर्ण खण्ड आदिवासी जनजाति संतालों के संघर्ष का प्रस्थान-बिंदु है। संयोग ही है कि हाल ही में 'हूल' या 'संताल विद्रोह' की 150वीं वर्षगाँठ मनाई गयी है। यह पुस्तक सदियों से जल-जंगल-जमीन और अपनी स्वतंत्र अस्मिता की तलाश में संघर्षरत विभिन्न आदिवासी समुदायों की गाथा प्रस्तुत करने का प्रयास है।

पुस्तक के इस खंड में देश के विभिन्न भागों में बसने-घूमने वाले आदिवासी समुदायों की वाचिक परंपरा और साहित्य का अध्ययन किया गया है। इसके अन्तर्गत आदिवासियों के साहित्य, उनकी संस्कृति, लोककथाओं, लोकगीतों पर सुमान्य लेखकों ने दृष्टिपात किया है।

'हूल' या 'संताल विद्रोह' के संदर्भ में देश के विभिन्न हिस्सों में फैली आदिवासी जातियों-जनजातियों के इतिहास और वर्तमान की पड़ताल और भविष्य की संभावनाओं की तलाश की जानी चाहिए।

निस्संदेह, विभिन्न आदिवारी समुदायों की वर्तमान स्थिति के लिए शोषकों द्वारा विनिर्मित धूसर अतीत और जारी वर्तमान जिम्मेवार है, पर भविष्य सुनहरा हो, इसके लिए आदिवासियों के साथ हम सबको मिलकर राजनीतिक, सांस्कृतिक, सामाजिक, आर्थिक आदि कई मोर्चों पर लड़ाई लड़नी होगी, अपना दाय देना होगा। सुदूर अतीत में विभिन्न आदिवासी समुदायों के जीवट और संघर्षों की सार्थकता को जहाँ पीछे मुड़कर याद करना ही चाहिए, वहीं निकट भविष्य में उनकी सफलता और चरम को आँकने का प्रयास भी होना चाहिए। इस महत् कार्य में खुद आदिवासी समुदायों की सक्रिय भूमिका निर्णायक सिद्ध होगी।

हालाँकि अभी भी देश के विभिन्न हिस्सों में बसने-घूमने वाले आदिवासी समुदायों में अपने अस्तित्व की रक्षा के संघर्ष का माद्दा है; इसमें जब-तब कोई उबाल आता है, तो कभी यह 'कोमा' की गहराइयों में चला जाता है। बावजूद इसके, जो उनके अवचेतन में है—उनका क्या करिए!—इस गहरी नींद का फायदा हमारी वर्तमान राजनीति, हमारा पूरा तंत्र (System) उठा रहा है। व्यवस्था भोग रही है उनकी उपलब्धियों को, और वे अभिशप्त हैं, व्यवस्था की विकृतियों असफलताओं और प्रपंचों को झेलने के लिए।

—सम्पादकगण

सूची

संताली साहित्य एवं संस्कृति

▫ डॉ. कृष्णचंद्र टुडू

संताली भाषा संताल आदिवासी की मातृभाषा है। संताली भाषा यूरेशिया भाषा-परिवार में आती है। यूरेशिया भाषा-परिवार मुख्यतः दो महादेशों में बोली जाती हैं। इन्हीं के आधार पर यूरेशिया (यूरोप+एशिया) पड़ा है। इस परिवार के आस्ट्रोएशियाटिक की भाषा को आस्ट्रिक या आग्नेय कहा जाता है। आस्ट्रिक शाखा भारत के आदिवासियों भाषा की सबसे बड़ी शाखा है। यथा—संताली, मुंडारी, हो, खरिया, कुवाड़, सबर, गुतीव, गोरुम, रेमोः, गेतः, निकोवारी, खासी आदि।

इन भाषाओं की कुछ शाखाएँ दक्षिण-पूर्व द्वीप समूह में बोली जाती हैं, जिन्हें प्रोटोआस्ट्रॉलायड कहा जाता है।

संताली भाषा आस्ट्रिक भाषा परिवार की महत्त्वपूर्ण भाषा है। यह भारत के झारखंड, बिहार, पश्चिम बंगाल, उड़ीसा, असम, मध्यप्रदेश राज्यों के विभिन्न भागों में अधिक संख्या में बोली जाती है। भारत के अलावा नेपाल, बंगलादेश आदि देशों में भी बोली जाती है। संपूर्ण भारत में संताली भाषा भाषियों की संख्या लगभग एक करोड़ से भी अधिक है। संताल जनजाति भारत की अधिक आबादी वाली अनुसूचित जनजाति है। भारत की कुल जनजाति की आबादी के संताल 40 प्रतिशत हैं। संतालों की अपनी स्वतंत्र भाषिक, सांस्कृतिक और साहित्यिक परंपरा होने के कारण संताली भाषा, साहित्य एवं संस्कृति का एक स्वतंत्र अस्तित्व एवं पहचान है। संताली भाषा साहित्य के इतिहास में 22 दिसंबर 2003 मंगलवार एक स्वर्णिम दिन के रूप में याद किया जाएगा। इसी दिन संताली भाषा को संविधान की आठवीं अनुसूची में शामिल किया गया है तथा संविधान की 22वीं भाषा के रूप में मान्यता मिली।

संताली साहित्य का काल विभाजन—

संताली साहित्य के इतिहास का काल विभाजन

क. वर्ष या काल के आधार पर।

ख. नाम के आधार पर।

क. वर्ष या काल के आधार पर, संताली साहित्य के तीन काल हैं। आदि, मध्य एवं आधुनिक।

1. **आदिकाल**—सन् 1854 ई. के पूर्व के साहित्य को आदिकाल के साहित्य 'होड़' अवतार या लोकयुग का साहित्य है। आदिकाल में संताल लोग होड़ नाम से जाने जाते थे। संतालों के पूर्वज 'होड़' नाम से परिचित थे। आदिकाल का संताली साहित्य मौखिक है। इनके मौखिक साहित्य में कहानी, गीत, गाथा, कथा, लोकोक्ति, मुहावरे, कहावतें, कुदुम आदि मिलते हैं। जिससे हम लोग साहित्य नाम से परिचित हैं मानव समाज के आदिलोक की संस्कृति, परंपरागत विश्वास, किंवदंतियाँ, आचार-विचार, गीत तथा कथाएँ मिलते हैं। हिंदी का लोक शब्द 'फोक' का पर्यायवाची शब्द है। 'फोक' एंग्लो सेक्सन शब्द है। जिसका अर्थ है जन या ग्राम। संस्कृत एवं पाली भाषा में मानव समाज का बोध जन से भी कराया गया है। फोकलोर का शाब्दिक अर्थ है, ग्राम के लोगों का ज्ञान। इसी शब्द का वाच्यार्थ लोक ज्ञान या लोक विद्या भी है। किसी-किसी शब्द कोश में जनश्रुति या लौकिक दंत कथा का प्रयोग भी मिलता है। फोकलोर के लिए लोक साहित्य या लोक वाङ्मय का प्रयोग होता है। संताली लोक साहित्य में मानव की परंपरागत भावनाएँ एवं चेतनागत अभिव्यक्तियों का लेखाजोखा निहित है। प्रकृति के चेतन तथा जड़ जगत के संबंध में रहते हैं। संताली आदि साहित्य लोक जीवन से जुड़ा हुआ है। संतालों के उद्भव तथा विकास की कथाएँ इनके लोक साहित्य में मिलती हैं। संतालों के उद्भव एवं विकास के संबंध में कहा गया है कि संतालों का जन्म हिहिड़ी में हुआ है। जहाँ मनुष्यों के पूर्वज पिलचू हाड़ाम-पिलचू बुढ़ही निवास करते थे। इन दोनों की उत्पत्ति हंस एवं हंसनी के दो अंडे से हुई थी और उन्हीं दोनों ने मानव वंश की नींव डाली है। उद्भव और विकास के साथ-साथ संतालों के पर्व-त्यौहार, नृत्य शैलियाँ तथा जीवन दर्शन का जन्म 'हिहिड़ी-पिपिड़ी' देश में हुआ है। जैसे—

(क) जन्म संस्कार गीत से प्रमाणित होता है

हिहिड़ी पिपिड़ी रे बोन जानाम लेन
खोज कामान रे बोन खोज लेन
हारा रारता रे बोन हारा लेन
सासाड़बेड़ा रेबोन जात तालालेन

अर्थात्—हमारा जन्म हिहिड़ी पिपिड़ी में हुआ तथा खोज कामान में, हमारा खोजबीन हुआ हाराराता में, हम बड़े हुए सासाड़ बेड़ा, हमारा जात का परिचय हुआ।

(ख) विवाह संस्कार गीत–

तोका रे जानाम लेन दोड़ दो
धुयसाड़ रे बुसाड़लेन दोड़ दो
चिरू चाम्चा दुगदन राहेड़ रे सोरोलेन हिहिड़ी दाड़ पिपिड़ी रे

अर्थात्–कहाँ जन्म हुआ था विवाह गीत 'दोड़', कहाँ प्रसव हुआ था विवाह गीत दोड़। हिहिड़ी में जन्म हुआ विवाह गीत, पिपिड़ी में प्रसव हुआ विवाह गीत।

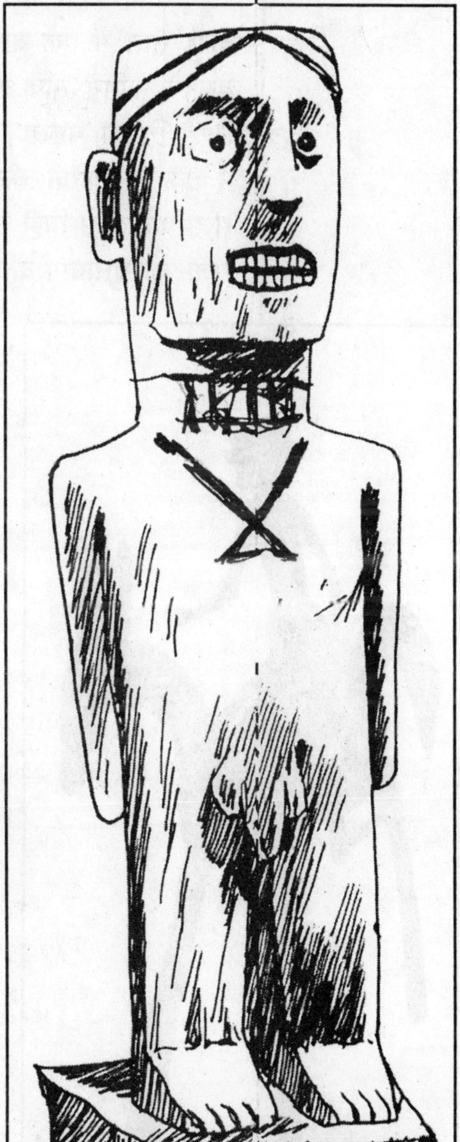

संतालों की आदिकथा के अनुसार–'जब मनुष्यों के पाप कर्म से बाबा ईश्वर क्रोधित हुए, तब उन्होंने 'गजमती' नाम से एक हाथी बनाया। उसे आकाश से 'तोड़े सुताम सुक्ष सुत्र' के सहारे धरती पर उतारा। जैसे ही गजमती हाथी ने धरती पर पैर रखा, वैसे ही धरती जलमग्न हो गई और सारे जीव-जंतु, पेड़-पौधे डूब गए। धरती को जल में डूबते देखकर देवताओं, जाहेर आयो, माराङबुरू, लिटा गोंसाय, आदि ने आपस में बारह वर्ष तक विचार किया तथा तेरह वर्ष तक 'आचार' किया था। तब बाबा ईश्वर ने अपनी हाँसली के हड्डी से दो हंस-हंसिनी चिड़ियाँ की सृष्टि की थी, बाबा ईश्वर ने जब हंस-हंसिनी चिड़ियाँ को जीवन दिया तब वे बादलों के बीच उड़ गए। बाबा ईश्वर के आशीर्वाद से हंस-हंसिनी ने करम पेड़ पर घोंसला बनाया तथा उन्होंने घोंसले में दो अंडे दिए। अंडे से दो मानव जन्मे। तब हंस-हंसिनी चिड़ियाँ दिन-रात, धरती के लिए रोते रहे, क्योंकि उस समय मानव के रहने के लिए धरती नहीं बनी थी। तब बाबा ईश्वर ने धरती के निर्माण के लिए माराङ बुरू को बुलाया। बाबा ईश्वर के आदेश से धरती ब के लिए माराङ बुरू ने कछुवा राजा को धरती बनाने के लिए बुलाया और कहा–हे महान 'कछुवा राजा' देखो, मैं तुम्हारे शरीर के ऊपर धरती निर्माण करना चाहता हूँ। जिसके बदले मैं तुम्हें अपनी एक पुत्री तथा आधा राज्य दूँगा। तब बाबा ईश्वर के आदेशानुसार कछुवा राजा के चारों पैरों में सोना सिकड़ी सोना का सिकल बाँधकर, सिकल को चारों दिशाओं उत्तर, दक्षिण, पूर्व तथा पश्चिम में बाँध दिया। तब कछुवा राजा ने कहा कि हे बाबा ईश्वर, तब क्या, मैं कभी भी नहीं हिल सकूँगा? तब

बाबा ईश्वर ने कहा—नहीं, तुम बारह साल में केवल एक बार हिल सकोगे। उसके बाद बाबा ईश्वर के आदेशानुसार काली नागिन साँप को भी बुलाया। नागिन साँप को भी कहा—देखो सर्प महाराज, मैं तुम्हारे शरीर पर धरती का निर्माण करना चाहता हूँ। इसके बदले में मैं तुमको अपनी एक पुत्री तथा आधा राज्य दूँगा। बाबा ईश्वर की बात सुनकर नागिन साँप ने भी हाँ कह दी।

बाबा ईश्वर ने नागिन साँप को कछुए की पीठ पर लपेट दिया और उसको भी बारह साल में एक बार कछुए के साथ हिलने के लिए कहा गया। उसके बाद माराङ बुरू ने नागिन साँप के ऊपर सोने की थाली रखी। थाली के ऊपर मिट्टी उठाने के लिए 'चिंगड़ी मछली' को बुलाया गया, जो पाताल से मिट्टी लायी। तब माराङ बुरू ने एक-एक करके, केकड़ा राजा, बावाड़ मछली राजा आदि को बुलाया लेकिन सभी राजा पाताल से मिट्टी उठाने में असफल रहे। अंततः माराङ बुरू ने 'लेंडेत् राजा' केंचुआ राजा को बुलाया। केंचुआ राजा ने पाताल में जा कर व पाताल की मिट्टी को लाकर सोने की थाली के ऊपर रख दिया इसी तरह से धरती बन गई। इसके बाद बाबा ईश्वर के आदेश से दुब्दी घास, झाड़ियाँ तथा कँटीले पेड़-पौधे के बीज बोए। बीज से पेड़-पौधे उग गए। तब माराङ बुरू ने हंस-हंसिनी पक्षी के अंडे से निकले दो मानव को 'सागाः बुटा', 'जानुम धुँद', अर्थात् हिहिड़ी पिपिड़ी में रखा, वहीं उनका नामकरण हुआ। पिलचू हाड़ाम तथा पिलचू बुढ़ही जब जवान हुए तो बाबा ईश्वर के आदेश से ठाकुर ठाकुराइन ने इनकी शादी करवा दी। पिल दंपति के सात पुत्र सोंदरो, सांदोम, चारे, माने, आचारे, देलहू, केरू तथा सात पुत्रियाँ छिता, कापरो, हिसी, डुमनी, दानगी, पुँड़गी, नासों हुई थीं। उसके वंशज ही होड़ लोग हैं। जब इनके वंशज अधिक बढ़ गए तब ये सासाड़बेड़ा, जारपी दिसोम, आयरे दिसोम, काँयडेदिसोम, चाँपा दिसोम में रहने लगे। यहाँ इन्होंने अनेक दिशाओं में काफी उन्नति की थी। यहाँ बारह गोत्र के बारह किले गाड़ बनाए थे। इस प्रकार हासदा के लिए कुटामपुरीगाड़, मुरमू के लिए चांपागाड़, सोरेन के लिए चायगाड़, मारडी के लिए बादोलीगाड़, किसकू के लिए कोंयडागाड़, टुडू के लिए बिन सारिया गाड़, हेम्ब्रम के लिए खैरीगाड़, बास के लिए हारालोयोड़ गाड़, पावरिया के लिए बामागाड़, चोंड़े के लिए कोडेगाड़, बेदिया के लिए कोंयडागाड़, स्थापित किए थे। इसके बाद ये तोड़ेपुखरी, एयायनाई, गांगनाई, सुड़ानाई, सिरदिसोम,

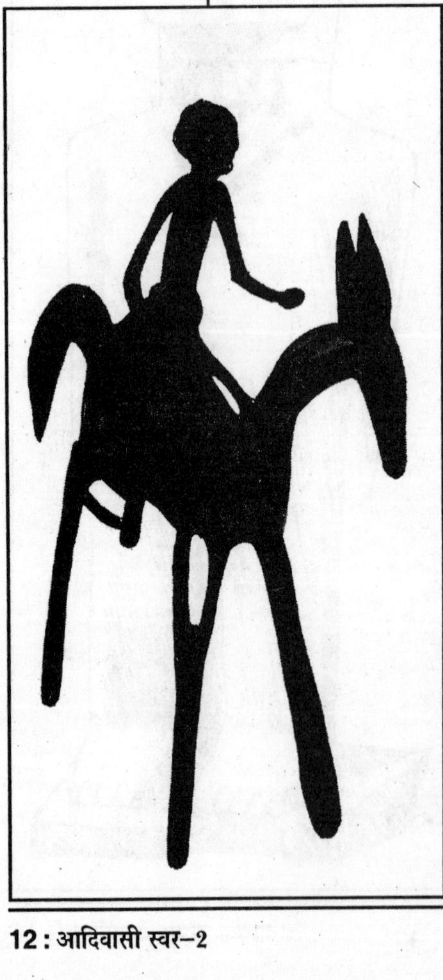

सिकार दिसोम होते हुए शांत प्रदेश में आए। शांत का अर्थ है समतल भूमि। समतल भूमि में ही इन्हें संताल सांवताल या संथाल कहा जाने लगा। आदिकाल में संताली लोक साहित्य में लोककथा, गाथा तथा गीत पाए जाते हैं।

संताली आदि साहित्य में कई तरह के पौराणिक मिथ पाए जाते हैं। यथा–तत्त्व शास्त्रीय मिथ, आनुष्ठानिक मिथ, सामाजिक मिथ, आख्यान मिथ आदि। संताल प्रकृति पुत्र हैं। सदा ही प्रकृति की गोद में खेलते हैं। पूजते हैं तथा उसी से प्रेरणा लेते हैं। संताल सरना धर्मावलंबी हैं। इनके धर्म संबंधी, समाज संबंधी तथा जाति संबंधी कथा, कहानी तथा गीत मिलते हैं। जैसे–जाति कथा, गोत्र कथा, प्रतीक कथा, देवकथा, परीकथा आदि कथाएँ हैं। संताली आदि कथाओं की मुख्य विशेषताएँ निम्नलिखित हैं।

1. प्राकृतिक तत्त्वों के मानवी कारण।
2. देश, काल, पात्र और घटनाओं के अनुरूप कथा सूत्र का विकास।
3. जादू एवं जादुई शक्तियों की प्रमुखता।
4. संदेशवाहक पशु या पक्षी आदि।

आदिकाल का साहित्य अलिखित रहा है। जिसे अलिखित साहित्य कहा गया है। अलिखित साहित्य के कहानी, गीत, गाथा, कथा, कुदुम आदि सुनाने वाले अलग-अलग होते हैं। इसलिए कहानी, गीत, गाथा, कथा आदि कई रूपों में मिलते हैं। परंतु उनका सारांश या सार अर्थ समान है। कहानियाँ हास्यपूर्ण मनोरंजक और उपदेशात्मक होती हैं। अर्थात् आदि साहित्य लोक जीवन से जुड़ा हुआ है।

2. मध्यकाल–सन् 1854 ई. से 1945 ई. तक का साहित्य मध्यकाल या खेखाड़ अवतार का साहित्य कहा जाता है। इस काल से ही संताली साहित्य को लिखित रूप दिया गया है। सन् 1854 ई. संताली भाषा के महाकवि, धर्मविद माँझी, डॉ. रामदास टुडू रसिका, डी. लिट् का जन्मकाल है। मध्यकाल का चरण डॉ. टुडू रसिका से संबंधित है। संताली भाषा साहित्य के रूप में सन् 1882 ई. में बांग्ला लिपि के माध्यम से प्रकाशित हुई। इसमें संताली गीतिकाव्य तथा गाथा आदि सम्मिलित हैं। इन गाथा तथा गीतों से संतालों की ऐतिहासिक एवं सांस्कृतिक पृष्ठभूमि का परिचय प्राप्त होता

है। इस काल में सबसे अधिक विदेशी ईसाई मिशनरियों द्वारा संताली लोकगीत, लोककथा, लोकोक्तियाँ, मुहावरे आदि का संकलन तथा प्रकाशन हुआ है। जब ईसाई मिशनरियों के लिए अपने धर्म प्रचार के लिए संताली भाषा सीखना आवश्यक हो गया, तब उन्होंने संताली व्याकरण एवं शब्दकोश का निर्माण एवं प्रकाशन किया। फलतः सन् 1852 ई. में रिव. जारमिया फिलिप्स ने 'सन् इंट्रोडक्शन टू दा संताली लैंग्वेज' नामक व्याकरण की पुस्तक प्रकाशित की। इसके बाद चर्च मिशनरी सोसाइटी कोलकाता के पादरी साहब रिव.ई.एल. पाकसले ने सन् 1868 ई. में 'ए बोके-ब्युलरी ऑफ संताली अंग्रेजी डिक्शनरी' पुस्तक संताल मिशन प्रेस पुखुरिया से प्रकाशित की। एक समय रिव.ई.जी. मेन साहब संताल परगना के सहायक कमिश्नर हुआ करते थे, उन्होंने संताली गीतों एवं कहानियों का संकलन कर सन् 1868 ई. में 'संताल एजु दी संताली पुस्तक' प्रकाशित की। सन् 1873 ई. में रिव. लरस ओसेन स्क्रेफसरूंड ने 'ए ग्रामर ऑफ दी संताली लैंग्वेज' पुस्तक प्रकाशित की। इन्होंने एक वयोवृद्ध संताल गुरु कल्याण नाम के संताल से संतालों की जन्म कथा, विकास तथा रीति-रिवाज सुनकर 'होड़को रेन मारे हापड़मको रेयाः काथा' रोमन लिपि में संताली भाषा में सन् 1887 ई. में प्रकाशित की। इस पुस्तक के निर्माण में दूसरे संताल गुरु जुगिया हाड़ाम का भी सहयोग था। इस प्रकार मिशनरियों द्वारा संताली पुस्तक निर्माण तथा प्रकाशन होता रहा। रिव. पाऊप आलोक बोडिंग साहब ने संताली भाषा और साहित्य के विकास पर अनेक पुस्तकें लिखी हैं। सन् 1890 ई. में पेड़ तथा होड़ होपोन रेन पेड़ा नामक दो संताली पत्रिकाएँ संपादन कीं, लेकिन इसमें ईसाइयों से संबंधित गीत, भजन आदि संताली भाषा में अनूदित कर प्रकाशित किए गए। बोडिंग साहेब ने सन् 1925 ई. से 1929 ई. तक कई पुस्तकें प्रकाशित की हैं। 'ए चेप्टर ऑफ संताली फोकलोर' नोरवे से अंग्रेजी भाषा में प्रकाशित किए हैं। दूसरा महत्त्वपूर्ण काम 'ए संताली डिक्शनरी', 'संताली अंग्रेजी शब्दकोश', 'मेटेरियल फोर संताली ग्रामर', 'ए संताली ग्रामर फोर विगनार्स' तथा 'स्टडीज इन संताली मेंडिसन—ए कलेक्टेड फोकलोर' पुस्तकें रोमन लिपि एवं अंग्रेजी भाषा के माध्यम से प्रकाशित की गई हैं। इनके अलावे रिव. सीएच बोम्पास ने सन् 1909 ई. में 'फोकलोर ऑफ दी संताल परगना' पुस्तक प्रकाशित की है। इसमें 185 लोक कहानियाँ हैं। डॉ. अंडे कैंपबेल ने पुखुरिया मिशन के पादरी देवा हांसदा

के साथ मिलकर संताली भाषा साहित्य पर अनेक काम किए हैं। उन्होंने पाहा-पुहु, पियाड़-पियाड़ कुला आर मेनेचार, थोर चेतान यार नामक पुस्तकों का निर्माण तथा प्रकाशन किया है। कैंपबेल साहब ने सन् 1890 ई. में संताली पत्रिका 'ढाबरा' नामक ईसाई धर्म संबंधित प्रकाशित की। सन् 1890 ई. में संताली अंग्रेजी एवं अंग्रेजी संताली पत्रिका प्रकाशित की। सन् 1890 ई. में संताली अंग्रेजी एवं अंग्रेजी संताली शब्दकोश प्रकाशित किया। रि. रासमुसेन राजेनेलुजु ने संताल मिशन ऑफ नॉर्दर्न चर्च से सन् 1949 ई. में प्रकाशित किया। रोबर्ट कर्सटियार्स ने सन् 1935 ई. में संतालों से संबंधित एक अंग्रेजी उपन्यास प्रकाशित किया जिसका बाद में संताली अनुवाद प्रकाशित हुआ। सर विलियम जर्ज अचरि महोदय ने सन् 1945 ई. में 'होड़ सेरेय' पुस्तक रोमन लिपि में प्रकाशित की।

संताली साहित्य के मध्यकाल के इतिहास में ईसाई मिशनरियों द्वारा ही गीत, कहानी तथा व्याकरण पर अधिक काम हुआ है। उन्होंने संताली लोकगीत, लोक कहानी का संकलन तथा प्रकाशन किया है। भाषा जानने के लिए संताली व्याकरण पुस्तक का निर्माण किया है। संताली शिक्षा साहित्य का लेखन मध्यकाल में ही आरंभ हुआ है। इस काल में संताली लेखकों द्वारा ही रचित कविता, कहानी, नाटक आदि का प्रकाशन हुआ। सबसे पहले काव्य साहित्य में पाऊल जुझार सोरेन रचित 'ओनोड़हे बाहा डालवा' 'फूपों की डाली' पुस्तक रोमन लिपि में सन् 1936 ई. में बांग्ला लिपि में प्रकाशित हुई। श्याम सुंदर हेम्ब्रम रचित संताली निबंध पुस्तक 'खेखाड़ बोंसा घोरोम डाक सवन्' 1948 ई.में तथा 'छोटोरपुती किस्कू राज' नामक पुस्तक 1948 ई. में प्रकाशित हुई। सिहरी मुरमू संपादित प्रथम संताली साहित्यिक पत्रिका 'मारसाल' बांग्ला लिपि के माध्यम से पूर्व सिंहभूम राजदोहा गाँव से प्रकाशित हुई है। इस पत्रिका में स्व. चुनकूराम टुडू लिखित ओल चाकती कहानी उच्चकोटि की हैं। लाखाई सोरेन लिखित भ्रमण कहानी दाड़ान प्रथम भ्रमण कहानी है। सन् 1944 ई. में पास्टर स्टेफान चाँदो मुरमू की 'ग्राम' कहानी पुस्तक में रोमन लिपि के माध्यम से 138 लोक कहानियाँ प्रकाशित हुई हैं। उपर्युक्त पुस्तकों तथा लेखकों से यह ज्ञात होता है कि मध्यकाल 1854 ई. से 1945 ई. का समय ईसाई मिशनरियों का समय रहा, जिन्होंने संताली साहित्य विकास को नया आयाम दिया है तथा शिष्ट साहित्य का लेखन शुभारंभ हुआ है।

3. आधुनिक काल—सन् 1945 ई. से अब तक के संताली साहित्य को आधुनिक काल या संताली अवतार का साहित्य मानते हैं। इसी काल में संताली शब्द का अधिक प्रचार प्रसार हुआ है। आधुनिक काल में संताली साहित्य का काम तीन दिशाओं में हुआ है। पहला काम—संताली परंपरागत कहानी, गाथा, कथा, पहेलियाँ, कुदुभ, मुहावरे तथा लोकोक्तियों का संकलन तथा प्रसारण। दूसरा काम—रचनात्मक लेखन यथा, कविता, कहानी, गीत, उपन्यास, नाटक आदि का निर्माण तथा प्रसारण। तीसरा काम—आलोचनात्मक लेखन तथा शोध लेखन एवं प्रसारण हुआ है।

(क) संताली लोकगीत—लोकगीतों में जीवन के भावों, विचारों तथा घटनाओं का उल्लेख मिलता है। संताली लोकगीतों की प्रवृत्तियाँ विविध हैं। यथा—भक्ति, नीति, रोमानी, कल्पना, प्रेम की पीड़ा, उल्लास, सहानुभूति, इतिहास आदि संताली लोकगीत अवसर, माह या राग पर विभाजित किया जा सकता है। जैसे—डहर गीत, विवाहगीत, छाटयारगीत, रिंजा गीत आदि। साहित्य, धर्म और राष्ट्रीयता की दृष्टि से भी संताली लोकगीतों में सारी वस्तुएँ उपलब्ध हैं तथा काव्य के सभी तत्त्व उनमें विद्यमान हैं। इस दृष्टि से संताली लोकगीतों को संकलित कर प्रकाशित किया गया। जो कि निम्नलिखित साहित्यिक संताली लोकगीतों को लिखित रूप प्रदान किया है। सन् 1945 ई. में नायक मंगल, चंद्र सोरेन संकलित दांसाय सोहराय करमगीतसय, सन् 1963 में पदमश्री भागवत मुरमू ठाकुर संकलित 'दोड़ सेरेज' (विवाह गीत)। सन् 1965 ई. में गोमस्ता प्रसाद सोरेन संकलित 'अहोखड़ा थुती'। सन् 1972 ई. में कृष्णचंद्र टुडू संकलित 'सेरेज बिंडा' (गीत गुच्छ)। सन् 1980 ई. में नुनकू सोरेन संकलित 'काराम सेरेज'। सन् 1981 ई. में केवलराम सोरेन संकलित 'मांझी छा[illegible]ा लाँगड़े गीत'। सन् 1982 ई. में मलिंद्र हांसदा संकलित 'देवी दासाय' गीत। सन् 1982 ई. में बाबूलाल मुरमू आदिवासी संकलित 'सोरोस सेरेज' विवाह गीत। सन् 1985 ई. में बलराम टुडू संकलित 'बाहा सेरेज' फूलों का गीत। सन् 1985 ई. में रूपचांद हांसदा संकलित 'मोडेसिञ मोड़े ञिदा सोहराय गीत'। सन् 1990 ई. में भैया हांसदा चासा संकलित 'संताली लोकगीत विवाह'। सन् 1994 ई. में सहदेव मरांडी संकलित 'बाहा सोहराय' गीत। सन् 1994 ई. में लिलू हिकिम बासके संकलित 'दो सेरेज' विवाह गीत। सन् 2000 ई.में ज्योतिलाप मानडी संकलित 'राहा राली' गीत। सन् 2003 ई. में श्याम बेसराजिवी राडेज संकलित 'दामिन पियो' लोकगीत प्रकाशित हुए हैं। इनके अलावे विभिन्न पत्रिकाओं

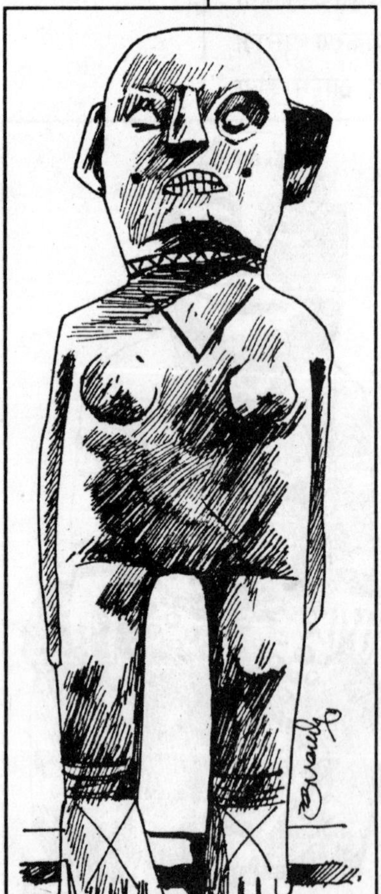

में अनेक गीत प्रकाशित हुए हैं। तथा अनेक लेखकों के पास मौजूद अभी भी अनेक संकलित गीत प्रकाशित नहीं हो पाए हैं।

(ख) संताली लोककथा–संताली लोककथाओं का प्रचार-प्रसार प्राचीनकाल से ही होता आ रहा है। संताली लोककथा सामान्यतया आत्म से जुड़ी हुई हैं। कथाओं का नायक व्यक्ति न होकर पशु-पक्षी, पेड़-पौधे, देव-दानव आदि हैं अर्थात् कथाओं में पशु-पक्षी या देव-दानव मानव जीवन का ही प्रतिनिधित्व करते हैं। वे समाज के विभन्न पहलुओं के समक्ष दर्पण के रूप में सामने आते हैं। संताली लोक कथाओं में परंपरा विश्वास, आचार-विचार, विभिन्न प्रथाएँ, जीवन के हर्ष एवं विषाद, अतीत एवं वर्तमान के सभी गुण विद्यमान होते हैं। संताली लोककथा भौतिक रूप में पाए जाती हैं। केवल इसका स्थूल रूप परिवर्तित होता है। कभी-कभी कहानी कहने वाले अपने शब्दों में कहते हैं। संताली लोककथाओं में कोई शिल्प नहीं है, कथाओं में मुहावरे, लोकोक्तियों का प्रयोग होता है।

संताली लोककथाओं का संकलन मध्यकाल से प्रारंभ होता है। परंतु संतालों में शिक्षा के प्रचार-प्रसार के साथ-साथ संताली साहित्यकारों द्वारा अनेक कथाएँ, गाथाएँ तथा कहानियाँ संकलित कर प्रकाशित की गई हैं। इनमें से निम्नलिखित साहित्यकारों की संकलित कथाएँ प्रकाशित हुई हैं। सन् 1943 ई. में मंगल चंद्र सोरेन संकलित 'जोमसिम बिनती लिटा'। सन् 1967 ई. में हिकिम हांसदा संकलित 'लाई चेपेद'। सन् 1980 ई. में डॉ. रामचंद्र मुर्मू संकलित 'तेतेद तुमाल'। सन् 1981 ई. में मंगल चंद्र सोरेन लिखित 'माराङबुरू महात्मा करम पूजा'। सन् 1982 ई. में भागवत मुरमू ठाकुर लिखित 'संताली लोक कथाएँ' (अनुवाद सहित)।

सन् 1983 ई. में नुनकू सोरेन लिखित 'छामड़ालातार बारयात् सारयातको'। सन् 1983 ई. में रामी टुडू लिखित 'खेरवाल सांवता'। सन् 1983 ई. में वैद्यनाथ मरांडी लिखित 'सांवताली लोक संस्कृति'। सन् 1985 ई. में कान्हाई लाल टुडू लिखित 'माराङ बुरू बिनती'। सन् 1987 ई. में कुशाल हेम्ब्रम लिखित 'सांवता सेचेत्'। सन् 1991 ई. में के बास्के लिखित 'बोंगा हातोम'। सन् 1992 ई. में धीरेंद्रनाथ बास्के लिखित 'होड़ सोमाज रेयाः आरीचाली'। सन् 1994 ई. में स्टेनशिला हेम्ब्रम लिखित 'सानतालकोवाः आरीचाली आरसी'। सन् 1994 ई. में दशरथ मुरमू चाँपा लिखित 'खेरवाड़ बोर्सा'।

सन् 1995 ई. में होपोन हेम्ब्रम लिखित 'मानमीयाः आड़ाड़ आर ताड़ाम'। सन् 1997 ई. में साधूगमचाँद मुरमू लिखित 'ईस रोड़'। सन् 1999 ई. में रामेश्वर मुरमू लिखित 'हापड़ामको को लाय होटो आकादा'। सन् 2001 ई. में संताल अकादमी कोलकाता द्वारा प्रकाशित 'होड़ होपोन कोवाः सेदाय कान्या'। सन् 2001 ई. में ए मुरमू लिखित 'होड़ होपोन कोवाः उपरूम' तथा 2002 ई. में फिलिप्स एक्का एवं टुडू द्वारा लिखित 'आदिवासी कहानी संग्रह' पुस्तकें प्रकाशित हुई हैं।

(ग) संताली मुहावरे, पहेलियाँ तथा लोकोक्तियाँ—संताली लोक साहित्य में मुहावरे, पहेलियाँ तथा लोकोक्तियों का एक महत्त्वपूर्ण स्थान है। संताली लोकोक्तियाँ, पीढ़ी-दर-पीढ़ी चलती आ रही हैं। इसके द्वारा ज्ञान को सरलता से जाना जाता है। इसमें समाज से संबंधित सभी बातों का उल्लेख मिलता है। विशेषकर विवाह संस्कार एवं मृत्यु संस्कार के समय प्रयुक्त होता है। जैसे—दिपचुय उड़ाय=सिगरेट पीना, लुबूः मुच् गेर=भूख लगना। हाट बाहा ते बाहाः=बाल सफेद होना आदि। संताली साहित्य को रोचक बनाने के लिए मुहावरों का प्रयोग होता है। मुहावरे हमेशा गद्यात्मक होते हैं। संताली लोक साहित्य में लोकोक्ति की तरह ही पहेलियाँ या बुझौबल 'कुदुम' का भी महत्त्वपूर्ण स्थान है। इसका प्रयोग लोक जीवन में भी होता है। संताली मुहावरे, पहेलियों की अनेक पुस्तकें प्रकाशित हुई हैं। स्टेफन एच मुरमू की 'होड़ कुदुम पुथी' सन् 1944 ई. में, धीरेंद्र नाथ बास्के की 'संताली भेंता काथा को' सन् 1988 ई. में। चरण कर्णालियास मुरमू की 'भेनता णोला' सन् 1999 ई. में तथा सोनोत कुमार सोरेन की 'कुदुम मुराई' सन् 2005 ई. में प्रकाशित हुई हैं।

शिष्ट साहित्य : संताली शिष्ट साहित्य का लेखन मध्यकाल से ही शुरू हुआ है। शिष्ट साहित्य के अंतर्गत कविता, कहानी, नाटक उपन्यास आदि आते हैं। आधुनिक काल के लेखकों एवं कवियों द्वारा रचित विभिन्न विधाओं का समावेश है शिष्ट साहित्य। शिष्ट साहित्य के रचनाकारों का नाम ज्ञात होता है। लेकिन लोक साहित्य के रचनाकारों का नाम अज्ञात है। संताली साहित्य के इतिहास में लगभग दस लाख पुस्तकें प्रकाशित हुई हैं। उसमें से अधिकांश 'ओलचिकी वर्ण परिचय' पुस्तकें हैं। मैं उन पुस्तकों की संक्षिप्त तालिका, रचनाकार का नाम तथा सन् आदि प्रस्तुत कर रहा हूँ, जो मैंने पढ़ा है तथा देखा है।

1. संताली काव्य साहित्य : संताली काव्य साहित्य का इतिहास मध्यकाल से शुरू

होता है। संताली का प्रथम शिष्ट प्रकाशित काव्य सन् 1936 ई. में पूर्व लोकसभा सदस्य पाऊल जुझार सोरेन रचित 'ओगोड़हें बाहा डालावाः' (फूल की डाली) इसमें बारह कविताएँ हैं। कविताओं में आधुनिक भावों के साथ प्रेम और सौंदर्य के शाश्वत भाव की अभिव्यक्ति हुई है। संताली काव्य का दूसरा प्रयास संताली पत्र-पत्रिकाओं के माध्यम से हुआ है। सिहरी चंपाई मुरमू संपादित 'मारसाल प्रकाश' नामक संताली साहित्यिक पत्रिका सन् 1942 ई. में सुंदर मोटी हस्तलिपि में प्रारंभ हुई। पत्रिका का दूसरा अंक भवानी प्रेस गालूडीनह सिंहभूम से बांग्ला लिपि के माध्यम से छपकर राजदोहा से प्रकाशित हुआ। इसमें अनेक कविताएँ हैं। कविताओं में देशभक्ति काव्य, हास्यात्मक काव्य आदि हैं। इसके बाद उड़ीसा राज्य के मयूरभंज जिला, एकेड़ा गाँव के गीतकार पंचानन मारडी की 'सेरेभ इता गीत का बीज' पुस्तक सन् 1947 ई. में प्रकाशित हुई। इनकी कविताएँ संताली लोकगीतों के आधार पर रचित हैं। रचनाओं में नए उपमान, नए बिम्ब, नए प्रयोग स्थान-स्थान पर दिखते हैं। सन् 1951 ई. में पूर्वी सिंहभूम के ठाकुर प्रसाद मुरमू की 'एभेन आड़ाड़ जागरण आवाज' काव्य पुस्तक प्रकाशित हुई। इनकी रचनाओं में स्वतंत्रता प्राप्ति को बड़ा ही महत्त्व दिया गया है। साथ ही अपने अधिकार और कर्त्तव्य की भावनाएँ प्रकाशित हैं। संताली काव्य साहित्य सीमित नहीं है। लगभग पाँच हजार संताली काव्य साहित्य पुस्तकें प्रकाशित हुई हैं। कविताओं में बौद्धिकता, रसवत्ता, मर्मस्पर्शिता झलकती है। कुछ कवियों ने देश प्रेम, सामाजिक व्यवस्था, शिक्षा तथा आर्थिक समस्याओं का बड़ी ही सरल भाषा में चित्रण किया है। संताली कवियों तथा गीतकारों ने अनेक छोटी-बड़ी कविताओं की रचना की है, जिसमें कुछ प्रकाशित हुआ है तथा कुछ अप्रकाशित है। प्रकाशित पुस्तकों के नाम, कवियों के नाम तथा सन् आदि नीचे दिए गए।

श्याम सुंदर हेम्ब्रम की 'बिर खेरवाल आकिल बाती' 1951 ई. में, शारदा प्रसाद किस्कू की 'भूरका इपिल' 1953 में, गोराचाँद टुडू की 'चाँद माला' 1953 में, बाड़हा बेसरा की 'चासी रूमुल' 1954 में, शारदा प्रसाद किस्कू की 'कुहुबाऊ' 1960 में, रूपनारायण हेम्ब्रम की 'जोलोः बाती' 1961 में, साकिला सोरेन की 'लाः डाहार' आदि।

संतालों का पर्व प्रत्येक माह में संपन्न होता है। यथा—माघ में मायबोंगा, फागुन में बाहा बोंगा, चैत में रोहनी, वैशाख में एरो बोंगा, जेठ में मुचरी, आषाढ़ में आषाढ़िया, सावन में गोमहा या करम बोंगा, भाद्र में जानताड़, आश्विन में

दांसाय, कार्तिक में सोहराय बोंगा, पोष में सकरात या मकर पर्व संपन्न होता है।

1962 ई. में गुहीराम हेम्ब्रम की 'सेताः सोंदेस', 1962 ई. में गोमस्ता प्रसाद सोरेन की 'आखड़ा थुती', 1965 ई. में पंचानन मारडी की 'नालहा तुमाल', 1967 में श्याम मुरमू की 'सांवता सुसार', 1969 में श्याम मुरमू की 'साकहान होहान', गीत 1970 ई. में साकिला सोरेन की 'गालाड़ आड़ाड़' 1972 ई. में, कृष्ण चंद्र टुडू की 'सेरेन बिंछा' 1972 ई. में, डमन हाँसदा की 'बिर बाहा' 1973 में, रबिलाल मारडी की 'आंगा आड़ाड़' 1973 में, गुहीराम हैम्ब्रम की 'धुड़ी धारती' 1973 ई. में, जलेश्वर सोरेन की 'फुरगाल दिसोम होड़' 1977 ई. में, नारायण सोरेन की 'आसाड़ बिनती' 1977 ई. में, काली राम सोरेन की 'सोहाग माला' 1977 में, आदित्य मित्र संताली की 'गोसोबाहा' 1978 ई. में, हरिहर हांसदा की 'तिरयो तेताऊ' 1979 ई. में, लक्ष्मी नारायण मुरमू की 'जेरेत दिवहा' 1979 ई. में, साधु रामचांद मुरमू की 'लिटा गोडेत' 1979 ई. में, रबिलाल टुडू की 'हूल काव्य' 1979 में, श्रीकांत सोरेन की 'सेरेथ माला' 1979 ई. में, सावना मारडी की 'मेत् दाः' 1979 में, नारायण सोरेन की 'गिरा' 1980 ई. में, भजराय हेम्ब्रम की 'गिदा' 1980 में, लोकनाथ मुरमू की 'पोहा दारे' 1980 में, रामधन मुरमू की 'मोदोर मुली' 1981 ई. में, पिरू टुडू की 'माला' 1981 में, नारायण सोरेन की 'किरतान काली' 1981 में, काजली सोरेन की 'चाचो डिडी' 1982 ई. में बोगाय मुरमू की 'सिका बिती रासा' 1983 में, विनोद सोरेन की 'तारा बासाल' 1983 में, डमन हांसदा की 'पियालपूर लाड़ाहाई' कविता 1983 में, बाबूलाल मुरमू की 'कोयोक होर' 1983 में, महादेव टुडू की 'नाई कासाई' 1984 में, कालीकिंकर किस्कू की 'सिरी बारी' 1983 में, काजली सोरेन की 'गायगोम' 1985 में, शारदा प्रसाद किस्कू की 'लाहाः होररे' 1985 में, जलेश्वर सोरेन की 'नाहाः दिनाः चितार' 1985 में, कृष्ण चंद्र टुडू की 'संताली पद्य संग्रह' 1985 ई. में, शहदेव किस्कू की 'मिरू आड़ाड़' 1985 में, तेजनारायण मुरमू की 'तोवा बाहा माला' 1985 ई. में, जयराम हांसदा की 'आकिल आड़ाड़' 1986 ई. में, अकिल सोरेन की 'निसान' 1986 में, गोरा चाँद टुडू की 'बाखरा' 1986 में, जयराम माँझी की 'तोबेन गुड़' 1987 ई. में, हरिहर हांसदा की 'तिरी-1, 2' 1988 ई. में, भोजराय हेम्ब्रम की 'चाई चाम्पा' 1988 ई. में प्रकाशित हुई हैं। सन् 1988 ई. से राँची विश्वविद्यालय के सभी कॉलेजों में स्नातक स्तर तथा इंटरमीडिएट स्तर की पढ़ाई आरंभ हो गई, जिससे संताली कवियों ने प्रोत्साहित होकर

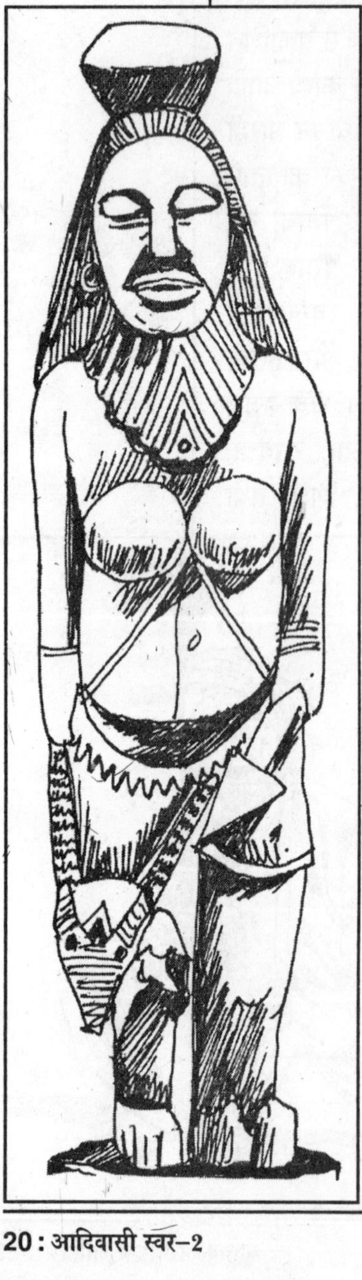

अनेक काव्य ग्रंथों की रचना की। सन् 1988 ई. में काजली सोरेन की 'आयनोम काजोल', दावानल हांसदा की 'घिरी चाटानी', किंकर मुरमू की 'हेंदे रिमिल', परिमल हेम्ब्रम की 'आकाल', भैया हांसदा की 'आरसी पारसी', डोमन साहू की 'सेताः' बासुदेव बेसरा की 'बिडराव' काव्य प्रकाशित हुआ। सन् 1989 में अनादी हेम्ब्रम की 'उदगाव', खेरवाल सोरेन की 'खेखाड़ आड़ाड़', सन् 1990 में, सोभानाथ बेसरा की 'मनतार' अमृत हांसदा की 'दुला सांवता', रामधन मुरमू की 'आलाक जाड़ी', निशिथ हेम्ब्रम की 'हिजीबिजी', जागरण सोरेन की 'एभेन', गोराचांद मुरमू की 'गुतुल खाः'। सन् 1991 ई. में अमृत हांसदा की 'दुलाड़ गतिन', सुरूजमुनी मानडी की 'जोबेलाडू', हरप्रसाद मुरमू की 'जियाड़ झारना', रंजनु मार मुरमू की 'गायगोम', अविनोस सोरेन की 'उमुल', बैद्यनाथ मानडी की ओलोड़ हराड़, रबिन मुरमू की 'आहला' कविता प्रकाशित हुई। सन् 1992 ई. में जलेश्वर सोरेन की 'गारगानाः चितार', अबिनास सोरेन की 'दुलाड़ चोः चितार', दुगाई टुडू की 'रोमेज राजा', जगन्नाथ मुंझी की 'पारसी बाहा माला', महेंद्र सोरेन की 'रिलामाला', बैद्यनाथ मानडी की 'तारास', अनादी चरण

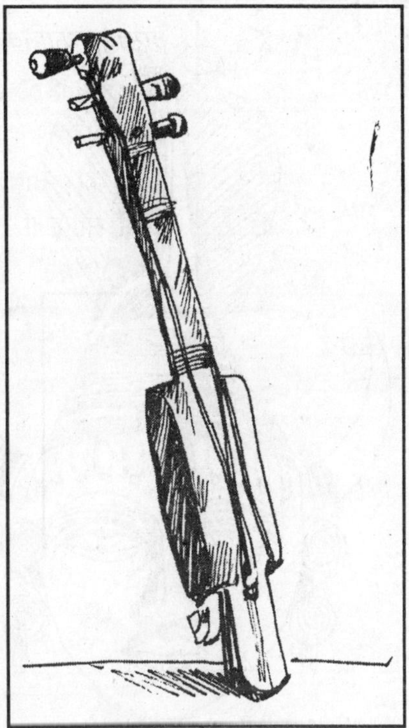

हेम्ब्रम की 'धेठरे रिमिल', चुनाराम हेम्ब्रम की 'थुकुम', साधन कुमार मानडी की 'सोड़', सुभा चंद्र मुरमू की 'जिवी राडेच' पुस्तकें प्रकाशित हुईं। सन् 1993 ई. में काजली सोरेन की 'दुली चेतान', चंद्रनाथ मुरमू की 'पासे धासुड़ान', कनहाई टुडू की 'आड़ाड़', यदुमनी बेसरा की 'डालिच्', बुधुराम हेम्ब्रम की 'आया', सुहद भौमिक संपादित 'साय सेरमा रेयाः ओनोड़हें', सुधिरा कुमार भिन्न की 'चेरोबेरो' रंजन कुमार मुरमू की 'आजारिया', तारासिंन कुमार मुरमू की 'आजारिया', तारासिंन बासके की 'जाला', भादो हांसदा की 'बाहा माला', पुस्तकें प्रकाशित हुईं। सन् 1994 में बाबूलाल मुरमू की 'नोवा मोन तोताड़ जिवी', अजयराय हेम्ब्रम की 'साल साकवा', दुगाई टुडू की 'सांवार', बिमल सोरेन की 'लावड़िया लाड़तिती को सुच् दाः डाड़ी दाः', साधु रामचांद की 'ओल दोहो ओनोड़हें', भैया हांसदा की 'तोवा बाहा दारें', कानहाई टुडू की 'सेरेन आहाड़', पुस्तकें प्रकाशित हुईं। सन् 1995 ई में सुभाष चंद्र मुरमू की 'फुरगाल आड़ाड़', मारसाल हेम्ब्रम की 'मानवा हो मानवा' अभिराम बेसरा की 'धोरोम इता', कालीराम सोरेन की 'आताड़ दाराम', शुकदेव हांसदा की 'तेराड़' पुस्तकें प्रकाशित हुईं। सन् 1996 में श्यामचरण हेम्ब्रम की 'शिशिर सिरिजोल' प्रकाशित हुई। सन् 1997 ई. में सुनीप बरन टुडू की 'सागेन आकाम', सारदा प्रसाद किस्कू की 'बिदा बेड़ा', भजराय हेम्ब्रम की 'पानीर पियो', भागवत किस्कू की 'जियोन जातवा', तारासिंन बासके की 'आतू मेरे टाँटी झारी', पूर्णचंद्र किस्कू की

'मूलेः अपिल', मिठुन मानडी की 'कुनानी तारास', कर्नलियास मुरमू की 'शत माना' पुस्तकें प्रकाशित हुईं। सन् 1998 ई. में बबलू हांसदा की 'उयहार', निरन मुरमू की 'दाः बाहा' कालीराम सोरेन की 'आंजले', गौर चंद्र हेम्ब्रम की 'हाहाड़ा', पुस्तकें प्रकाशित हुईं। सन् 1999 ई. में नाथूराम मानडि रचित 'जिंयाड़ झारना', विभा हांसदा की 'राहामाला', रघुनाथ टुडू की 'सांवोता आरसाल', अमृत हांसदा की 'जोरो बाडे', सुधीर मित्र की 'बिलित बालाड़', सुनील वरन की 'जाहार', मिस्त्री सोरेन की 'जियोन झारना', आदित्य मित्र की 'बाहा माला' पुस्तकें प्रकाशित हुईं। सन् 2000 ई. में पूर्णचंद्र किस्कू की 'लू लू पुतू', आदित्य मित्र की 'आकिल आलोहो' सन् 2001 ई. में बदन टुडू रचित 'बाई टुटुरी बावली' प्रकाशित हुईं। सन् 2003 ई. में लक्षण सोरेन की 'झिंगाबाहा', निरुपमा मुरमू की 'आईकाऊ', ठाकुर प्रसाद की 'सिरजोन राड़' प्रकाशित हुई। सन् 2004 ई. में सूर्यसिंग बेसारा की 'जानाम दिसोम', फटिक चंद्र हेम्ब्रम की 'बिपोडमोन' तथा सन् 2005 ई. में धनंजय मुरमू की 'ओकारे मेनामा' कविता पुस्तकें प्रकाशित हुईं।

उल्लिखित पुस्तकें देवनागरी, बांग्ला, ओलचिकी, ओडिया तथा रोमन लिपि में लिखी गई हैं। इनमें कुछ बड़ी तथा कुछ छोटी कविता पुस्तकें हैं। जहाँ तक इनकी भाषा का संबंध है, वह नई कविता की भाषा, बोलचाल की सामान्य भाषा से थोड़ी सी भिन्न है एवं कुछ कविताओं में स्थानीय भाषा हिंदी, बांग्ला, ओड़िया तथा असभी का प्रभाव दिखाई पड़ता है। भाषा का प्रयोग दो आधार पर किया गया है—बौद्धिक तथा चाटानी। नए कवियों ने भाषा और उसके शब्दों को संस्कारित कर उसे नई अनुभूतियों को सरलतापूर्वक व्यक्त करने का माध्यम बनाया है। उन्हें नए प्रतीक, बिंब एवं सौंदर्यबोध प्रदान किए हैं।

2. संताली नाटक साहित्य—संताली नाटक या रंगमंच पचास दशकों से लिखे एवं खेले जाते हैं। संताली साहित्य की प्रगति का प्रतिनिधित्व अधिक से अधिक नाटक ही कर रहे हैं। इसलिए सामाजिक दायित्वों के प्रति सजग चेतना से अनुप्रेरित होकर संताली नाटक लिखे गए हैं। पुराने खेमे के नाटककारों ने पौराणिक नाटकों की रचना

की है। आधुनिक नाटककार सामाजिक समस्या, ऐतिहासिक तथा प्रेम मूलक नाटकों की रचना अधिकतर कर रहे हैं। संताली नाटक साहित्य का एक समृद्ध, समुन्नत और साधन संपन्न रंगमंच का अभाव होने के बावजूद लेखन और प्रकाशन हो रहा है। विभिन्न संस्थाओं में नाटकों को अभिनीत करने की प्रवृत्ति को प्रोत्साहन मिल रहा है। इधर कुछ समय से नाटकों को मंचित करने की होड़ बड़ी तेजी से बढ़ी है। संताली नाटक की भाषा शैली उच्च कोटि की है। जिससे दर्शक मंत्र-मुग्ध हो जाते हैं। नाटकों में लोकोक्तियाँ, पहेलियाँ, कहावतें, मुहावरे, अलंकार तथा पद्य रूपक में परिपूर्ण हैं। संताली नाटक दो प्रकार के हैं। पहला दृश्य नाटक, दूसरा श्रुति नाटक। दृश्य नाटक मंच पर मंचन करते हैं तथा श्रुति नाटक रेडियो के माध्यम से प्रसारित होते आ रहे हैं। आकाशवाणी कोलकाता से अधिक संख्या में रेडियो नाटक प्रसारण हुआ है। संताली भाषा के माध्यम से देवनागरी, बांग्ला तथा ओलचिकी लिपि में निम्नलिखित नाटक प्रकाशित हुए हैं। प्रकाशन काल, लेखकों के नाम तथा पुस्तकों के नाम निम्नलिखित हैं। सन् 1942 ई. में पंडित रघुनाथ मुरमू की 'बिदु चांदान', 1948 ई. में श्याम सुंदर हेम्ब्रम की 'दोतोर पुती किस्कू राज', 1952 में रघुनाथ मुरमू की 'खेरवाड बीर', रूप नारायण टुडू की 'आलेआतू', 1956 में लोसो सोरेन की 'ओलोड़', सन् 1958 में बाल किशोर बासकी की 'आकिल आरसी', 1960 में लुदाई सोरेन की 'टुडू कोड़ा मांदोड़िया', कालीराम सोरेन की 'काजल सनातन', रघुनाथ मुरमू की 'दाड़ेगे धोन', कालीराम सोरेन की 'सिद्धो कान्हू', सन् 1966 में रूप नारायण टुडू की 'मानगाड़ माँझी', सन् 1971 ई. में कृष्ण चंद्र टुडू की 'जुटी खातिर', 1973 में जलेश्वर सोरेन की 'झाराबुटा घाट रे', 1975 में भैया हांसदा की 'बादो ली कोंयडा', लोसो सोरेन की 'कारधानी जानी मोन आपाम', 1983 में बाबूलाल मुरमू की 'सारजोम ढावरा', 1984 ई. में मदन मोहन मुरमू की 'हापड़ञेम कोंवाः उइहार', शिबलाल मुरमू की 'दरकार', सन् 1985 में भीमसेन हेम्ब्रम

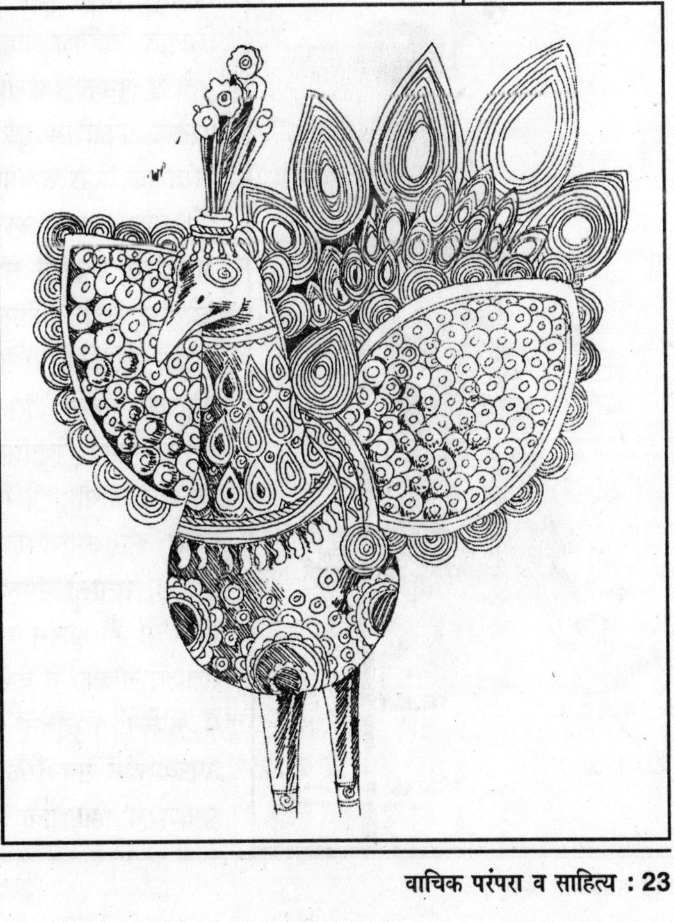

की 'बुरसी सेंगेल', 1987 में यिशु टुडू की 'जियोन होर रे', सन् 1988 ई. में नगेंद्र हांसदा की 'हांसदाः साकवा', गौर चंद्र मुरमू की 'बुरू आचार', सन् 1989 में भादो हांसदा की 'किंसाड़ बोंगा', 1990 में बादल हेम्ब्रम की 'धोरोम आये बाबा', सन् 1991 ई. में भोगला सोरेन की 'सोसनोः', स्वपन कुमार परामनिक की 'उलगुलान', कानहाई लाल टुडू की 'जानाम आयो', सन् 1993 में लक्ष्मीनारायण बास्के की 'तुला जोखा', स्वपन कुमार परामनिक की 'मुरूक माबोन साहाय', नोरेन बेसरा की 'डुगी पोहा', पद्मलोचन बाके की 'अउतात साँवता', सन् 1994 में कृष्णचंद्र टुडू की 'किरिन सिंदूर', कुशाल हेम्ब्रम की 'कापुर मुली सेंगेल जिवी', सन् 1995 में दुगाई टुडू की 'ऐगा होनाः नसिब', गौर चंद्र मुरमू की 'मोड़ा ओड़ाः रे माराड़ गोः', सन् 1997 में बादल हेम्ब्रम की 'माया सुतामः', सन् 1998 में सनत किस्कू की 'एरावाः आइदारी', यदुनाथ मुरमू की 'सागुन सिंठुर', साधन कुमार मांडी की 'बाड़ेदारे', सन् 1999 में यदुनाथ मुरमू की 'सोनेगोड़ सिकड़ी', सन् 2000 ई. में मदन मोहन मुरमू की 'रोमझोम', होरे किष्ण मुरमू की 'कोचे होरासी', खेखाल सोरेन की 'यारी ढाका रे मेतुदाः', पद्मलोचन बास्के लिखित 'बानिज बाहू', सन् 2003 में ज्ञान चाँद टुडू की 'जोनोः मुठी से झुनका', खेखाल सोरेन की 'चेतु रे चिकायेना' आदि नाटक पुस्तकें प्रकाशित हुई हैं। इन नाटकों में कुछ ऐतिहासिक, कुछ पौराणिक, कुछ सामाजिक तथा सांस्कृतिक पृष्ठभूमि पर आधारित हैं। कुछ नाटक स्वतंत्रता संग्राम एवं आदिवासी विद्रोह पर आधारित हैं इसमें से कुछ में प्रेम प्रसंग की भी झलक है। जैसे 'छौतोस पुती', 'किस्कू राज', 'बादोली कोयडा', 'संसार फेद' नाटक पारंपरिक रीति-रिवाजों पर आधारित हैं। 'सिद्धो-कान्हू', 'तिलका माँझी', 'रोहतास रानी', 'यारजोम ढाँवरा' तथा 'बिर सेंगेल' नाटक स्वतंत्रता संग्राम पर आधारित हैं। 'जुरी खातिर', 'जानाम आयो', 'पे टिका सिंदूर' नाटक प्रेम प्रसंग ऊँच-नीच की व्यथा का समाजपरक चित्रण हैं।

3. संताली उपन्यास—संताली उपन्यास का लेखन आधुनिक काल में ही प्रारंभ हुआ है। देश को आजादी मिलने के बाद संताली लेखकों ने कई उपन्यास लिखे हैं। जिससे संताली साहित्य में नवीन परिवर्तन और विस्तार आया है। संताली साहित्य उपन्यास में सन् 1956 ई. प्रस्थान बिंदु है, जब आर आर किस्कू रापाज ने 'हाड़मावा आतू' पुस्तक प्रकाशित की। यह उपन्यास

है। इसके बाद अनेक लेखकों ने राजनीतिक, सामाजिक तथा ऐतिहासिक उपन्यास लिखे हैं। सन् 1952 ई. में नुनकू सोरेन लिखित 'महिला चेचेत दाई', सन् 1969 ई. में के. किस्कू अनुवादित 'बाहाल-वोः' प्रकाशित हुए'। सन् 1973 में सी. मुरमू लिखित 'भारनडो', सन् 1977 में चंद्र मोहन हांसदा लिखित 'मानू माती', सन् 1985 में कृष्ण चंद्र हेम्ब्रम लिखित 'तोपाः तोनोल', सन् 1989 में सालखू मुरमू लिखित 'बाहा कुँवार', भोगी सोरेन लिखित 'उपाल', सन् 1990 में बादृल मुरमू लिखित 'सोभावाः कुकुर्मू', भागवत मुरमू ठाकुर लिखित 'बारूबेड़ा', दिवेंदू टुडू लिखित 'संताल परगना रेन होपोन एरा', सन् 1991 में भोलानाथ किस्कू लिखित 'तुपुन घाट', सन् 1992 में बादल हेम्ब्रम लिखित 'जिवी जियाड़ झारना', सन् 1993 में रायसेन बास्के लिखित 'माया झाली', सन् 1995 ई. में मोदन चंद्र बास्के लिखित 'दुलाड़ दारहा', सन् 1998 ई. में बुधराय टुडू लिखित 'होरांसी रे तिसेम सिंदुरा', सन् 2002 में बोयहा विश्वनाथ टुडू लिखित 'दानगी दायागेम दानाड़ एना', 'हायरे चाँदो लिखो न'। सन् 2002 में माय किस्कू लिखित 'रोतोन' तथा 2003 में समानाथ रचित 'सारी दुलाड़' उपन्यास प्रकाशित हुए हैं।

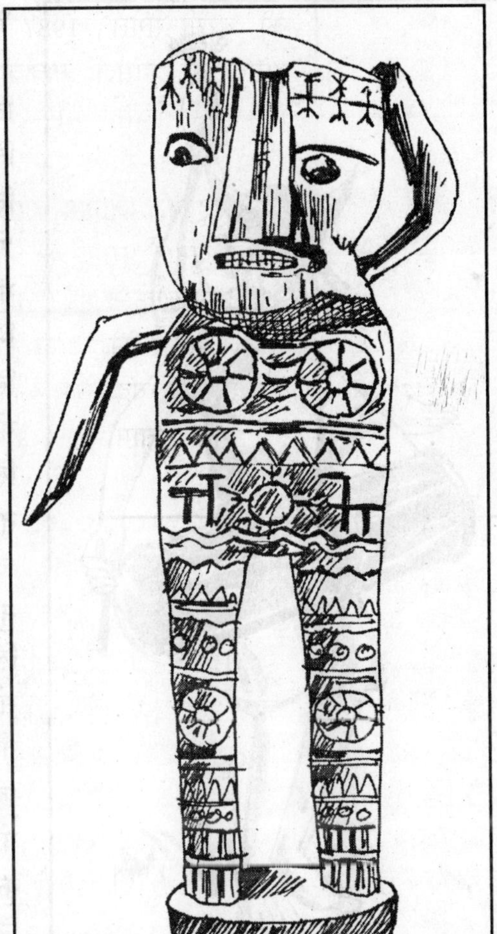

4. संताली कहानी—संताली कहानी का सन् 1942 ई. में पदार्पण होता है। जब 'मारसाल' नामक पत्रिका पूर्वी सिंहभूम से प्रकाशित हुई। उस पत्रिका में चुनकूराम टुडू की 'उलचाकती' नामक कहानी तथा अन्य कहानियाँ विभिन्न पत्रिकाओं में तथा पुस्तकों के रूप में प्रकाशित हुईं। सन् 1975 में निरमल बी के सोरेन संपादित 'गांथाव माला' प्रकाशित हुई। सन् 1978 में डोमन साहू संपादित 'मायाजाल' पुस्तक प्रकाशित हुई। इसके बाद लगातार कहानी की पुस्तकें प्रकाशित हुईं। सन् 1981 में हुरबीन सोरेन लिखित 'जुड़ासी कहानीमाला' बाल किशोर बास्की लिखित 'पें पावा चावले', 1985 में सोना हेम्ब्रम लिखित 'गालाड़ माला' सन् 1987 में चुफा सोरेन लिखित 'पेया पोरायनी', सन् 1988 में हृदय नारायण लिखित, 'सिंदुर साकाम', सारदा प्रसाद किस्कू लिखित 'सोलोम लोटोम', 1989 में डोमन साहू लिखित 'माताप', विमल कुमार बास्के लिखित 'दुलोड़ धोन बिकोल मोनू', सन् 1991 में सारदा प्रसाद किस्कू खेबा लिखित 'मोड़ेको तुरूईको', सन् 1993 में नोरेश बेसरा लिखित 'झोलोक डोबोर', गौर चंद्र मुरमू लिखित

'कहानी थोपे', कान्हाई लाल टुडू लिखित 'होड़ हुलसाई', सन् 1994 ई. में कलेंद्रनाथ माँझी लिखित 'आरसी', दुगाईटुडू लिखित 'सांजीमाई', सन् 1995 में आदित्य मित्र संताली लिखित 'भुत आर मारसाल', सन् 1996 में मारसाल मुरमू लिखित 'मेला औड़ा', सन् 1997 में सोभानाथ बेसरा लिखित 'पे जोड़ कहानी', काबाः सानताड़ लिखित 'सागाय', यतीलाप माँझी लिखित 'आँटाल बाहा', गासचांद मुरमू लिखित 'मारसाल', निरंजन हांसदा लिखित, 'हांसुरा बेड़ा', सुनील बरन सोरेन लिखित', 'हिपिड़ आश्चार', सन् 1998 में खेबा लिखित 'सापाप', गोराचांद टुडू लिखित 'टुडू', सन् 1999 में अनादी चरण हेम्ब्रम लिखित 'काहनीटुसा', रूपचांद हेम्ब्रम लिखित 'ओनोरोम', तारासिन बास्के लिखित 'दुलाड़ माया', निरंजन हांसदा लिखित 'दार सादले', भोगवत किस्कू लिखित 'हिहिड़ी पिपिड़ी', बाबूलाल मुरमू लिखित 'झाली', नूनकू सोरेन लिखित 'चेहरा कुड़ी लिलमुनी', सन् 2000 में श्याम बेसरा लिखित 'दामिन', लक्षण सोरेन लिखित 'तोल जालाम बोवाड़' तथा सन् 2004 ई. में गौर चंद्र मुरमू लिखित 'बार ठोप मेत् दाः', सन् 2002 में 'बोवाड़' तथा सन् 2004 ई. में यदुमुनी बेसरा संपादित 'जियोन गोडा' नामक कहानी पुस्तकें प्रकाशित हुई हैं। उनमें डॉ. कृष्णचंद्र टुडू की 'साकोम', 'सिंदुर' 'मित् बिता हासा', 'मुचात् बिनिड़' कहानियाँ हिंदी तथा तेलुगू भाषा में अनूदित हुई हैं।

टुडू जी की कहानियों में स्त्री-विमर्श की प्रधानता एवं अधिकारों का चित्रण है। चरित्र चित्रण, कथोपकथन आदि के कलात्मक रूप का इनकी कहानियों में अपूर्व नाटकीयता, रमणीयता के साथ समोवश मिलता है। 'एभेन साकवा' के संपादक खेरवाल सोरेन की कहानी भी सर्वश्रेष्ठ मानी जाती हैं। इनके अलावे अनेक कहानीकार हैं, जो विभिन्न पत्रिकाओं में प्रकाशित होते हैं। उनमें से श्यामचरण हेम्ब्रम, बीरबल हेम्ब्रम, किशोरी मोहन हांसदा, बलराम टुडू, कारू मांझी, दिगंबर हांसदा, छोटराय मारडी, दलपति मुरमू के नाम इनमें उल्लेखनीय हैं।

5. संताली निबंध—नाटक और उपन्यास के समान संताली निबंध का लेखन स्वतंत्रता के बाद संताल समाज में एक नई सांस्कृतिक और राजनीतिक चेतना के उदय का कारण बना, जिससे संताली लेखकों ने अनेक विषयों से संबंधित निबंधों को पत्र-पत्रिकाओं में प्रकाशित किया। खासकर उन्होंने समाज-सुधार-शिक्षा-प्रचार-प्रसार,

राजनीतिक गतिविधि तथा राष्ट्रीय निर्माण के प्रणयन को महत्त्व दिया है। इस प्रकार लेखकों ने अनेक पुस्तकें प्रकाशित की हैं। यथा—सन् 1977 में बाबूलाल मुरमू की 'संताली ओनोल', सन् 1980 में रामचंद्र मुरमू की 'तेतेद तुमाल', सन् 1982 में जेकोब सोरेन की 'आपनास्त आरीबांदी', सन् 1983 में रामी टुडू 'खेरवाल सांवता आरीचाली', सन् 1985 में डमन हांसदा की 'इन दो ओकोय', बाबूलाल मुरमू की 'दिसाम भोक्ता', सन् 1986 में बादल किस्कू की 'डान पातयव मेल मारसाल', सन् 1987 में चुंडा सोरेन की 'तिरयो बादोपो', कुशाल हेम्ब्रम की 'बुरू सिद', सन् 1988 ई. में रातु टुडू की 'सांवतहेंत आरसी', रुपाय टुडे की 'एरे साला', सन् 1991 ई. में डमन हांसदा की 'रोम णोम पाता माई' एवं 'सिद्धो-कान्हू हूल', कुशाल बास्के की 'बोंगा हातोम', सन् 1993 ई. में सारदा प्रसाद किस्कू की 'जुड़ासी ओनोल माला', सन् 1995 में होपोन हेम्ब्रम की 'मानमीया आड़ाज आर ताड़ाम', सन् 1996 ई. में बिंदुभूषण हेम्ब्रम की 'आखिर पावड़ी', श्याम मुरमू की 'दाम पाड़ा', सन् 1999 में आदित्य कुमार मानडी की 'सारोंस सिरजोन रे जानाम आयो', तारासिय बास्के की 'गेन बार आटाल', रोमेश हेम्ब्रम की 'हापड़ामकोवा जियोन' तथा 2002 ई. में भैया हांसदा की 'चासा सयोंदोस' निबंध पुस्तकें प्रकाशित हुई हैं।

6. व्याकरण और शब्दकोश—संताली व्याकरण और शब्दकोश का निर्माण तब हुआ, जब ईसाई मिशनरियों का प्रवेश संताल परगना क्षेत्र में होने लगा। इन्होंने ईसाई धर्म प्रचार-प्रसार के समय भाषा की समस्या को झेला था। तब ईसाई मिशनरियों ने व्याकरण और शब्दकोश का निर्माण किया, परंतु ये किताबें अंग्रेजी में हैं। उसके बाद संताल लेखकों ने भाषा जानने के लिए संक्षिप्त व्याकरण लिखने का प्रयास किया एवं उनका प्रकाशन किया। इस प्रकार सन् 1951 ई. में लिखित डोमन साहू समीर की 'संताली प्रवेशिका' तथा केवलराम सोरेन लिखित 'संताली शब्दकोश' प्रकाशित हुआ। सन् 1973 ई. में कुशाल बास्के की 'सांवताली भाषार लिपि समस्या', सन् 1976 में रघुनाथ मुरमू की 'रोनोड़', सन् 1980 में ब्रज बिहारी कुमार की 'हिंदी संताली स्वयं शिक्षक',

सन् 1982 ई. में नुनकू सोरेन की 'सहज संताली शिक्षक', सन् 1983 ई. में जोगेंद्र सोरेन लिखित 'सांवताली व्याकरण सुमाली', सनातन हांसदा लिखित 'प्रवेशिका संताली हिंदी व्याकरण', सन् 1985 में के. सी. टुडू लिखित 'संताली व्याकरण', नुकुल मुरमू लिखित 'सांवताली भाषाय पुरुष', यदुनाथ टुडू लिखित 'अंग्रेजी रेन सानताड़ गुरु', सन् 2002 में बाबूलाल मुरमू लिखित 'आद पारसी', तथा 2005 ई. में सोनोत कुमार सोरेन लिखित 'कुदुम मुराई' पुस्तकें प्रकाशित हुई हैं। इनमें अधिकतर हिंदी भाषा के माध्यम से देवनागरी लिपि में प्रकाशित हुई हैं। इसके अलावे डोमन साहू समीर की 'हिंदी-संताली तुलनात्मक अध्ययन', विद्यानाथ झा की 'मैथिली ओं संताली' पुस्तकें प्रकाशित हुई हैं।

7. संताली विविध साहित्य—संताली के विविध साहित्य में ऐसे साहित्य आते हैं, जो संतालों के इतिहास, संस्कृति, जीवन, धर्म, रीति-रिवाज तथा पौराणिक कथाओं से संबंधित हैं। सबसे पहले सन् 1917 में रायासोरेन लिखित 'छोटराय देश माझियाः काथा' प्रकाशित हुई। सन् 1936 में चैतन्य कुमार हेम्ब्रम की 'संताल परगना आर संतालकोवाः इतिहास', सन् 1951 में डोमन साहू की 'महात्मा गाँधी', सन् 1969 में रघुनाथ मुरमू की 'हिताल', सन् 1980 ई. में रघुनाथ मुरमू की 'सरना', सावना मुरमू की 'ओल एतोहोप काथा', सन् 1984 में हृदयनारायण मंडल की 'महात्मा गाँधी', सन् 1987 ई. में रंजित मांझी की 'चांपा दिसोम', रघुनाथ मुरमू की 'बाँखेंड़', सन् 1993 में टीके रापाज की 'हजारीबाग रेयाः इतिहास', सन् 1994 ई. में नाथानियल मुरमू की 'ओजोय गाडा ढिपरे', सन् 1995 ई. में लिलू बास्के की 'होड़ रानपुथी', सन् 1996 में बिराम हांसदा की 'रामायण', सन् 1999 में रामेश्वर मुरमू लिखित 'हापड़ामको को लाई होटो आकादा', बास्ता सोरेन की 'रान मुरगान' तथा सन् 2002 ई. में यदुनाथ सोरेन की 'जिवी तेलाड़ रोपोड़गाते' आदि पुस्तकें प्रकाशित हैं। इसके अलावे अनुवाद साहित्य, शोध प्रबंध आदि प्रकाशित हुए हैं।

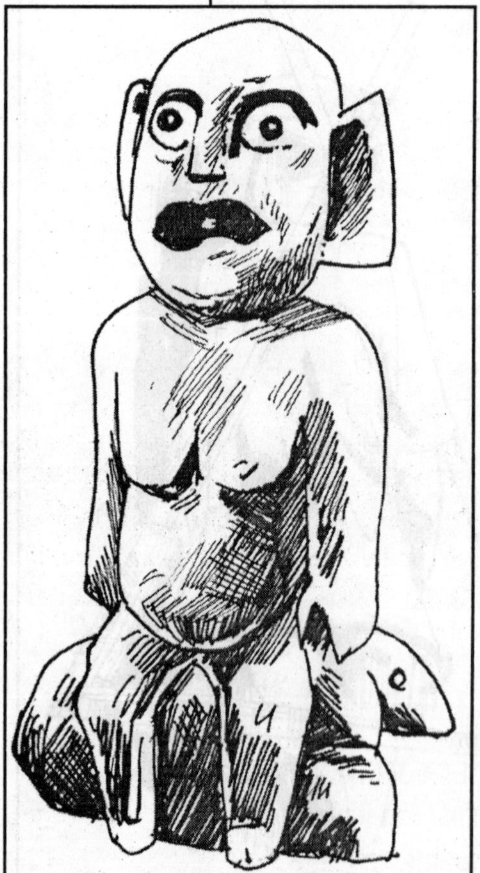

8. पत्रिकाएँ—संताली साहित्य की तरह संताली पत्रिकाएँ भी प्रकाशित हुई हैं। लगभग 2000 पत्रिकाएँ प्रकाशित हुई हैं। इसमें से अधिकांश 4 से 10 अंक तक निकलने के पश्चात बंद हो गई हैं। अब 'होड़ सोम्बाद' 57 वर्ष, 'पश्चिमा बंगलरा' 33 वर्ष, 'सिली' 23 वर्ष, 'एभेन साकवा' 20 वर्ष तथा 'चिठि

साकाम' 10 वर्ष से लगातार प्रकाशित हो रही हैं।

संताल संस्कृति–आदिकाल से ही संतालों ने प्रकृति पूजा को अपने जीवन में विशेष स्थान और महत्त्व दिया है। भारत की प्राचीनतम सभ्यता सिंधुघाटी की संस्कृति, लिपि, अस्त्र-शस्त्र, आभूषण, कृषि तथा घरेलू उपकरणों में समानता है। संताली संस्कृति को जानने के लिए संतालों की सामाजिक व्यवस्था, धार्मिक व्यवस्था तथा पर्व-त्यौहारों को जानना आवश्यक है। इस आलेख में संक्षिप्त रूप में, संताल संस्कृति पर विचार किया जा रहा है।

(क) सामाजिक व्यवस्था–प्रत्येक संताल गाँव में एक प्रधान 'मांझी' होते हैं। उनकी सहायता के लिए पौराणिक, गोडेत् तथा जोगमांझी होते हैं। कई गाँवों को मिलाकर एक 'परगना' होते हैं। संताल समाज में वंश परंपरागत क्रमशः जोगमांझी, मांझी, मासमांझी परगना, देश परगना होते हैं। ये सब विचार व्यवस्था की देख-रेख करते हैं। 'नायके' गाँव के पुजारी होते हैं। 'लोबिर', अंतिम विचार व्यवस्था है। 'बिटलाहा' व्यवस्था में समाज से लड़कियों को निष्कासित किया जाता है। संताल समाज पितृसत्तात्मक है। पैतृक संपत्ति का अधिकारी पुरुष वर्ग ही होता है। मांझी, नायके तथा परगना पद वंशानुक्रम से चलता है।

(ख) धार्मिक व्यवस्था–धार्मिक प्रधान को नायके कहते हैं। संताल जाति प्रकृति पूजक है और 'सरना' धर्मावलंबी हैं। सरना धर्म में चांदोबोंगा (सूर्य) माराङ बुरू (देव), जाहेर आयो (देवी) गोंसाय एरा (देवी), गोंसाय (देव) मोड़ेको-तुरूइको (पंच परमेश्वर) आदि देव-देवियों को सर्वशक्तिमान, सर्वव्यापक मानकर पूजते हैं। ये देव-देवियाँ निराकार हैं। गोराम बोंगा (गाँव देवता) तथा दिसोम बोंगा (देश देवता) पारलौकिक शक्तियों से बचाव हेतु पूजे जाते हैं तथा माराङ बुरू, जाहेर आयो देव-देवी सभी की भलाई के लिए पूजे जाते हैं।

(ग) आर्थिक व्यवस्था–संताल आदिवासियों का मुख्य पेशा कृषि है। ये मुख्य रूप से धान की खेती करते हैं। जीविका के साधनों में पशुपालन का भी स्थान है। ये मुर्गी, सूअर, बकरी, गाय तथा बैल आदि पालते हैं। मुर्गी, सूअर, बकरी, गाय तथा बैल पूजा करते हैं तथा विवाह के समय गनपन के रूप में लेन-देन करते हैं। संताल अधिकांश कच्चा मकान बनाते हैं। इनकी आर्थिक स्थिति काफी दयनीय है।

(घ) पर्व त्यौहार–संतालों का पर्व प्रत्येक माह में संपन्न होता हैं। यथा–माघ

में माघबोंगा, फागुन में बाहा बोंगा, चैत में रोहनी, वैशाख में एरोः बोंगा, जेठ में मुचरी, आसाड़ में आसाड़िया, सावन में गोमहा या करम बोंगा, भाद्र में जानताड़, आश्विन में दांसाय, कार्तिक में सोहराय बोंगा, पौष में सकरात यामकर पर्व सम्पन्न होता है।

(ङ) आभूषण—संताल आदिवासी परंपरागत आभूषण पहनते हैं। पुरुष वर्ग पाश्चीधुती फुटा धुती, गामछाधुती, दाहड़ी-पगड़ी पहनते हैं। महिलाएँ साड़ी पहनती हैं। संताल महिलाएँ अपने जूड़े को गोलाकार रूप में विशेष टुंग से बाँधती हैं जिसे रोत या सुत कहते हैं। आधुनिक आभूषण भी प्रयोग में लाते हैं।

(च) संस्कार—संताल-संस्कृति में व्यक्ति को जन्म से लेकर मृत्यु तक कई संस्कारों में गुजरना पड़ता है। संस्कारों में मुख्यतः जन्म संस्कार, चिड़ी संस्कार, कर्ण छेदन संस्कार, गोदना संस्कार, विवाह संस्कार तथा मृत्यु संस्कार हैं। संस्कार व्यक्ति के सर्वांगीण जीवन को प्रभावित करता है, जिससे व्यक्ति का विकास तथा जीवन सुखमय होता है।

(छ) लोक संगीत—संस्कृति का सर्वश्रेष्ठ पक्ष है, लोक संगीत। यहीं लोक संगीत संतालों के सुख-दुख का सबसे बड़ा संबल है। कठिन से कठिन दुखों को एवं आगत आनंद को लोक संगीत से ही अभिव्यक्त करते हैं। लोक संगीत से जीवन की ऊर्जा प्रवाहित होती है। दिन भर कठोर परिश्रम और रात्रि में संगीत के लय में, ताल में डूब जाना संतालों की नियति है और यही इनका कर्म है। कर्म में ही धर्म निहित है। संतालों का लोक संगीत आदिम युग से चला आ रहा है। इसमें इनके वादन, नर्तन एवं गायन की बड़ी सुंदर मधुर एवं आह्लादकारी परंपरा है। गीत, नृत्य एवं वाद्य संगीत संतालों का जीवन मंत्र है। लोक संगीत में लोक संस्कृति, पर्व-त्यौहार तथा सरना धर्म से संबंधित होते हैं।

संताली लोक संगीत को कई आधारों पर वर्गीकृत किया जा सकता है। जैसे— 1. राग। 2. संस्कार। 3. पर्व-त्यौहार। 4. विविध।

1. राग—राग के अनुसार, संताली लोकगीतों में परंपरागत रागों से गीत गाए जाते हैं। लोक कवियों ने विभिन्न अनुष्ठान, विभिन्न पर्व-त्यौहार तथा विभिन्न संस्कार में गीतों के राग तथा नृत्य, वाद्ययंत्र, आभूषण आदि निर्धारित किए हैं। राग के आधार पर निम्न प्रकार हैं—लाँगड़े, डाहार, बाहा, करम, रिंजा, सोहराय, दांसाय, पाता, धुरूमजाः,

डाँठा, भिनसार, सारपा, मातवार, गुलवारी, विवाह, झिंका, सिंगराई, दोड़ आदि हैं।

2. संस्कार गीत—संताल जाति प्रकृति पूजक हैं। 'सरना' धर्मावलंबी हैं। सरना धर्म में, 'चांदो बोंगा' 'सूर्य देवता', 'माराङ बुरू' 'बड़ा देवता' 'जाहेर आयो' 'माँ देवता', 'मोड़ेको-तुरूई' को पंच परमेश्वर, आदि देव-देवियों को सर्वशक्तिमान, सर्वव्यापी, निराकार रूप में पूजते हैं। संताल संस्कृति में मनुष्य को जन्म से मृत्यु तक कई संस्कारों से गुजरना पड़ता है। संस्कार व्यक्ति के सर्वांगीण जीवन को प्रभावित करता है।

संताल संस्कारों में मुख्यतः जन्म संस्कार, विवाह संस्कार एवं मृत्यु संस्कार प्रमुख हैं। जन्म संस्कार में जन्म से संबंधित गीत छाटयार गीत तथा नाभकरण गीत गाया जाता है। विवाह संस्कार में विवाह से संबंधित गीत गाए जाते हैं। टाकाचाल गीत, सिरीबारी गीत, सिंदुरदान गीत, विदाय गीत, बालाया गीत तथा दौड़ गीत प्रमुख हैं। अंतिम संस्कार मृत्यु संस्कार है। मृत्यु से संबंधित गीत गाए जाते हैं। इनमें तेलनहान, भाडान, जापला आदि प्रमुख हैं।

3. पर्व-त्यौहार—संतालों का पर्व-त्यौहार माह पर निर्धारित है। बारह माह पर बारह पर्व होते हैं। माघ माह से आरंभ होकर पौष साकरात में समाप्त होते हैं। इनके आधार पर डाहार, बाहा, करम, दांसाय, सोहराय, साकरात प्रमुख हैं। इसके अतिरिक्त किसी अनुष्ठान, मेला, यात्रा पर भी गीत एवं नृत्य होते हैं। संताल समाज में लाँगड़े गीत एवं नृत्य अनेक महत्त्वपूर्ण हैं।

4. विविध—संताल समाज में मेला, यात्रा, धार्मिक अनुष्ठान होते हैं। इन अनुष्ठानों में पातागीत एवं नृत्य का आयोजन होता है। गीत में प्रेम, स्नेह, सुख, दुख आदि से संबंधित होते हैं गीत एवं नृत्य सामूहिक रूप से होता है। संताल पारिश्रमिक हैं। परिश्रम वेला में 'लाँगड़े' गीत गाते हैं। लाँगड़े का शाब्दिक अर्थ है लाँगा+एड़े। अर्थात् थकावट को दूर करना। यह गीत एवं नृत्य किए जाते हैं। नृत्य गाँव के अखड़ा में सामूहिक रूप से होता है। मादांपिड द्वारा जब मांदर पर उद्घाटन संकेत ताल 'तोड़ाव' प्रारंभ होता है, तब पाँव धीरे-धीरे गति में आ जाते हैं। नर्तक एवं नृत्यांगनाओं के पाँव और

बदन लयबद्ध होकर कभी आगे और पीछे चलते हैं। संताली नृत्य में सामूहिक रूप से युवक-युवतियाँ, हाथ पकड़कर नाचते हैं एवं एक साथ मिलकर गाते हैं।

संतालों के नृत्य के प्रकार, नृत्य के गुण तथा नृत्य के गीत, तीन प्रकार के हैं।

1. धार्मिक नृत्य 2. वीरयुक्त नृत्य 3. सामाजिक नृत्य

1. धार्मिक नृत्य—धार्मिक नृत्य किसी देवालय या किसी पवित्र वृक्ष के सामने किए जाते हैं। धार्मिक स्वरूप नृत्य मुख्यतः बाहा, डाहार, रिंजा, करमा आदि हैं।

2. वीरयुक्त नृत्य—यह नृत्य वीरश्री नृत्य है। विभिन्न प्रकार के हथियार लिए हुए नाचते हैं। जैसे—फिरकाल, दोंगेड़, पायका दासाय आदि। यह नृत्य केवल पुरुष वर्ग द्वारा ही होता है।

3. सामाजिक नृत्य—यह नृत्य सामाजिक अनुष्ठानों में किए जाते हैं। पाता नृत्य, युवक-युवतियों द्वारा सामूहिक रूप से होता है। साड़पा, डाहार नृत्य केवल लड़कियों द्वारा ही होता है।

(ज) संताली वाद्य यंत्र—आज संगीत की दुनिया में कई तरह के वाद्य यंत्रों की भरमार है। अधिकांश वाद्ययंत्र ऐसे हैं जो हाथ से बजते हैं परंतु कुछ ऐसे वाद्ययंत्र ऐसे हैं जो स्वतः बजते हैं। संताल लोग प्रकृति प्रदत्त वस्तुओं का उपयोग करते हैं। जैसे—पेड़, बाँस, लकड़ी, जानवरों के सींग, बाल, चमड़ा आदि। इस प्रकार से संताली वाद्ययंत्र को चार श्रेणी में बाँटा जा सकता है।

1. अनवद्ध वाद्य—इसके अंतर्गत मांदर, ढाक, करहा, चोड़चुड़ी, ढोल आदि आते हैं।

2. धनवद्ध वाद्य—इसके अंतर्गत करताल थाला, घंटा, झाँझ, घुंघरा आदि हैं।

3. सुषिण वाद्य—बाँसुरी, सखवा, सिंगा आदि आते हैं।

4. वाद्ययंत्र—इसके अंतर्गत केंदरी, भुवाड़, साड़पा आदि आते हैं।

संताल समाज में लड़की या स्त्री जाति 'साड़पा' वाद्ययंत्र को छोड़कर अन्य वाद्ययंत्र नहीं बजाती है तथा पूजा स्थल 'जाहेर थानप' में प्रसाद नहीं चढ़ाते हैं। सामूहिक नृत्य, गीत, पूजा के रीति-रिवाज तथा जातीय गुणों से संपन्न परंपरा संतालों में देखने को मिलती है।

इतिहास बोलता है कान्हू के बयान का अंश

□ एशीली इडेन

पहाड़ों की तरह ठोस, नदियों की तरह प्रवहमान बजते नगाड़ों के बीच छूट रहे हैं जहर बुझे तीर, आखिर कौन लोग हैं जो जमा हुए भोगनाडीह में। भोगनाडीह में सिद्धो-कान्हू के साथ नगाड़ा बजा रहे हैं चाँद भैरव। नाच रही हैं फूलों-झानो। आह्वान कर रहे निर्मल प्रामाणिक, राँची से आए है डोंका मुंडा। भोगनाडीह हूल-हूल पुकार रहा है।

जंगल जाग उठा है और सिंगबोंगा खुश हो रहे हैं।

20 दिसंबर, 1855

एशली इडेन, सहायक विशेष आयुक्त द्वारा जाँचा गया

महाजनों ने बड़ा दारोगा से शिकायत की कि सिद्धो-कान्हू डकैती के लिए लोगों को जमा कर रहे हैं, महाजनों ने उसे सौ रुपए दिए ताकि वो आए और हमें पकड़े। दारोगा बाबूपाड़ा में बैठा था, इसके पहले वह मुझे पकड़ने के लिए बरकुनदानजी को भेज चुका था। उसने लोगों को गिना, तब मैंने बरकुनदानजी को परवाना दिया और कहा कि ठाकुर आ चुका है, हमलोग जिस मकसद से यहाँ पर जमा हुए हैं, इसमें दो दिन बचे हैं और वह चला गया। तब मैंने उसके लिए उसे भेजा और वह महाजन के साथ मैदान में आया। उसने मुझसे पूछा—"कहाँ जा रहे हो।" मैंने कहा—"मैं परवाना के लिए आया हूँ, जो मैंने तुम्हें भेजा था।" उसने कहा कि उसने परवाना को देखा है लेकिन वह डर से नहीं आया। महाजन ने परवाना दिखाया और मेरे पास आने से उसे मना किया और उसे अपने साथ सैनिक लाने को कहा अन्यथा संताल उसका सर धड़ से अलग कर देंगे, तब मैंने कहा—मैंने परवाना नहीं भेजा था, महाजन ने परवाना बदल दिया और फिर तुम्हें भेज दिया। मैंने कहा—"क्यों

आए हो?'' उसने कहा–''मैं यहाँ सर्पदंश से भरे व्यक्ति की पड़ताल करने आया हूँ।'' तब उसने पूछा, ''क्या तुम डकैती के लिए लोगों को जमा कर रहे हो।'' मैंने कहा कि ''इसे साबित करके बताओ कि मैंने चोरी या डकैती की हैं। यदि तुम कुछ भी साबित कर सके तो मुझे जेल में डाल देना।'' महाजनों ने कहा, ''यदि इसका खर्च एक हजार रुपए आएगा तो हम ऐसा करेंगे और तुम्हें जेल में डलवा देंगे।'' महाजन और दारोगा बहुत नाराज हो गए और मुझे बाँधने का आदेश दिया। महाजन मेरे भाई सिद्धो को

बाँधने लगे। तब मैंने अपनी तलवार निकाली। तब उन्होंने मेरे भाई को बाँधना छोड़ दिया और मैंने माणिक मुडी का सर कलम कर दिया। सिद्धो ने दारोगा को मार डाला। मेरे जवानों ने पाँच लोगों को मार डाला, जिनके नाम मैं नहीं जानता। उसके बाद हम भोगनाडीह वापस आ गए।

सिद्धो कान्हू चेते लागित हूल रे
चेते लागित हूल छिड़ायलो
महाजन केनाराम-बेचाराम बोड़ो ठाकुर ठोक रे
ओना लागित हूल छिड़ायलो

हिंदी अनुवाद

सिद्धो-कान्हू क्यों क्रांति किया
और क्यों हूल छिड़वा दिया
महाजन केनाराम और बेचाराम
लोगों को ठगने के चलते हूल छिड़वा दिया

संताल मा दिसोमरे
सिद्धो-कान्हुकिन राजलेना
ति काटुप कोलोम ताकिन
होड़मो मांयांय सिहाय ताकिन
संताल परगनानाकिन बेगारलेदा

हिंदी अनुवाद

संतालों का देश में सिद्धो-कान्हू
राजा हुए थे, अँगुली उनका कलम था
खून उनकी स्याही थी
तभी संताल परगना को अलग किए थे

संताल हूल-1855-57
चेदाक् दोरे सिदो
मांयांयतेदोम नुमेन?

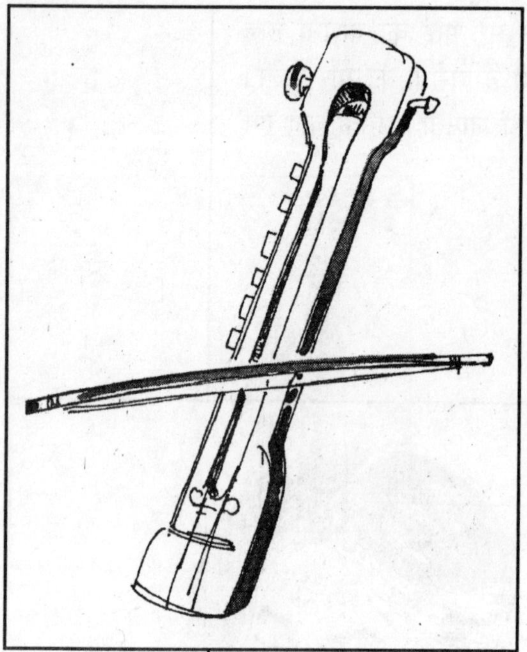

चेदाक् दोरे कान्हु
हुल हुलेम होहोय?

जाति भायको लागित हायरे
मांयांमते दोञ नुमेन
सूदखोर महाजोन हायरे
दिसोम दोको सिबोड़ चाबाकेत्

हिंदी अनुवाद

क्यों सिद्धो आप खून से नहाए?
क्यों कान्हू क्रांति-क्रांति बुलाए?
जाति भाइयों के लिए खून से नहाए
सूदखोर महाजन लोग देश को लूट कर
खत्म किए।

सेताक् रे बेरेत काते
पारकोमेर टुडुपकाते
चेदाक् होपोन बाबुम राकजोडकना?
राक् बाखाञ चेकाया,
होमोर बाखाय चेकाया
सिद्धो-कान्हू हों किन गोचेन
संताल मांयांय गाडा आतुयेन
एन हों संताल होपोन पोरेर तिरे

हिंदी अनुवाद

सुबह उठकर खटिया में बैठकर
क्यों छोटे बाबू रो रहे हो?
रोऊँगा नहीं तो क्या करूँगा, सिद्धो-कान्हू भी मारे गए,
संताल खून नदी में बह गया, फिर भी
संताल लोग दूसरे के हाथों में।

सिद्धो कान्हुताकिनाक् होमोर
एभेनपेसे संताल बोयहा
तिनाक दिनपे तायनमकोक?
जाती सोमाज लेग-आचार जोनोम दिसोम
चेदाक हायपे हिड़ीञेत?
चेदाक हायपे ढीलावेतकान?

संताल दिसोम सोनोत हासा
मांयांमतेलिञ मोवावलेत्
कापुत होपोन जाति वादी
दायागेपे लीलामेत्
दायागेपे छिञ-छातुरेत

कुड़ी होपोन देको तिरे
कोड़ा होपोन हान्डिञुरे
ए, बे-सोरोम ओकाजिया
मांयांम दोपे गाबावकेत्
सोमाज दोपे डामाडोलकेत्

हिंदी अनुवाद

संताल भाई, आप लोग कितना दिन
सोये रहिएगा, जागिए। जाति-समाज,
आचार-व्यवहार, जन्मस्थान क्यों भूल रहे
हैं। क्यों आप लोग छोड़ रहे हैं?
संताल देश सोना, मिट्टी, खून से पटाए थे।
क्रांतिकारी के बेटे
पुत्र जाति-पाँति नीलाम कर दे रहे हैं,
दुखमय छिन्न-भिन्न कर दे रहे हैं।
लड़की लोग गैर संतालों के हाथों, लड़का
लोग दारू पीने में लगे हैं। ऐ बेशर्म लोगो
आपने समाज को डाँवाडोल कर दिया।

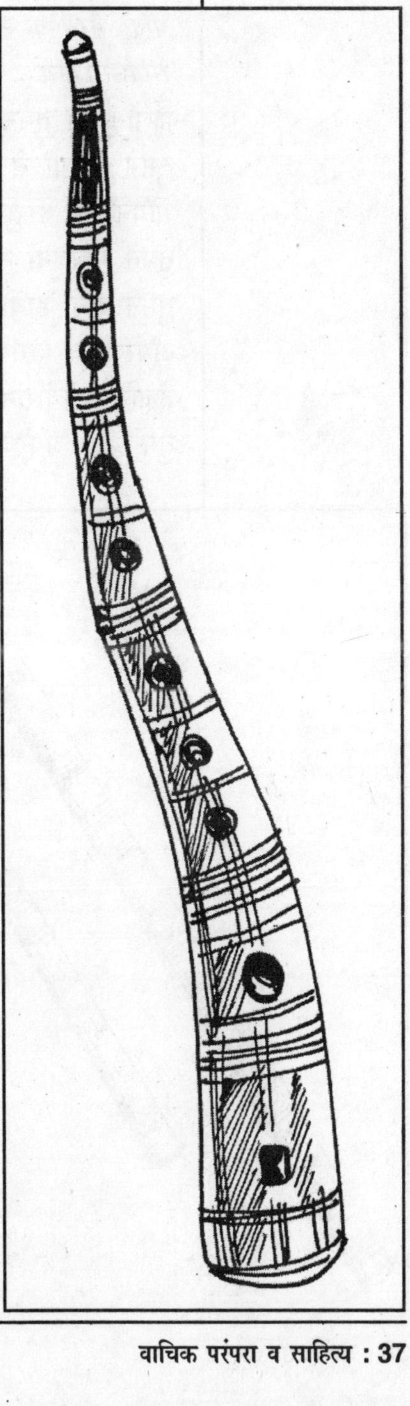

हूल गीत

स्त्रियों की भी पुरुषों की तरह ही क्रांतियों के नेतृत्व में अहम भूमिका रही है। लेकिन इतिहास ने उन्हें उल्लेखनीय मान नहीं के बराबर दिया है। संताल हूल में सिद्धो-कान्हू, चाँद, भैरव के साथ उनकी दो बहनों फूलो-झानो ने भी अग्रिम पंक्ति में लड़ाई की।
संग्रह-सौजन्य : **वासवी**

फूलो-झानो तुमने हाथों से तलवार पकड़ी
तुमने भाइयों से बढ़ वीरता दिखाई
भोगनाडीह में तुम दोनों ने कसमें खाईं
तुमने महाजनों सूदखोरों के अत्याचार को नहीं सहा
तुमने दोनों हाथों से तलवार उठाई
अंगरेजों व दारोगा के जुल्म के खिलाफ आवाज उठाई।
केनाराम बेचाराम को तुम दोनों ने 'सबक' सिखाया
तुमने 21 अंगरेज सिपाहियों की हत्या की
तुम दोनों का नाम अमर हो गया।

✧ ✧ ✧ ✧ ✧

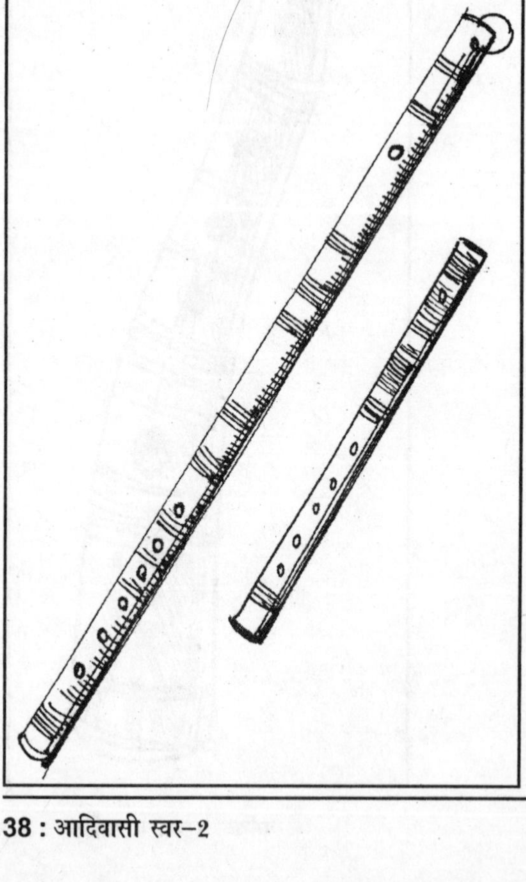

फूलो झानो आम दो तीर रे तलरार रेम साअकिदा
आम दो लट्टू बोध्या खोअलहारे बहादुरी उदुकेदा
भोगनाडीह रे आबेन बना होड़ किरियानाबेन
आम दो महाजन अत्याचार बाम सहा दाड़ी दा
आम दो बनासी ते तलवार रेम साउकेदा
अंगरेज आर दारोगा परति रे अडी अयम्मा रोड़केदा
केनाराम बेचाराम आबेन बना होड़ ते बेन सिखोव केअकोवा
आम दो श अंगरेज सिपाही गोअ केअकोवा
आबेन बना होड़ाअ जुतुम अमर हुई ना।

✧✧✧✧✧

फूलो झानो तुम दोनों ने हूल किया
तुम दोनों सिद्धो-कान्हू की बहिन थीं
भाइयों के साथ बहनों ने भी हूल किया
तुम्हारा नाम पूरी दुनिया में फैल गया
तुम दोनों ने स्त्री की ताकत दिखाई

तुम दोनों ने अंगरेजों के जुल्म के खिलाफ तलवार उठाई
तुम दोनों ने औरत की इज्जत की रक्षा के लिए तलवार उठाई।

✧ ✧ ✧ ✧ ✧

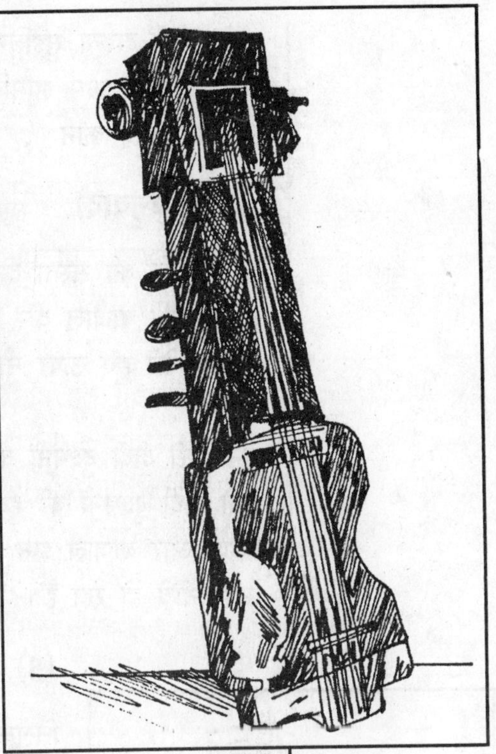

फूलो झानो बनाहोड़ ते हूल बेन ऐहोअकेदा
आबेन दो बनाहोड़ सिद्धु-कान्हु रेन बोयहा गना बेन
कोड़ा बोध्या खोन कुड़ी बोयहा गी हूल ले ऐहोप केदा आमड
जंतुम दो गोट्टा दिसोम पसनाव वेना
आबेन दो बनाहोड गोगो होड़ाअ दाड़ी बेन उदुअकेदा
आबेन बनाहोड़ अंगरेज होड़ साँव ते रे
हिमत काते तलवार बने साअकेदा
आबने बनार गोगो होड़ अड़ी आयमा रहोम बेन बचाव केदा
जोतो गोगो होड़ लगीत ते तलवार बेन साअकेदा तोबे रे
आबो गोगो होडाअ इज्जत बचाव बेना

(1)

सिद्धो कान्हू खोड़खुडी भितोरे
चाँद भायरो घोड़ा उपोरे
देखो सेरे चाँद रे भायरोरे
घोड़ा भायरो मुलिनेमुलिन

(हिंदी अनुवाद)

सिद्धो कान्हू खड़खड़ी भीतर में
चाँद और भायरो घोड़ा के ऊपर में
देखो से चाँद और भायरो भाई
घोड़ा तो भायरो मलिन हो गई।

(2)

मान्दार बुरु होर दाइना
सिदो बाजाल बिर बान्टा
झाम झामकिन नाडगोराकापू कान
नाजोम मेसे दाइना सुया

नातेन मेसे दाइना सुइतिन
सिदो बाजाल झाम झामकिन
नाडगो राकाप् कान

(हिंदी अनुवाद)

मांदर पर्वत का रास्ता दीदी
सिद्धो और बाजाल वीर पुरुष
इनकार देते हुए ऊपर नीचे हो
रहा है
सुनो मेरी दीदी दुश्मनों की आवाज
सुनो दीदी दुश्मनों की हुंकार
सिद्धो और बाजाल झन झना ले
ऊपर नीचे हो रहा है।

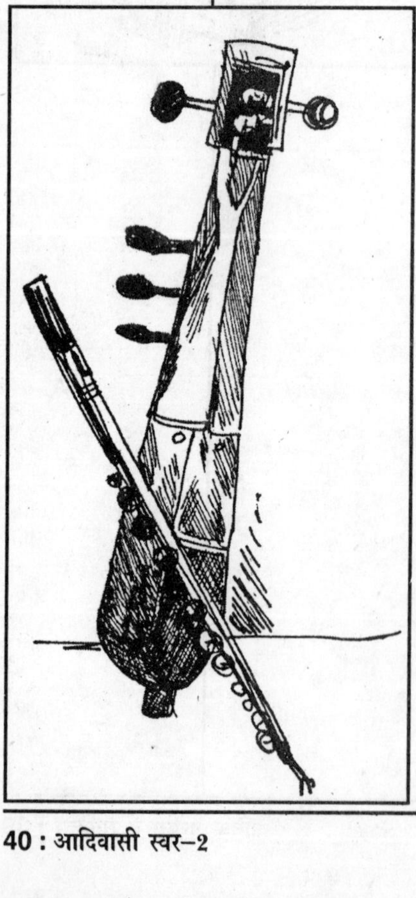

(3)

तिलका बाबा दो माँझी कान
ताबोना
सिदो बाबा दो मुतुल खुंटी काना
जात भेगार रे हो जाति भेगार रेहों
बोयहा बोयहा बाबोन एपेर हेडेच् आ

(हिंदी अनुवाद)

तिलका बाबा हमारे प्रधान हैं
सिद्धो बाबा हमारे मस्तूल खूँटा हैं
जात-पाँत हमारा एक नहीं है
तब भी भाई-भाई हम झगड़ा
नहीं करेंगे

बैगा

"देख साँवर मोरे विपत रे, धन करम धन जिया रे।
कहि के लाने बनी करयों, कहि के लाने बूता।

कहि के लाने धरम गँवायो रे, धन करम धन
जियारे।
खाय के लाने बनी करयों, पिए के लाने बूता।
जोड़ी के लाने पर घर गँवायो रे, धन करम
धन जिया रे।
लैजा भगवान मैं मर जात्यों रे, धन करम धन
जिया रे।''

''चारें खूँट चौरासी फिरे, गीधन के सम्मान
जहाँ बैठो राजवारे!
घोड़ने के पहार देखे, ऊँटन की अटारी,
हाथिन के तो पंजा देखे मते है लराई,
जहाँ बैठ राजवारे।''

''तोरे बरन कहाँ पाओं सुआ तोर बरन रे।
हाथ में तो चूरा चाकी कान तरूकिया,
आठों अंग भुजा ला चमकाय, सुआ तोरे बरन रे।
गरे मा तो छूटा मुडे मा कलंगिया
हँस हँस माया न लगाए, सुआ तोरे बरन रे।''
सोन किया फाग महिना ले आवै,
सोन किया फाग महीना ले आवै,
चुरकी तो चुरकी,
चुरकी तो चुरकी,
चुरकी तो चुरकी, लैया मड़ावै,
बन के खलड़ा बने मड़ावै,
सोवती बिछिया बाहर जगावै,
रोए-रोए खजना ऊँचा लगावै,

साते समुन्द बान गरजे लछमन औसान बान साजे।
हथसारे हाथ ठिनके, घुडसारे ठिनके,
बन भीतर सिंह बाघ गरजे, लछमन औसान बाज साजे।

तोरे होरे नाना हो, तोरे नाना, भला तोरे होरे नाना रे।
तोहकी सुमिरौ रे माई धरती आय, तोही लागे भार।
तोहकी सुमिरौं रे बाबा डोंगर दौहार, तोही के लागे भार।

तोरे हर नाना, तोरे हर न। तोरे हर नाना, तोरे हर न।
गुरु ता पूजे गुरु विनायक, मैं पूजों सरसेती।
भूले चूके अच्छर के नाम बिस्तार देवे।।
गुरु तो पूजे पान-पाती, मैं तो पूजों धरती।
जादू-टोना जेने वाले, तेला तै सम्हार देबे।
लाढ़े तो गायों लाढ़े सार लाढ़ बटोरे देबे।
जीबित गायों जीवै सार, जीभ चलाए देबे।।

धीरे-धीरे पानी भार लाने, रानी सागर।

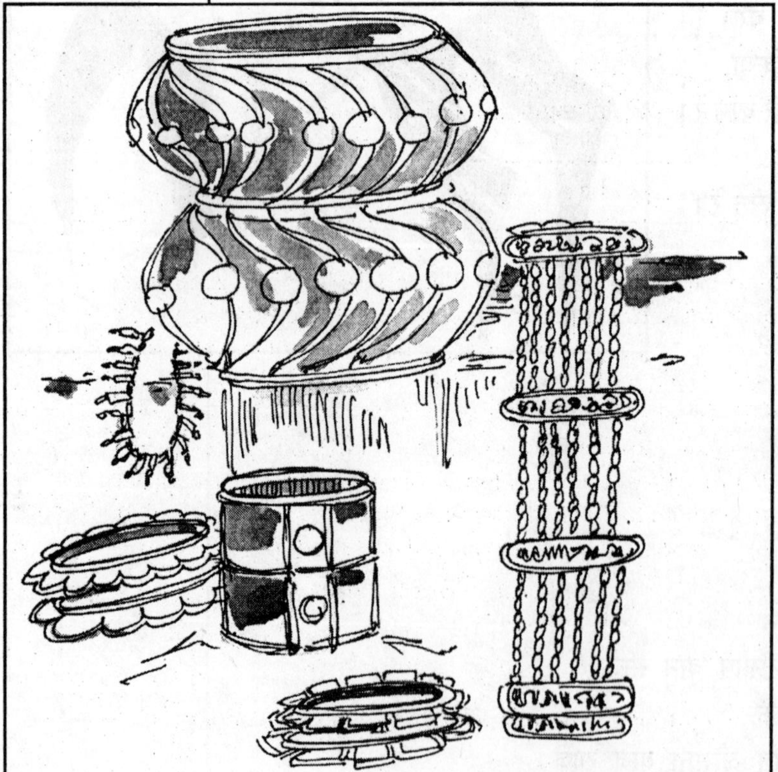

धीरे-धीरे रे।
अगारी ले चीखल कोदौं, उबारी ले पानी,
ते रानी उझेल पानी, मार लाने मछरी।
ठाठी ऊपर लोटिया ढरीक गए,
मोर मना रासी गाए रे।।
ए थारी माँ बासी धरौ,
ए लोटा में पानी
धीरे से लुटिया ढरक गए,
मोरमना रासी गाए।।

कौन देस से आए बरधिया।
कोने वार बरना होई जाए।
लाली-लाली तो आए बरधिया।
व्यारी पार बरना होई जाइ।।

जामुना झिरिया केरा पान उड़के,

भँवर काठी थांगा माँ बैठे।

हरियर मढ़वा धरम बनै तोर,
ऐसे धर्म ले करम कहाँ पाए।
खड़ा-खड़ा नदी बहय निराधार,
मामा के बेटी, करय स्नान।
जोहिला माँ।।

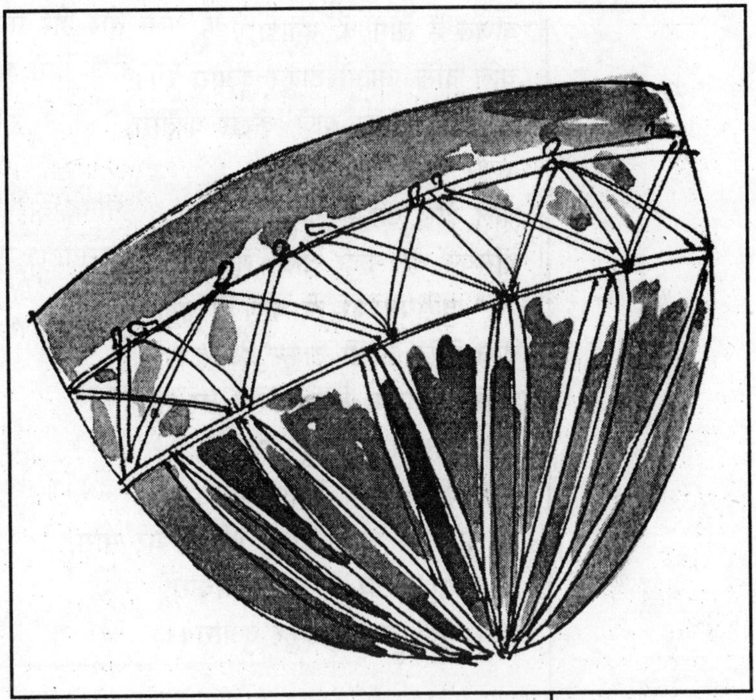

कठवा ला काठे कटाहिना,
आय बिना वनके वीजा।
नवके धुकेया किजन भँवरी,
अँगना माँ।।

हाथी मारै घोड़ा मारै लात तरियर।
मेला खवा के पठोंय देबें,
मुंगेली बाजार,
रीवा के रानी रोधै।।

छीचे ला जावै, पकड़ कोतरी,
छीरी अंगरी छीरी अंगरी पकड़के,
किंजर भँवरी अँगना माँ।
चुरा-मुरा, चुरा-मुरा हरदी पिसान रे,
केखर लगुन धराए
काहे का साँगों केखर लगुन धराए,
सारे साजन सहुआ गड़ाएगा।
सातों बेहिनी लगुन धराए।।
केखर लगुन धराए।
काहे की सातों बेहिनी लगुन धराएगा।
सातों बहिनी बैठी जंघा जोर।।
केखर लगुन धराए।।

बाजत है ताम के नगाड़ा,
चलि देखि आओ ठाकुर दुआरा रे।।
केखर घर मांदर बाजे, केखर घरतारा,
केखर घर बाजत नगारा,
चलि देखि आओ ठाकुर दुआरा।।
घसियन घर मांदुर बाजे, लुहरन घर तारा,
दुलियन घर हो बाज थै नगारा,
चलि देखि आओ ठाकुर दुआरा।।
केखर घरमंडुवा छाए, केखर घर भारा,
केखर घर थे हो लगुन विचारा,
चलि देखि आओ ठाकुर दुआरा।।
घुमिअन घर मडुवा छाए, भरियन घर मारा,
बैगन घर हो थै हो लगुन विचारा,
चलि देखि आओ ठाकुर दुआरा।।

इ तोरी नानी नानर नानी,
तोरी नाना रे ना, तोरी नाना रे ना।

देखो रे देखो दाई
मैं घरई जात।।
इ तोरी नानी नानर नानी,
तोरी नाना रे ना, तोरी नाना रे ना।
दारे चाम उरा दाई के,
ते भी दाते।।
इ तोरी नानी नानर नारी,
तोरी नाना रे ना, तोरी नाना रे ना।।
ये जिनको दी नई दाई
मैं घर घरई जात।।
तोरी नानी नानर नानी
तोरी नाना रे ना, तोरी नाना रे ना।।
बसती नई सुन।।
इ तोरी नानी नानर नानी,

तोरी नाना रे ना, तोरी नाना रे ना।।

मैं तो का जानों भाई, मैं तो का जानों भाई।
पेड़ देखो थापक-थुइया, पान है जंजाल,
फूल देखें सूगा-बूगा, अँगना लगायों।।
ऐसना सुहागन फूल अँगना लगायों,
न तो मिल ही बाढ़ी डेही, न तोरे बीजाही।
अल्ली-गल्ली पन्का टूरा, सींका ला हिलाए।।

तेज डारे गादी सुरता पकान ला तेज डारे हो।
छिंगुर के चुटकी रुसि-रुसि लागे,
जबे मांटुर बाजे तबै सुरता लागे,
निकल गए संगी अलग झै पाए।।

एक तराय तो तो तो।
दुक्के तराय तो तो तो।
कोपट ऊपर चिढई बैठे,
मारे गुदेला टुरा।
नवा टुरा भूँज खाए,
जूना टुरा टूंग रहय,
रुन बुड़ी रुन बुड़ी।।

छैना बैना छैना,
छैना भर-भर कीड़ा।
चल चल रे धन चिरैया,
बरझू ले ला जाबो,
अपन खाईन गूदी-गूदी।
मोला दईन चिजा।
खाबो कोन्डक रोटी।
ले भैया हुदा मार,
मैं खेलूँ फुद-फुद-फुद।।

कहाँ ले आवै सेला मन्दुरी सारसेती बाए।
कहाँ ले आवै आला गेज, सारसेती बाए।।
कहाँ ले आवै सेला मन्दुरी सारसेती बाए।
मेढ़ो ले आवै, आला गेज सारसेती बाए।।
कहाँ ले आवै, आला गेज सारसेती भए।
मेढ़ो ले आवै आला गेज सारसेती भए।
खोड़ी ले आवै आलागेज, सारसेती भए।।
कहाँ ले आवै आलागेज सारसेती भए।
खोड़ी ले आवै आलागेज सारसेती भए।
फड़का ले आवै आला गेज, सारसेती भए।।
काहाँ ले आवै आला गेज, सारसेती भए।
अंगना ले आवै आला गेज, सारसेती भए।
काहाँ ले आवै आला गेज, सारसेती भए।
डेहड़ी ले आवै आला गेज, सारसेती भए।
भित्तर ले आवै आला गेज, सारसेती भए।।

देवी के शारद।
पहले पऊँरा।।
केखर गाएँ व केखर बजाएँ केखर करबो गुमान,
हाय।
अरवा के जरी बूटी, छींदी छिंदावर, खरना
के गुरु
बैताल हो।
तोर कारन्यो सन-बन में होयो रे राम,
इतना समझ नहींय तोला।
पहले पऊँरा तो लगाए।
देवी के शारद।
पहले पऊँरा।
सक्के के बाजार खाए ला बीरा पान।
तोर बोली ला सुनके तरस थै परान।।
देवी के शारद, पहले पऊँरा।

बरछी भाला मार के लै लेते परान। ओ हो...
धोखा दैके कैसे मारे देखै हे राम।
देवी के शारद।
पहले पऊँरा।।

सुआना री लाल माटी केजोली पारा
ले बाय सुआना री।।
गबोरी प बैठे सुआ कतरे फागुला पान
गबोरीन बैठे सूआ उड़ले अकास...
ए बाय सुआना री।।
गबोरी अन बैठे सुआ कतरे फागूला पान
कुटू मोला बैठे सुआ उड़ले अकास

ओर चला जा।
धन रे ते कैरा पान
मन में अलग कोई का जानी रे।।
तारा म पसी गयो, लोटा में पानी
चुप होइ क बूझ देखो
खावे का नहीं, कोई का जानी रे।
थारी में पँसी गए लोटा म पानी
धीरे के बूझ देखो
थाटी का नहीं कोई का जानी रे।

दूसरा क्या समझ सकता है?
री रीना बिली जावो रे सुआ रे
चल जावो गंगा स्नान, बिली जावो सुआ रे।।
री रीना बिली जावा रे सुआ रे।।

गाई डारे धानी म धनियाँ।
कोदोंम अंगिया दाई दादा।।
दाई दादा शहर म।

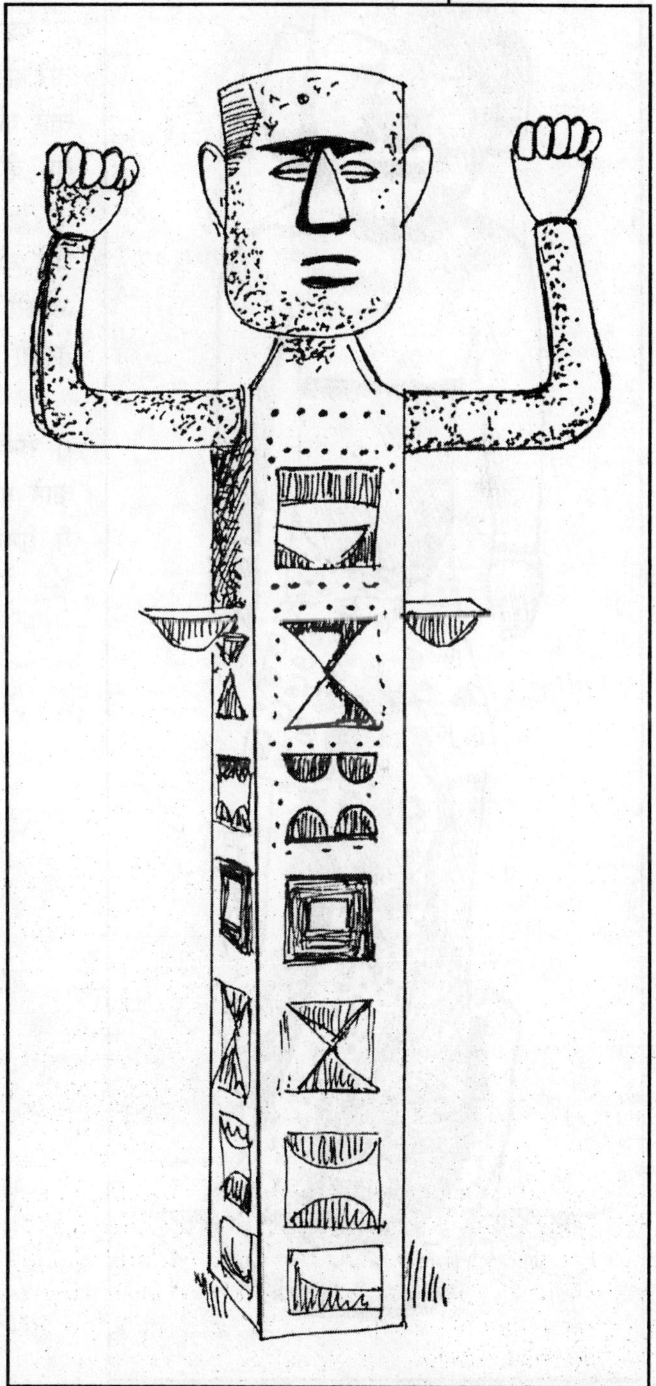

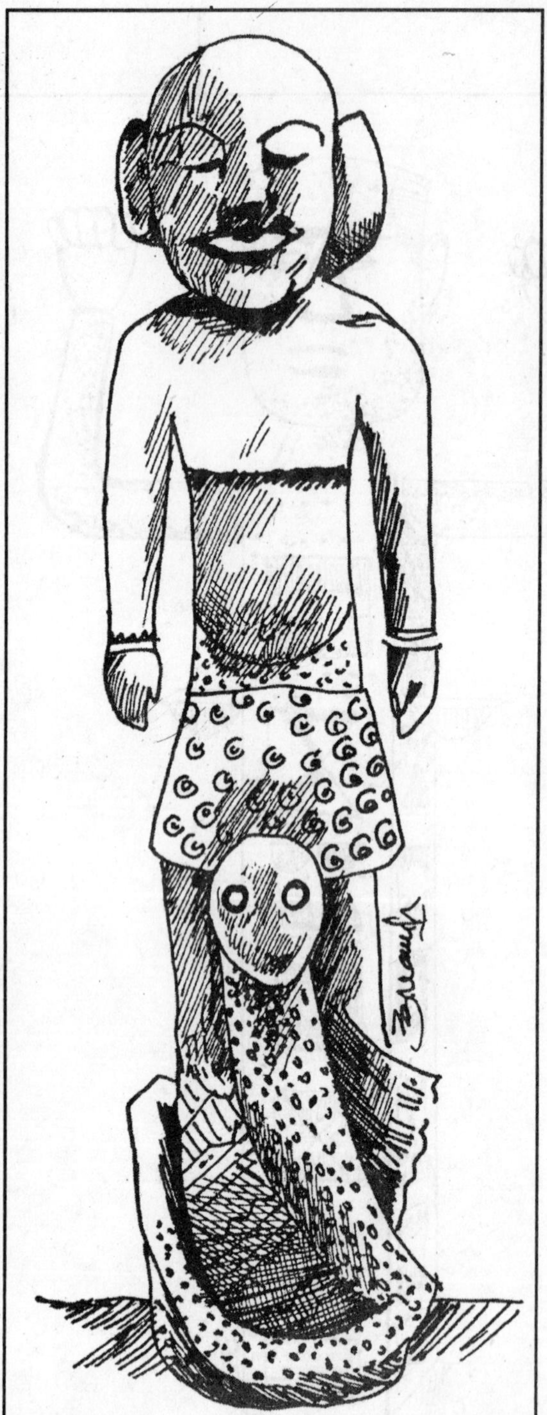

बेटी निकल गए मुलुक म।।

दशहरा नृत्य गीत (सुमरिनी)

तोरे होरे नाना हो तोरे नाना, भला तोरे होरे नाना रे आय।
तोह की सुमिरो रे भाई धरती आय, तोही लागे भार।
तुम के लोग रे हँसा उड़ास, तोही लागे भार।।

धीरे धीरे पानी मार लाने रानी सगर, धीरे-धीरे रे।
आगरी ले चीखल काँदो डबारी ले पानी।
तेरानी उझेल पानी मार लाने माछरी, धीरे-धीरे रे।

री रीना रीना दउवा काहे मारे
काहे मारे दउवा अमरैया ला काहे मारे
री रीना रीना दउवा काहे मारे।

बसदेवा गायकी

❑ नवल शुक्ल

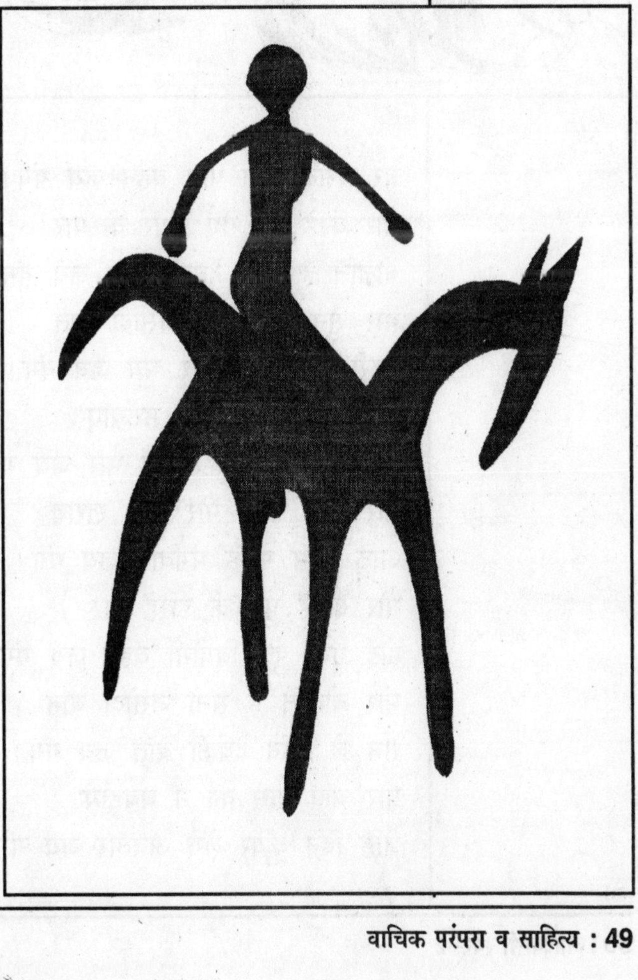

कृष्णावतार

या दया मूल से मूलौ रहि गये
प्राण मूल रहि गये अभिमान जय गंग।
मोर तुलसी दया न छोड़िहैं श्याम
जब तक रहिहें घट में प्राण जय गंग।
मोर जग में राज कंस के भयो
अत्याचारे कंस ने किया जय गंग।
मोरे अत्याचार कंस ने किया
लाखों बीर के डारे मार जय जय गंग।
मोर लाखों जोधा दिया संहार
पर बच गये रानी देब की आज जय गंग।
मोर बच गये रानी देवकी आज
धन्न है तिरलोकी भगवान जय गंग।
मोर छैं बेटा देवकी को भयो
राजअ कंस लिन्हो मंगवाय जय गंग।
मोर पटक-पटक डारीन मरवाय
सात गरभवा भयो खराब जय गंग।
मोर एक दिन रानी सपना पावें
सात गरभ मोर भयो खराब जय गंग।
मोर आठ गरभ में है भगवान
सुन पइहें रे कंस चनडाल जय गंग।
मोर ओहू बालक डरिहें मरवाय
होई गयो पुत्र वियोगी माय जय गंग।

मोर धन्न है तिरलोकी भगवान
तोरो लीला अजब है पार जय गंग।
मोर इक दिन देवकी जमुना नहाय
सखी-सहेलिनी लइ के साथ जय गंग।
मोरह अपन महल से देवकी चल भए
अपन महल से जसोदा जाय जय गंग।
मोर ओहो जमुना के घट पर आज
दुनो बहिन का होउ गा भेंट जय गंग।
मोर जब सुधि आयो देवकी का
जमुना घाट में रोधन किया जय गंग।
मोर देवकी रोवै जसोदा सुनै
दिन्हों रानी जसोदा जवाब जय गंग।
मोर सुन देवकी बहिनी मोर बात
काहे रोवै जमुना के पार जय गंग।
मोर सुंदर पाए मथरा के राज
बर बसदेव का पाए बहन जय गंग।
मोर काहे का रोए सगर के पार
बोलति है रानी देवकी बात जय गंग।
मोर सुन ले बहिनी जसोदा बात
बइरी भयो कंस मोर भय जय गंग।
मोर छै-दै बेटा दहिन मरुवाए
पटक-पटक आहि डारीस मार जय गंग।
मोर सात गरभ मोर भयो खराब
आठ गरभ में है भगवान जय गंग।
मोर ओहि पुत्र के डरिहें मार
होई गयों पुत्र वियोगी बहन जय गंग।
मोर बोलति है रानी जसोदा बात
सुन ले बहन देवकी बात जय गंग।
मोर यहाँ नाम का न घबड़ाय
जेहि दिन कुँवर लेंगे अवतार जय गंग।

मोर ओह दिन पड़ी छमासी रात
धन्न है तिरलोकी भगवान जय गंग।
मोर तोरे कोख में है भगवान
मोरे कोख में बिजली है नार जय गंग।
मोर दुनोह जनम है एके दिना
एके घड़ी अउर एके रात जय गंग।
मोर जेहि दिन जनम लेत भगवान
वो दिन पड़ो छमासो रात जय गंग।
मोर कोट जतन दिन्हों पहुँचपाय
मथुरा से गोकुल को आज जय गंग।
मोर नार-फूल बदली कर लेवे
धन्न है तिरलोको भगवान, जय गंग।
मोर बोलत है रानी देवकी बात
सुन ले बहन जसोदा तू आज जय गंग।
मोर जहल कोठरो काराधर में
स्वामी लजै हथकड़ी मोर जय गंग।
मोर हाथन में हथकड़िया में पड़े हैं
मोर पड़े हैं पावन में जंजीर जय गंग।
बहिनी को बालक का दिइ अमराय
बोलै माता जसोदा बात जय गंग।
मोर सुन ले बहिनी देवको तैं
मन में अब तैं ना घबड़ाय जय गंग।
मोर जेहि दिन बालक लेई अवतार
हाथन की हथकड़िया खुलय जय गंग।
मोर पावन बेड़ी पति के तोड़
कोट जतन दिन्है पहुँचाय जय गंग।
मोर दिन बेरा का दै दै बताय
कौन घड़ी में जनमन होएँ जय गंग।
मोर बोलै वो रानी देवकी बात
सुन लै बहन जसोदा तै आज जय गंग।

मोर जनम अष्टमी दिन बुधवार
ओह दिन कुँवर लेंगे अवतार जय गंग।
मोर हिल गंगा में करएँ असनान
राम रमउआ देवकी ले जय गंग।
मोर राम रमउआ दसोदा लें
अपन महल को देवकी जाएँ जय गंग।
मोर अपने महल दसोदा गई
दो-चार महीना के आंतर भयो जय गंग।
मोर लगभा दसा महीना जाए
जनम अष्टमी दिन बुधवार जय गंग।
मोर आधी रात कर अमल भयो
निज देवकी के पिरावे पेट जय गंग।
मोर निज देवकी का पिरावो पेट
जनम भयो कृष्णा भगवान जय गंग।
मोर चार भुजा से ओहि दरसन देन
मन घबड़ा गए देवकी केर जय गंग।
मोर दो-दो भुजा क्षिमा रि श्याम
बालक बन जा तै भगवान जय गंग।
मैं तुम्हीं गोखुला दिऊँ पहुँचाय
घट-घट के बरइया श्याम जय गंग।
मोर घट-घट के गा बइसया श्याम
मन के बाट जनइयाँ श्याम जय गंग।
मोर दो-दो भुजा क्षिमा कर लीन
बालक रूप धर लीन भगवान जय गंग।
मोर आ गए खयाल देवकी आय
पति बासुदेव टेरन लागी
सइयाँ रे पंइयाँ पड़ू तोहार जय गंग।
अरे मोरे कोख बालक मैं पति
कोट जतन दय दे अमराय जय गंग।
मोर मथुरा से गोकुल आज

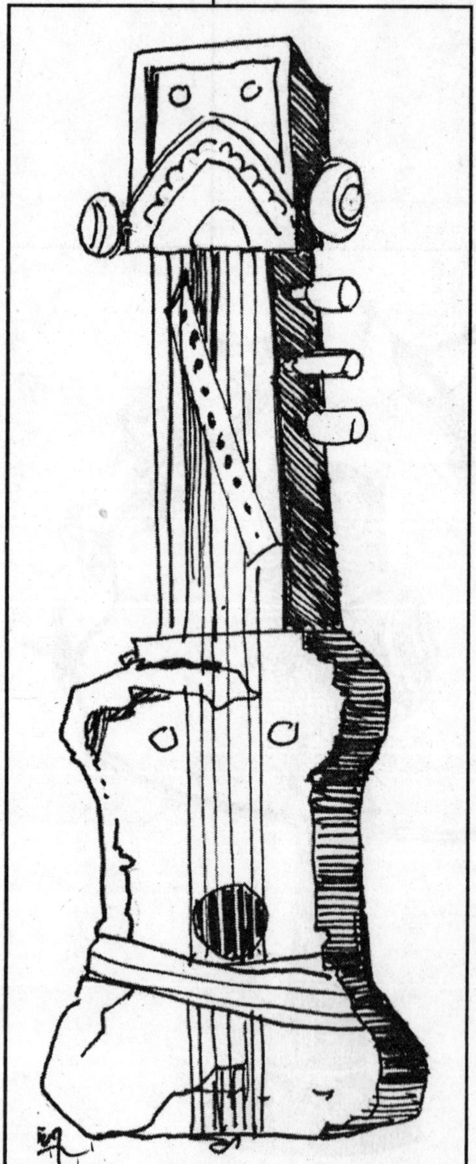

ये बालक को लेहु बंचाय जय गंग।
मोर सुनै पुकार देवकी के
खुल गये संजनों जेहल-कपाट जय गंग।
मोर हाथन की हथकड़ियाँ टूट गये
खुल गये पावन की जंजीर जय गंग।
मोर दउड़त आवें बासुदेव मोरे
पड़े श्याम के दरसन कीन जय गंग।
मोर सोने चंगोरा लियो मँगवाय
नार-फूल दोनों धर लीन जय गंग।
मोर ऊपर पितंबर लिहा ओढ़ाय
बोह लिन्ह बसुदेव भगवान जय गंग।
मोर धरे डगर गोकुल का गयो
रिमझिम-रिमझिम पानी गिरै जय गंग।
मोर चकमे बिजरी तड़काए वार
ले के बासुदेव गोकुल जाय जय गंग।
मोर गंगा तट में गयो
देखै गंगा-जमना आज जय गंग।
मोर दिखै गंगा आज
चार खूँट के मालिक अवएँ जय गंग।
मोर चरण छूवन को गंगा चल भए
चरण छूवन को जम्ना चली जय गंग।
मोर अथाह पूर गंगा में भई गए
अथाह पूर जम्ना में राम जय गंग।
मोर हिल गवो बासुदेव जाय जय गंग।
मोर कम्मर भर में बासुदेव जान
आध बीच में गए थर्राए जय गंग।
मोर नक भर पानी बासदेव केर
उभुक-चुभुक बसदेव जी किया जय गंग।
मोर बासदेव जी किया जय गंग।
मोर बासदेव जाने न सकएँ

मते बात परमेरसर कहएँ जय गंग।
मोर देख दुख बसदेव की मालिक
मते बात परमेरसर कहएँ जय गंग।
मोर सुन लेत गंगा-जम्ना तएँ
जान देते गोकुल के अभी जय गंग।
मोर जान देते गोकुल का आज
गेंद खेलन काली दह अतंव जय गंग।
मोर जभए चरण छुई लेते मोर
हाथ जोड़ गंगा भई ठाढ़ जय गंग।
जो मैं तो कुँवारी गंगा हववं
तुम्हर चरण ताकेव भागवान जय गंग।
मोर कब भगवत जी लेहै अवतार
कभऊँ दासी बनइहें श्याम जय गंग।
मोर खोपट नइया ना के जाब
मोहि चरण दई हो भगवान जय गंग।
मोर बड़े-बड़े देवता मन तरि गये
तर गये रिसि-मुनी कौसल्या जय गंग।
मोर तुहर चरण की अड़बड़ आस
तुम्हर चरण हुई दो भगवान जय गंग।
मोर देख दुख बसुदेव की मालिक
बासुदेव जाने ना सकएँ जय गंग।

मोर डेरी चरण को दीन है लमाए
चरण छुए गंगा घट जाए जय गंग।
मोर चरण छुए जमुना घट गियो
छिल-छिल बहेव जमुन की धार जय गंग।
मोर नाके बासुदेव बेड़ा पार
जाए गोकुल में जाय जय गंग।
मोर बाबा नन्द के द्वारे गयो
माता जसोदा किया पुकार जय गंग।
मोर नन्द-नन्द कह करैं पुकारे

उठ गए माता जसोदा आज जय गंग।
मोर चनन केवरिया दिन्हों खोल
गोरे श्याम को लिया उतार जय गंग।
मोर गोरे श्याम को लिया उतार
रेशम झूला बनाय जय गंग।
मोर बो बालक को दिया सुलाय
आधी रात का अम्मल माय जय गंग।
मोर ली दसोंदा का पिराओ पेट
बिजली कन्या लीन अवतार जय गंग।
मोर नार-फूल बदली कर लियो
बालक दियो गोकुला छोड़ जय गंग।
मोर धरे सूप कन्या को मालिक
चले गयो गोकुल को आज जय गंग।
मोर चल भए मथुरा की वो आज
सतम भवन में पहुँचे जाए जय गंग।
मोर सारी रात बसुदेव जी गए
अपन भवन में पहुँचे आज जय गंग।
मोर कन्या दिया देवकी पास
जस के ति बसुदेव को जाएँ जय गंग।
मोहर हाथन में हथकड़ियाँ पड़ीं।
पड़ गए पावन में जंजीर जय गंग।
मोर भोर जुगुन हो गए भिनसार
केहवं-केहवं के कन्या रोवै जय गंग।
मोर जगन लगे सबु पहरूदार
जगन लगे सब चउकीदार जय गंग।
मोर दौड़ सिपाही दिया संदेस
सुन ले राजा कंस महाराज जय गंग।
मोर बासुदेव घर पुत्री भए
पुत्री नाम सुनैना पवए जय गंग।
मारे पुत्री नाम सुनैना पवअएँ

बड़ा रोस कंसा होइ जाएँ जय गंग।
मोर तुरूत सिपाही दी भजवाए
वे कन्या कर ले कै साथ जय गंग।
मोर पहरे के वह पहरूदार
रोज बाट में पहुँचे जाए जय गंग।
मोर सुन रानी देवकी मोर बात
तोही बालाए कंस महाराज जय गंग।
मोर वो कन्या को लेकर साथ
धन्न है तिरलोकी भगवान जय गंग।
मोर चले भए रानी देवकी आज
कंस कचेहरी में पहुँची जाए जय गंग।

मोर हाथ जोड़ रानी देवकी बोल
काहे बोलयों कंस महाराज जय गंग।
मोर गरज के बोले कंस महाराज
सुन देवकी बहिनी मोर बात जय गंग।
मोर छै-छै बेटा लिहिन अवतार
जेहि कंस दिन्है पहुँचाय जय गंग।
मोर सात गर्भ तोर भया खराब
आठ गर्भ में बालक रहयों जय गंग।
मोर बोलत है रानी देवकी बात
सुन ले भइया कंस मोर बात जय गंग।
मोर ए परमेसर माया हवयं
ओह कोख पर बेटी होए जय गंग।
ए भगवत के माया आय जय गंग।
मोर हाथ जोड़ि रानी देवकी बोलै
भइया सुन लो कंसा मोर बात जय गंग।
मोर छै बेटा तू डालेव मार
सात गरभवा भया खराब जय गंग।
मोर आठ गर्भ या कन्या भई
छोड़ देव कन्या को भाय जय गंग।

मोर जोहैं खैहैं लैहैं नाम
एइ होइहैं माता का आधार जय गंग।
मोर गरज के बोले कंस महाराज
सुन देवकी बहनों मोर बात जय गंग।
मोर जोहैं खैहैं होहैं होसियार
कोई राजा एक लेइ बिआहें जय गंग।
मोर एकर पुत्र होहैं बलवान
एइ होयहैं रे कंस के काल जय गंग।
मोर दिया हुकुम पहरेदार का
धर लेउ कन्या मुलायम बाँह जय गंग।
मोर बड़े सिला का पत्थर पार
एक कन्या को दै दो पटक जय गंग।
मोर पकड़ बाँह पहरू ने दिया
बड़े सिला मा पत्थर पार जय गंग।
मोर पहरू ने पटकन लाग
छुटा बाँह पहरू के आज जय गंग।
मोर सुरू रू कन्या उड़ भाग
लिहें साथ पहरू को जाय जय गंग।
मोर लिहे साथ पहरू को गई
आधे सरग ले पहरू गिराय जय गंग।
मोर पहरू गिरा कंस के भाग
हाथ-गोड़ भुरभुर को जाय जय गंग।
मोर आकास बानी कन्या कहै
सुन ले ममा कंस मोर बात जय गंग।
जा मोर मरवइया नहीं संसार
पर तोर मरवइया जनम ले चुका जय गंग।
मोर जनम लिए मथुरा में भगवान
खेल रहैं गोकुल में आज जय गंग।
मोर इनकी कथा रहैं भरपूर
ओइसे साहब रहौं भरपूर जय गंग।

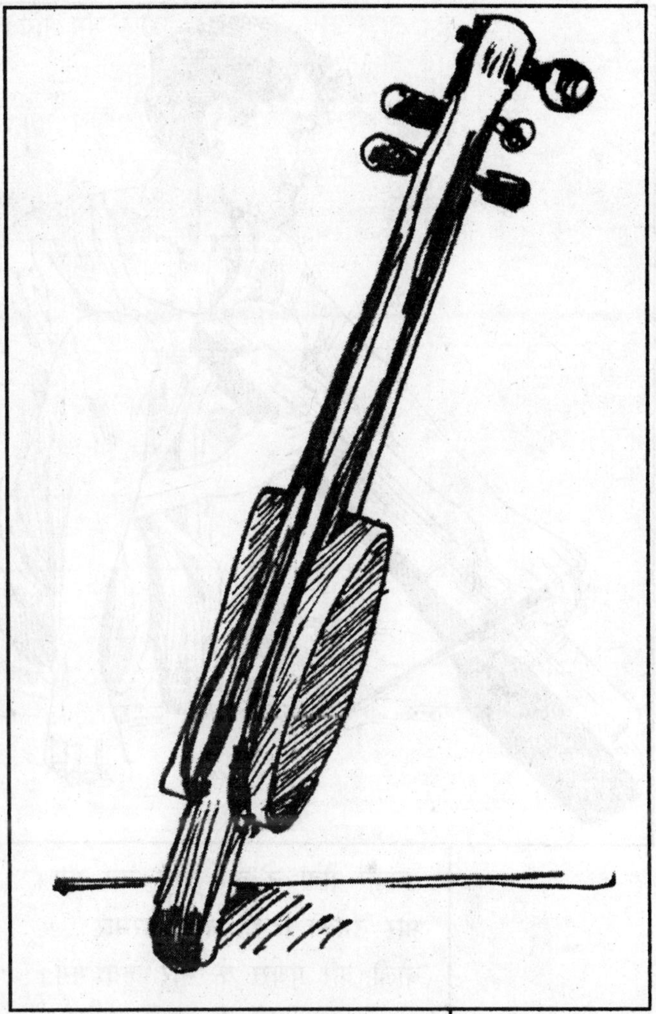

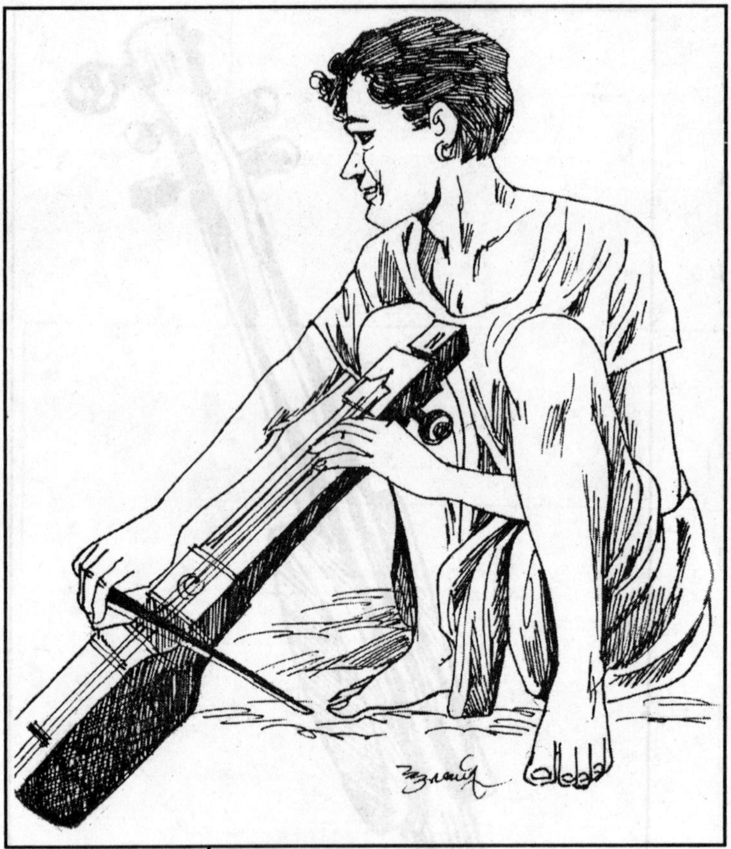

मोर काले कलम मजै भगवान
कभी न आवै तन में आँच जय गंग।

श्रवण कथा

आ दया मूल में मूलौं रहि गयें
प्राण मूल रह गये अभिमान
तुलसी दया न छोड़ैं श्याम
जब तक रहिहें घट में प्राण जय गंग।
अरे तुलसी दया न छोड़ैं श्याम
जब तक रहिहें घट में प्राण जय गंग।
मोर पाँच नाम भगवत की सुनो
जिनके सुने कटै न पाप जय गंग।
मोर सती सुर में सरवन भयो
मोर सत्त धर्म का पालन करयो जय
गंग।
मोर घर की तिरिया करैं जवाब
मानो स्वामीं वचन हमार जय गंग।
मोर भयो बूढ़ मोर जीवन काल
उनकर सेवा न करे जाय जय गंग।
मोर उनका दिन्हों नगर परमार
बोली करैं पथरा के मार जय गंग।
मोर स्वामी चलौ न मइके चलीं
मोर नइहरे में माया पड़ी जय गंग।
यह माया करौं पिया मैं तोर
तोसी लेई चलौं चहौ के ढोर जय गंग।
पिया के ले जई या चकनाघोर जय गंग।
यह मैं जल पहिनउँ लहर पटोर
यह खबर घर तिरिया कहै जय गंग।
मारे सही बचन घर तिरिया कहै
उठ के सखन दियो जवाब जय गंग।

मोर तोरे बचन बहुआ की लागै
माई-बाप का तई न बोल जय गंग।
मोर माता-पिता मिलै ना मोल
एक ना मिला त बाई-बाप जय गंग।
मोर दुई नहीं मिलिहें तिरीथ कर भाई
तिरिया गएल बाजारे मिलए जय गंग।

मोर जबो होत गाठी भर दान
एही बचन घर सखन कहै जय गंग।
मोर रूठए तिरिया चली सराय
ना घरे रहे ना मइके जाए जय गंग।
मोर चली नार कुम्हरा घर गई
राजा तोहर जी तैय मोर भाय जय गंग।
मोर सासुर नाते देवर लाग
मोर पिया से होई गए तकरार जय गंग।
जा मुँही हंडी दे दै बनाए
एक पर्त में रंधवोय खीर जय गंग।
मोर दूजे परत महेरी करब
रोज परत बुढ़ऊ का देब जय गंग।
मोर उठई कुम्हरवा गारी देत है
तै द्वरे से टर जा नार जय गंग।
मैं तोहों हांड़ी जनम ना देहौं
माई-बाप से डरबे नार जय गंग।
मोर दोख-पाप का तू न डेराअ
दोख-पाप सब मोहीं पर आय जय गंग।
मोर कठिन बुद्धि तिरिया के रहैं
लटक के तिरिया करैं जवाब जय गंग।
मोर सुन ले भइया कोंहरवा बात
एक पइसा की तोर हांड़ी बेंचात जय गंग।

मैं सोने टका बनवनी देवयँ
दूध-भात की लपटा गाय जय गंग।
मोर माया लोभ कुम्हरवा जोन
गढ़ै तबलिया प्यारी कराअय जय गंग।
मोर गढ़ै प्यारी किओ
ठोंक पीट वह दिओ बनाय जय गंग।
मोर ठोक पीट वोह दिओ बनाय
धनी सुवर के माया रहाय जय गंग।
मोर सामल बहू की आगे दिओ
लैं रेंगना घर को चली जय गंग।
मोर ठोंकत चली बजावत जाए
मानो पेट में कुड़कत जाए जय गंग।

मोर आज बूढ़ का डखय मार
नई न बहुरिया नवा उपाय जय गंग।
मोर लम्बा घुँघटा छक्का पाबू
लपट-झपट की चउका करय जय गंग।
मोर तीना-चार की बादि मंही
जेकर चुखन खट्टी खीर जय गंग।
मोर भूर भईस की निरवल दूध
तेकर चुखैं खोबा खीर जय गंग।
मोर वही तकर तिरिया को भई
खोवा खीर सखन को दीन जय गंग।
मोर खटा महेर बूढ़ो को देति हंय
एक दिनन खाएँ दुईन दिन चार जय
गंग।
मोर एक दिन खाए दो दिन चार
दिनों दिन माता दुबराएँ जय गंग।
मोर दिने दिन दुबराते बाप
एक दिन बेटवा परिचय लेए जय गंग।
मोर एक दिन बेटवा परिचय लिहिन

काहे माई-बाप दुबराएँ जय गंग।
मोर दही-दूध का भरा तालाब
गली चलइया खोबा खाएँ जय गंग।
यह मन में सोच, सोच रह गए
सोचत लाग बहुते दिन बीत जय गंग।
मोर दिनों दिन माता दुबरा गईन
दिनों दिन दुबरानि बाप जय गंग।
मोर एक दिन बेटवा परिचय लिहिन
एकादशी बर्त कर दिहिंन जय गंग।
मोर दुबादशी का भोजन चुरा
बाप अउ बेटा करएँ असनान जय गंग।
मोर चलव पिता बइठें जेंवनार
दहिन बइठ गएन अधरी माय जय गंग।
मोर बाएँ बइठ गए बूढ़े बाप
सरमुख बइठें सखन पूत जय गंग।
मोर सखन पिरिया परोसई खीर
बहै टकर तिरिया की भई जय गंग।
मोर खोबा खीर सखन को दीन
फटा महेर बूढ़न को दीन जय गंग।
मोर ओहे दिन बेटवा परिचे लीन
आपन थारी बाप को दीन जय गंग।
मोप बाप के थारी सखन लियो
भीतर बोली चंचल नार जय गंग।
ए स्वामी तोर हर गए ज्ञान
ए स्वामी तोर मत बउरान जय गंग।
मोर है स्वामी तुँ खाई लिहें भांग
आपन थारी आप के खान जय गंग।
मोर बूढ़न थारी देय लौटाय
नहीं पिया होई तकरार जय गंग।
मोर नहीं पिया होई हैं तकरार

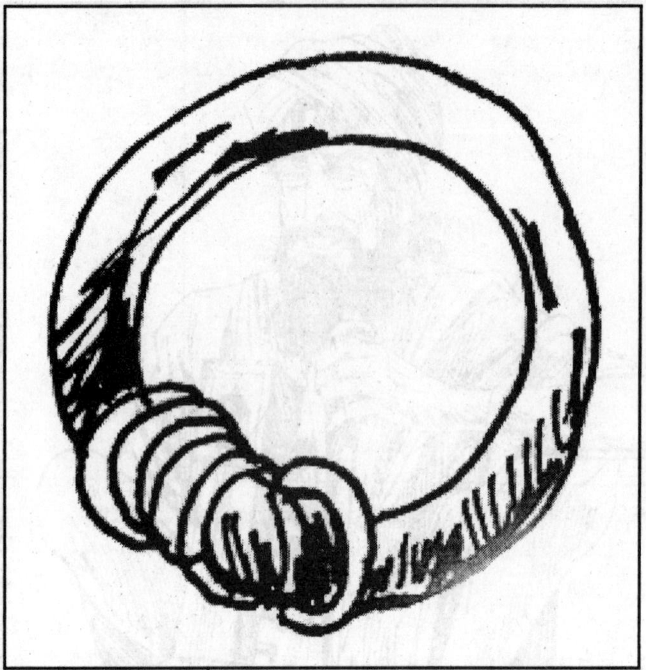

तिरिया पुरुष दोनों लड़एं जय गंग।
मोर बइठे अंध दुई भोजन करएं
भोजन कर के दिया असीस जय गंग।
मोर जिया तू ललन जी लाख बरीस
जब से लायो गमनवां तोर जय गंग।
मोर जब से लिहेन गवनवा लाल
आज पेट भर खायों खीर जय गंग।
मोर नहीं मान बेटवा परतीत
पाँच कौर माता कन खए जय गंग।
मोर खंटे भयो सखन के दाँत
बइठन लगें बतीसों दाँत जय गंग।
मोर जलन लगै तरूवन के बार
पायो सखन अधर के हाल जय गंग।
मोर गोड़ धोएन घर भीतर गइन
देखैं रसोइयन में दोई पेट जय गंग।

मोर अमता रहय नीम का पेड़
अद्‌भुत मानेव सखन पूत जय गंग।
मोर मारीन लात हंड़िया गए फूट
पटक देते है तिरिया के मूंड़ जय गंग।
मोर डंडा चारी पीठ माँ दिन्हों
लात चार कम्मर माँ दिहों जय गंग।
मोर मुटका चार घर ओपर दीन
धई झोंटी कहि लावत लेन
भीतरे के आँगने कर देन जय गंग।
मोर नगर के नउआ तुरूत बुलाय
या धोखन के मूड़ मुड़वाय जय गंग।
मोर रोवत कहीन मुइके कर गीन
मइके लोग तमाशा दीख जय गंग।
महतारी चिन्ह मोर बिटिया लागे
कहै बाप कुलबोरन आय जय गंग।

मोर भाई कहै मोर दुश्मन लगै
दूर हो दुखी अभागन नार जय गंग।
वो भाग आग पाछु में नार
नहीं आए तोर मइके में काम
महतारी की बिटिया गजब पियार
रो रोय मात पूछ रहीन बात जय गंग।
मोर का दुख बिटिया चली भग आए
के सखन के खाना थोड़ जय गंग।
मोर के सखन के पहनना थोड़
कउन दुख तोर भारी पड़ आय जय गंग।
मोर हमसे साँची दे देव बताए
कौन दउख ससुरे में पड़ हय जय गंग।
महतारी से बिटिया लगी बताए
सुन ले दाई सुन ले बाप जय गंग।

मोर सुनो बड़े भइया मोर बात
ना उनके घर खाना थोड़ जय गंग।
मोर ना उनके घर पहिनना थोड़
उनके घर पर अंधरी माय जय गंग।
मारे उनके घरे अँधवा बाप
पनिया भरेंव सकल दिन जाए जय गंग।
मोर जै बन बनाऊँ सकली रात
रातौं कल-कल, दिनौं उपास जय गंग।
मोर सुन ले दाई, सुन ले बाप
सुनऊ बड़े भइया, मोर बात जय गंग।
मोर एक दिन जेवना गवा नसाए

मार-कूट मोहि, दिहिन निकाल जय गंग।
मोर जो मइके का करेंऊ बयान
सुने खबर या माता-पिता जय गंग।
मोर सुन खबर, बड़ भइया मोर
अर उठकर भइया, दिया जवाब जय गंग।
मोर तें द्वारे से, टर जा बहन
तोरोब जनम, अकारथ आय जय गंग।
मोर बोर देहे, माई-बाप की नाम
तै बोरे रे, पति का नाम जय गंग।
मोर तोरों नहीं, मयके के काम
मइके भइया, दिया निकार जय गंग।
मारे भगी रॉडी, जंगल को गई
जंगल देवता, दिया सराप जय गंग।
वहाँ जर-बर तिरिया, हो गए राख

अब ना पायो मनुष अवतार जय गंग।
मोर जनम भयो, गेदुर अवतार
झूलै बड़-पीपर के डार जय गंग।
मोर जबै के बेट, सखन भयो
सत्य धर्म का, पालन करयो जय गंग।
मोर मन माँ, बेटवा करय विचार
बियाही तिरिया, दिवयँ निकार जय गंग।
मोर माई-बाप है, कठिन पियार
जिनके मैं, गंगा लेय जाँव जय गंग।
मोर चलय लाल, बढ़ई के ठई
मोर चन्दन काँवर, घर में आयो
चंदन काँवर दिया बनवाय जय गंग।
मोर जोति बरंय, मूड़ के बार
बन काँवर, हो गए तय्यार जय गंग।
मोर सुन्दर पण्डित, लिहिन बोलाय
सुन्दर कथा, लीन करवाए जय गंग।
मोर कए पलना में, अंधरी बइठे
दुई पलना में बूढ़ मोर बाप जय गंग।
मोर झींकत काँवर, लिया उठाए
इक पलना के दूध बन जाए जय गंग।

मोर चारों धाम का, किया कराय
बंच गए, सरजु नदी किनार जय गंग।
वह बोलय अंधरी, बचन पियार
सुन बेटा, अंधरी के लाल जय गंग।
एक मोंही पानी, दियो पिलाए
बिन पानी मोर, कलप जाय प्रान जय गंग।
मोर बोलै बेटा, सखन या बात
सुन माता, अंधरी तू बात जय गंग।
मोर एक जंगल के, भयो अंधकार
कोन भेद मैं, पानी जाँवों जय गंग।

तैं मोही, अज्ञया दे दे बताए
जल्दी से भर लावों पान जय गंग।
मोर बोलत है, अंधरी माता बात
सुनो पुत्र, अंधी के लाल जय गंग।
मोर काँवर टँगो, बारा के डार
जल्दी से, भर ला दो पान जय गंग।
मोर के पानी, मामा के ताल है
के पानी है, समुन्दर तीर जय गंग।
मोर आज्ञाकारी, सरवन भयो
छोड़ पितम्बर, काँवर टँगेवो जय गंग।

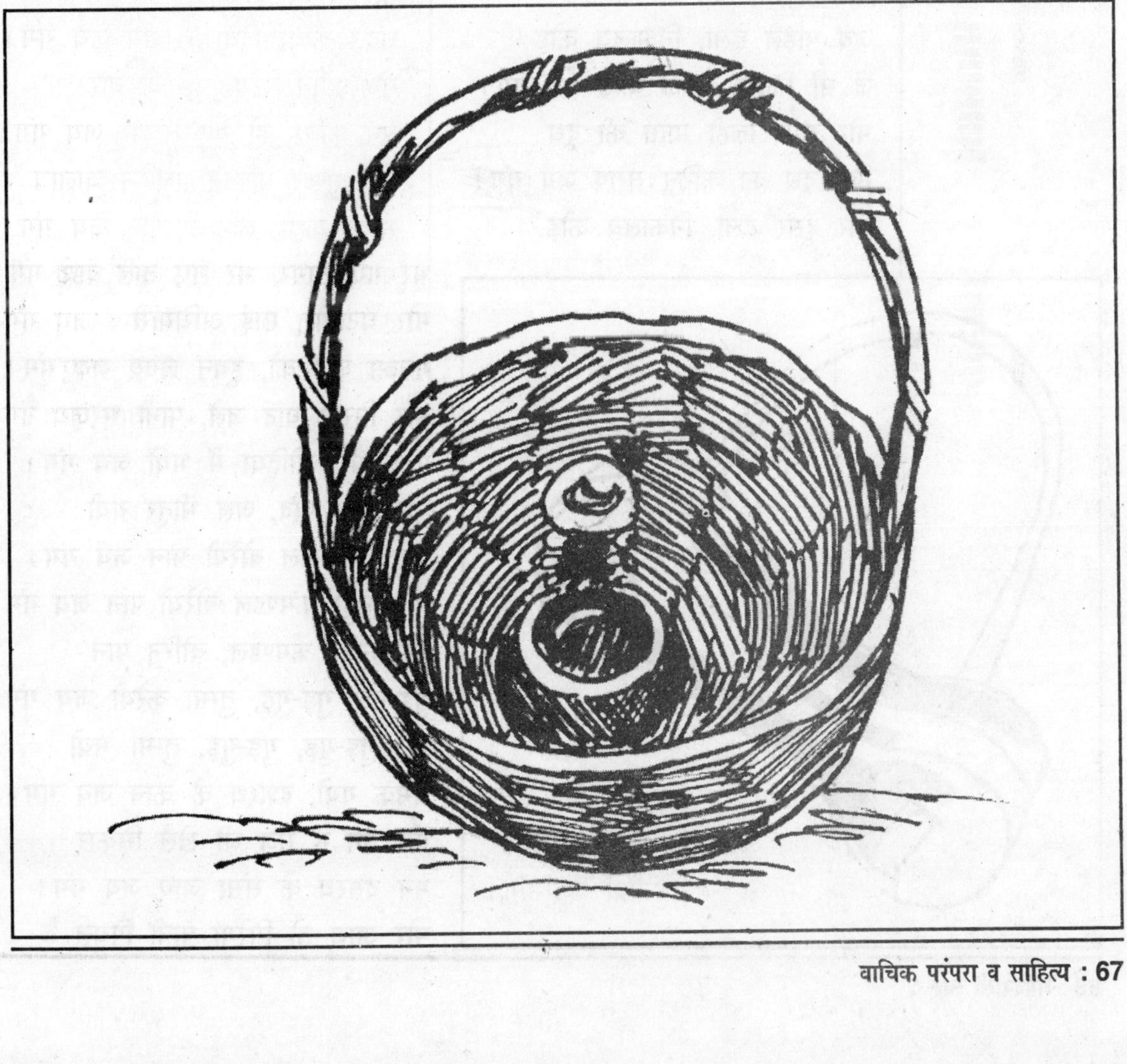

मोर काँवर टँगेव, बाड़ा की डङ्गर
लई तुमड़ी, पानी को भग जाए जय गंग।
मोर दउड़ गए हैं, मामा के ताल
सरवन गयो, सूखा, गए ताल जय गंग।
कवन भेद, मोहें पानी मिलय जय गंग।
अरे मोर आए तू, सूख गए ताल
माई-बाप, दुनों मरें पियास जय गंग।
मोर लिन्हों, रामचन्द्र के नाम
दहिन हाथ, भग वत की माल जय गंग।
मोर बीच तिरिया में, झिरिया कोड़य
पहिले ढेला, जय-जय सीताराम
जब पहिले ढेला, निकालय कोड़
जे माँ निकले, काँदो कीट जय गंग।
मोर सुमर लिहो माता की दूध
पिए दूध का कठिन सराप जय गंग।
मोर दूसर ढेला, निकालय कोड़

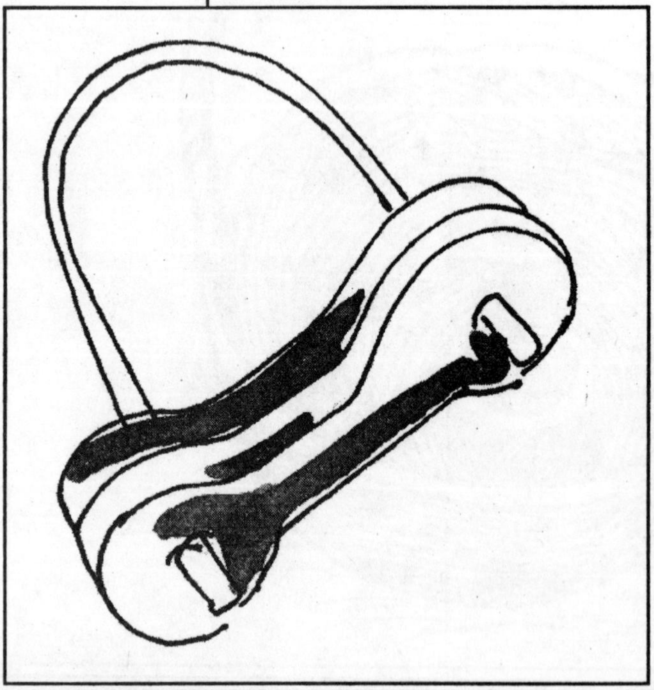

भर गए सागर, भर गए ताल जय गंग।
मोर घटाघोर, छाई अंधियारी
गउआ घाट को, डूबन लगय जय गंग।
मोर मिरगा घाट जले, पानी भरए
पहल पैर, सीढ़िया में भयो जय गंग।
मोर दूसर पांव, जल भीतर गयो
निहुर कमण्डल बोरेयो पान जय गंग।
मोर निहुर कमण्डल बोरेयो पान जय गंग।
मोर निहुर कमण्डल, बोरिन पान
गुड़-गुड़, गुड़-गुड़, तुम्मा करेयो जय गंग।
मोर गुड़-गुड़, गुड़-गुड़, तुम्मा भयो
चमक गयो, दशरथ के कान जय गंग।
मोर वन में राज जी खेलै सिकार
मन दसरथ के संसा जाए जय गंग।
मोर आज तो मिरेगा पानी पियल है

धनुष बान को लिया उठाए जय गंग।
मोर खींचे धनुंहा छोड़े बान
सती बान सरवन को लाग जय गंग।
मोर राम-राम कर सरवन गिरै
इन्द्रलोक में खलबल मंचय जय गंग।
मोर सुन खबर, बड़ भइया मोर
अर उठकर भइया, दिया जवाब जय गंग।
मोर तें द्वारे से, टर जा बहन
तोरीब जनम, अकारथ आय जय गंग।
मोर बोर देहे, माई-बाप की नाम
तै बोरे रे, पति का नाम जय गंग।
मोर तोरों नहीं, मयके के काम
मइके भइया, दिया निकार जय गंग।
मारे भगी रॉड़ी, जंगल को गई
जंगल देबता, दिया राराप जय गंग।
वहाँ जर-बर तिरिया, हो गए राख
अब ना पायो मनुष अवतार जय गंग।
गोर जनम भयो, गेदुर अवतार
झूलै बड़-पीपर के डार जय गंग।
मोर जबै के बेट, सखन भयो
सत्य धर्म का, पालन करयो जय गंग।
मोर मन माँ, बेटवा करय विचार
बियाही तिरिया, दिवयं निकार जय गंग।
मोर माई-बाप है, कठिन पियार
जिनके मैं, गंगा लेय जाँव जय गंग।
मोर चलय लाल, बढ़ई के ठई
मोर चन्दन काँवर, घर में आयो
चंदन काँवर दिया बनवाय जय गंग।
मोर जोति बरँय, मूड़ के बार
बन काँवर, हो गए तय्यार जय गंग।

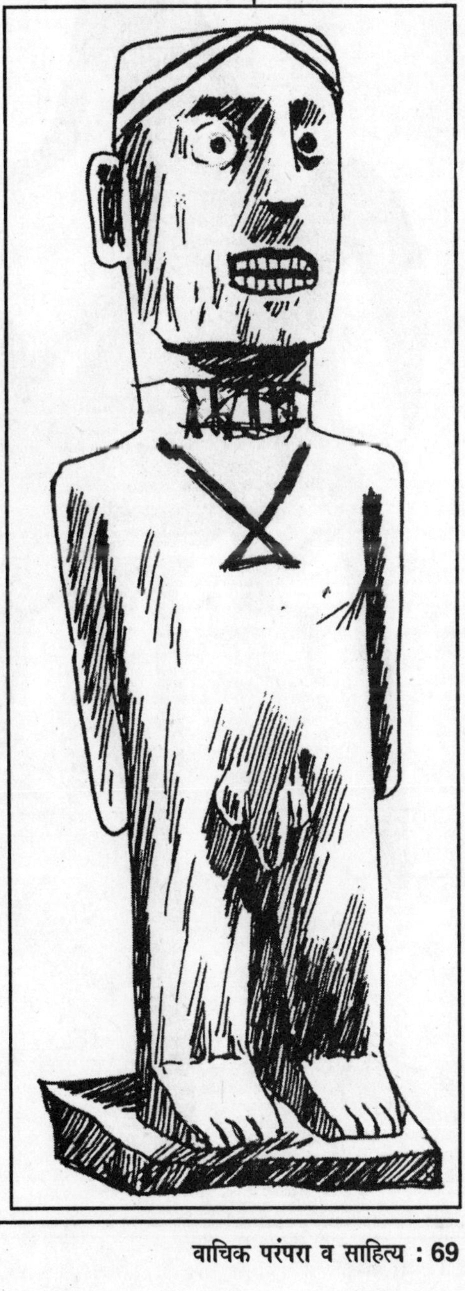

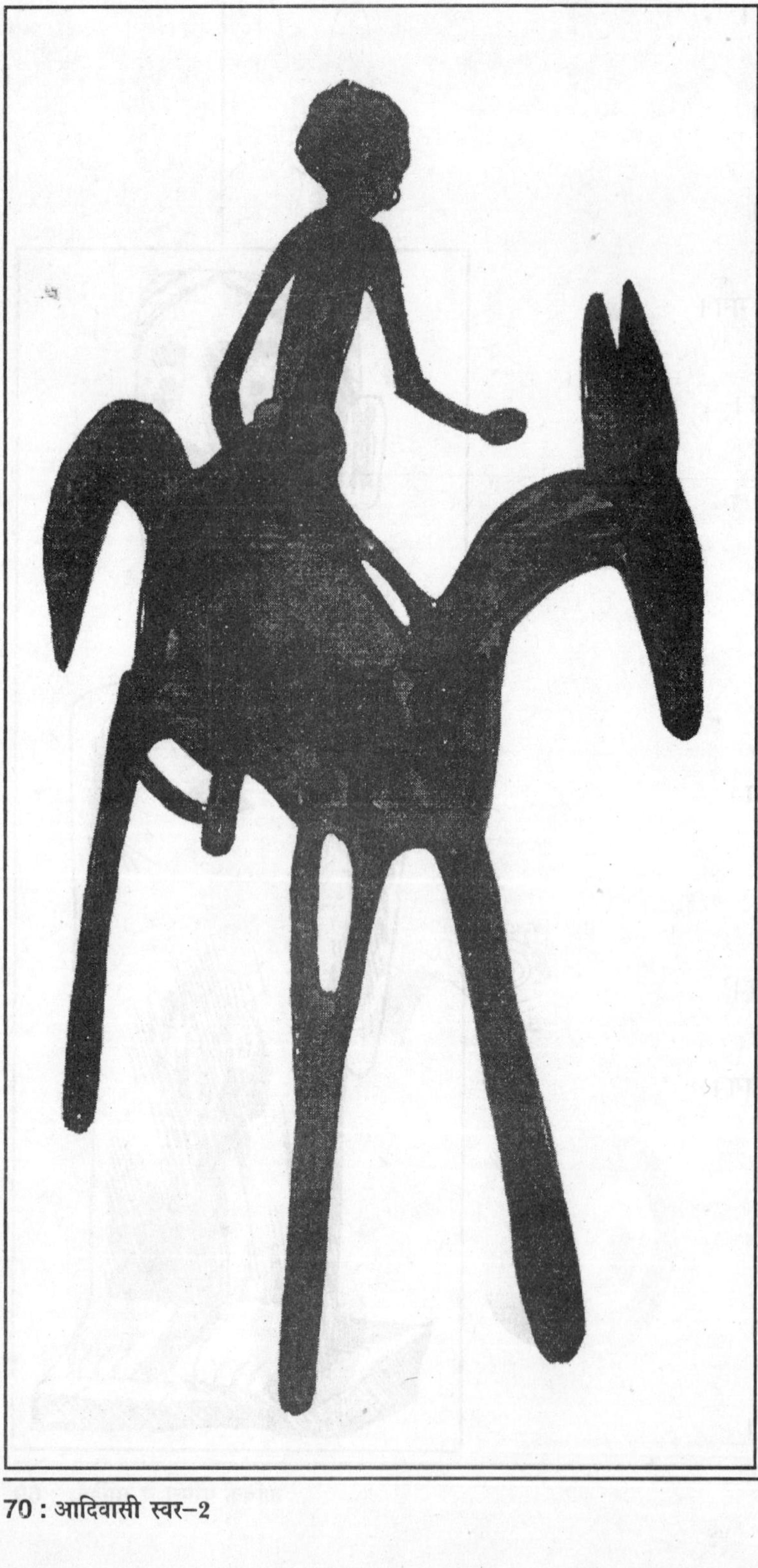

मोर सुंदर पंडित, लिहिन बोलाय
सुन्दर कथा, लीन करवाय जय गंग।
मोर एक पलना में, अँधरी बइठे
दुई पलना में बूढ़ मोर बाप जय गंग।
मोर झींकत कांवर, लिया उठाय
इक पलना के दूध बन जाए जय गंग।
मोर चारों धाम का, किया कराए
बंच गए, सरजु नदी किनार जय गंग।
बह बोलय अंधरी, बचन पियार
सुन बेटा, अंधरी के लाल जय गंग।
एक मोंही पानी, दियो पिलाय
बिना पानी मोर, कलप जय प्रान जय गंग।
मोर बोलै बेटा, सखन या बात
सुन माता, अंधरी तू बात जय गंग।
मोर एक जंगल के, भयो अंधकार
कोन भेद मैं, पानी जाँवों जय गंग।
तैं मोंही, अज्ञया दे दे बताय
जल्दी से भर लावों पान जय गंग।
मोर बोलत है, अंधरी माता बात
सुनो पुत्र, अंधी के लाल जय गंग।
मोर काँवर टँगो, बारा के डार
जल्दी से, भर ला दो पान जय गंग।
मोर के पानी, मामा के ताल है
के पानी है, समुन्दर तीर जय गंग।
मोर आज्ञाकारी, सरवन भयो
छोड़ पितम्बर, काँवर टंगेवो जय

गंग।
मोर काँवर टंगेव, बाड़ा की डार
लई तुमड़ी पानी को भग जाय जय
गंग।
मोर दउड़ गए हैं, मामा के ताल
सरवन गयो, सूखा, गए ताल जय
गंग।
कवन भेद, मोहें पानी मिलय जय
गंग।
अरे मोर आए तू, सूख गए ताल
माई-बाप, दुनो मरे पियास जय गंग।
मोर लिन्हों, रामचन्द्र के नाम
दहिन हाथ, भगवत की माल जय
गंग।
मोर बीच तिरिया में, झिरिया कोड़य
पहिले ढेला, जय-जय सीताराम
जब पहिले ढेला, निकालय कोड़
जे माँ निकले, काँदो कीट जय गंग।
मोर सुमर लिहो माता की दूध
पिए दूध, का कठिन सराप जय
गंग।
मोर दूसर ढेला, निकालय कोड़
भर गए सागर, भर गए ताल जय
गंग।
मोर घटाघोर, छाई अँधियारी
गउआ घाट को, डूबन लगय जय
गंग।
मोर मिरगा घाट जले, पानी भरए
पहल पैर, सीढ़िया में भये जय गंग।
मोर दूसर पांव, जल भीतर गयो

निहुर कमण्डल बोरेयो पान जय गंग।
मोर निहुर कमण्डल, बोरिन पान
गुड़-गुड़, गुड़-गुड़, तुम्मा करेयो जय गंग।
मोर गुड़-गुड़, गुड़-गुड़, तुम्मा भयो
चमक गयो, दशरथ के कान जय गंग।
मोर वन में राज जी खेलै सिकार
मन दसरथ के संसा जाय जय गंग।
मोर आज तो मिरगा पानी पियल है
धनुषबान को लिया उठाए जय गंग।
मोर खींचे धनुँहा छोड़े बान
सती बान सरवन को लाग जय गंग।
मोर राम-राम कर सरवन गिरै
इन्द्रलोक में खलबल मंचय जय गंग।
मोर हो गए तीन लोक में सोर
मन में दसरथ गए घबड़ाए जय गंग।
मोर रोज के मारँव हरिना मिरोगा
कोई नहीं लियो राम का नाम जय गंग।
मोर कवोन बोर आपुस में गिर गै
जो भज-भज रहै राम का नाम जय गंग।
मोर टाँग धनुष कांधै में धर के
चल के दसरथ देखन के जाए जय गंग।
मोर दूरी देख वहाँ हरिना नपा लगा
लगे देख मोर भाँच्चा लाग जय गंग।
मोर भर गोदी ओह लियो पोटार
जो ले तै अंधरो के लाल जय गंग।
अरे मैं का जियवँ ममा चण्डाल

चौकस लगे हैं करेजे में बान
जय गंग।
या मैं तो मरवे बान के सोच
माता मर रहें प्यास के सोच
जय गंग।
या मोर माता का पानी पिया
दे
मोर मरबे का ना कर सोच जय
गंग।
मोर हाथ जोडदसरथ जो कहै
तोर मारे मैं पापो भएन जय
गंग।
अरे मोरे हाथ जल कइसे खाएँ
मोंहों अज्ञया देहू बताए जय
गंग।
मोर लगा बान का मुरक्षा रहा
माता-पिता सुध नहीं भूलान
जय गंग।
मोर सुन ले मामा बचन हमार
ना बोले ना दिहे जवाब जय
गंग।
मोर कर जोर पानी दिहो पिलाय
पोकर पानी मगन हो जाएँ जय
गंग।
मोर पड़ा गाढ़ दसरथ का भया
भर कमण्डल लिया उठाए जय
गंग।
मोर चले जात हैं अंधरो के
पास
सारी रात चलते लग जाए जय

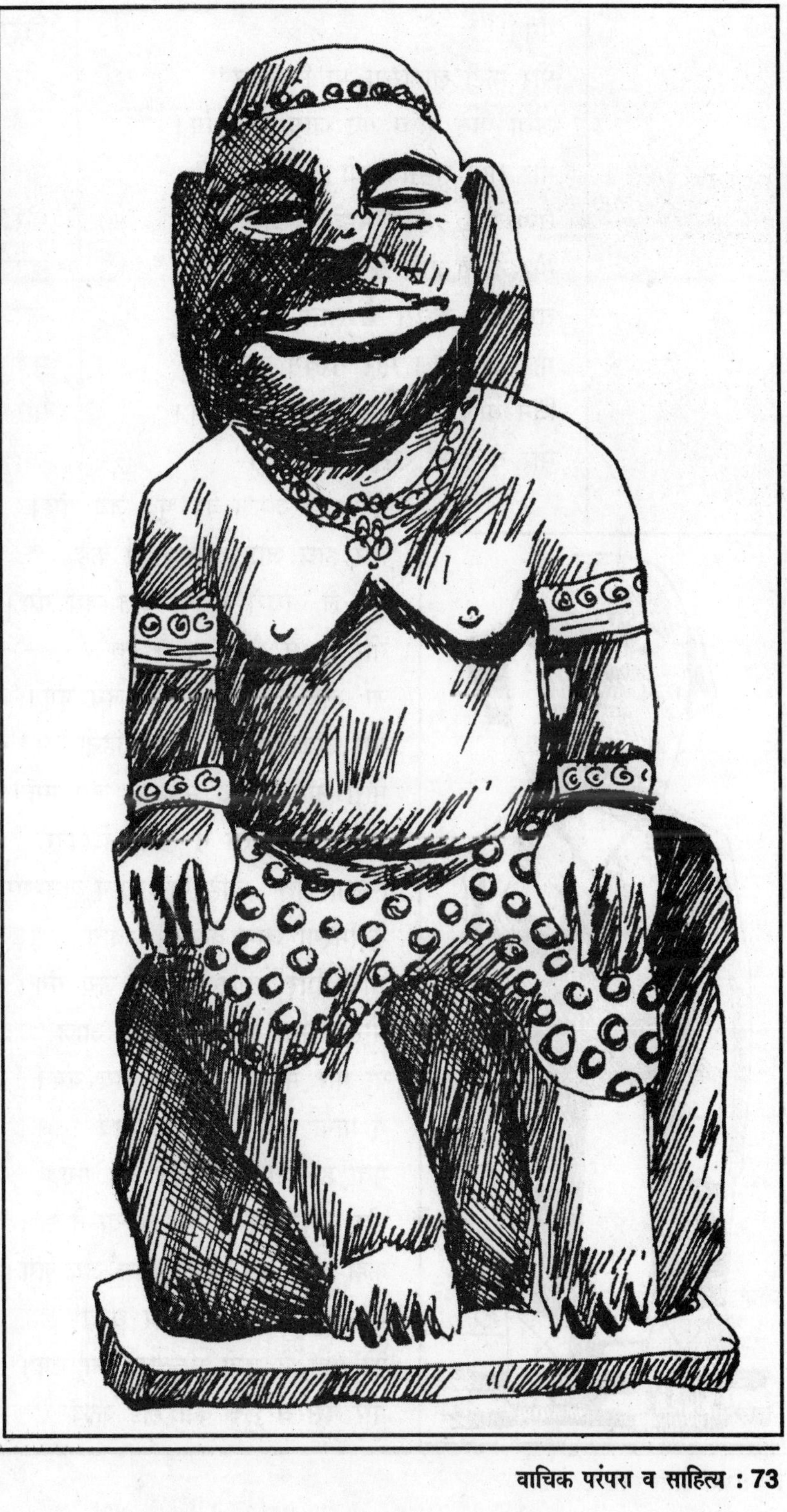

गंग।
मोर फटी लोहरिया भा भिनसार
अंधो पास पहुँच गए जाय जय गंग।
मोर चुप्पे तुम्मा दियो धरांय
चुप्प खड़े दसरथ महाराज जय गंग।
मोर बोलैं अंधो बचप पियार
सुन बेटा अंधरो के लाल जय गंग।
मोर बोल-बोल मोर सरवन लाल
बिन बोले पानो ना पिअब जय गंग।
मोर के दानों केसर आयो दूत
के आहो जंगल का भूत जय गंग।

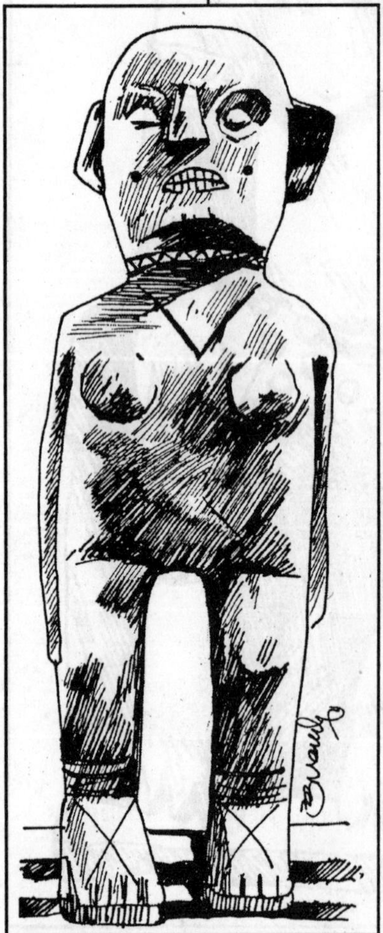

मोर हाथ जोड़ दसरथ जो कहै
सुन लै अंधरो बहिनो बात जय गंग।
मोर ना मैं दानों ना मैं दूत
ना आहों जंगल का भूत जय गंग।
मोर अवधपुरी के राजा बहिनो
मोरों नाम दसरथ महाराज जय गंग।
मोर बन कजलो में खेलवं शिकार
मिरगा जान ओहि मारो बान जय गंग।
मैं मिरगा जान के मारेव बान
भांचा गिरै सागर के पाय जय गंग।
मोर पनिया ले कर पहुँचवं आज
पो मार माता ठंढा पान जय गंग।
मैं पापो हाथ पानी न पियवं
गवा है बेटा लावै तान जय गंग।
मोर चल बेटा से भेंट करवा दे
कहाँ बान, सरवन के लाग जय गंग।
मोर कुल भारे के काँवर धरेब
मरे पाप में गयो गरूवाय जय गंग।
मोर दसरथ छुबे बज्र होई जायं

मोर भर ताकत लिया उठाए
तरिया नीचे दिया उतार जय गंग।
मोर जब सरवन के पड़ो लहास
टंवर-टंवर मोर माता रोवै रे जय गंग।
मोर धनुर-धनुर कर रोवै बाप
कह बेटा जियने का हाल जय गंग।
मैं अइचो बान जियाव तोंहों
हाथ जोड़ सरवन जो कहेंव जय गंग।
मोर सुन अंधरो मात मोर बात
सुन ले अधर पिता मोर बात जय गंग।
मोर तै ज़ियने का ना कर आस
चउकस लगे करेजे में बान जय गंग।
मोर बड़ा फिकर अंधरो के होय गयो
बड़ा फिकर अंधा के होय गयो जय गंग।
मोर लेकर रामचन्द्र का नाम
दहिन हाथ पाछु कर लियो जय गंग।
मोर बामे अंग को खोंचे बान
निकला बान छूट जाए प्रान जय गंग।
मोर मुकुट भयो सरवन का प्रान
चंदन को लकड़ी चिरवाव जय गंग।
मोर रचै तनइहा सरवन के
सरवन मुख माँ अगिन देवाव जय गंग।
मोर भमर-भमर की अगि जलय
अंधी-अंधी सुरता करें जय गंग।
मोर अंधी-अंधा दोऊ सुरतर करें
काले पुत्र मोर मारे गयेव जय गंग।
अरे मोर जीन का है घितकार
कौन लेति अंधरी का भार जय गंग।
मोर कान लेत अंधवा का भार
कौन चुरूवा दु पिअइहें पान जय गंग।

मोर खुदे छिता माता जल गई
खुदे छिता वह जल गई बाप जय गंग।
मोर छिता समेटे दसरथ गए।
सरजु गंग तारन को जाएँ जय गंग।
मोर ज्यों-ज्यों दसरथ भागत गयो
त्यों-त्यो गंगा भागत जाए जय गंग।
मोर दूरी से गंगा दियो जवाब
दूरी रही पापी चंडाल जय गंग।
मोर इस सरवन की काँवर आय
सवा लाख मैं मारेंव गाय जय गंग।
मोर सवा लाख मन मारो गाय
भाँचा मारेवं हत्या एक जय गंग।
मोर तोरे हाथ काँवर ना लेवय
काँवर धर दो घाट के तीर जय गंग।
मैं असल के गंगा माता होवें।
लहरन काँवर लेबै उठाय जय गंग।
दसे कदम पीछे तू जय जय गंग।
मोर या मन भाये दसरथ के
काँवर घर दीन घाट के तीर जय गंग।
मोर काँवर धर दीन घाट के तीर
दसे कदम पीछे जाय जय गंग।
मोर काँवर धर दीन घाट के तीर
दसरथ भाग कगारे ठाड़ जय गंग।
मोर पहल-लहर तिरबेनी केर
दूसर लहर सरजू का चलाय जय गंग।
मोर तीन लहर तिरबेनी परभू
चार लहर सरजू का चलाय जय गंग।
मोर सात लहर की गंगा चली
यह काँवर अधबीचे जाए जय गंग।
मोर बुड़ेय कांवर अउ उतराय

दसरथ भाग कगारे में ठाड़ जय गंग।
मोर हाथ जोड़ दसरथ जी कहै
तै गंगा में तर गए बहन जय गंग।
मोर कुछ भइया को दे देव असीस
दोख-पाप मोरो कट जाए जय गंग।
मोर सत्त धरम को पालन करीं
गंगा मइया अंधरी परगठ
भइ गईन
मैं का पापी देहुं असीस
जय गंग।
मैं मरी गयेंव बेटवा के सोच
जा दसरथ तोंहों राम बियोग
जय गंग।
मोर तै निरवंशी राजा हुए
तोरे पुत्र एक नहीं आए
जय गंग।
मोर चार पुत्र तोर होएं
राम, लक्षुमन, भर्त, सत्रोहन,
जय गंग।
मोर चर्त-भर्त को गद्‌दी राज
राम लक्षुमन को बनवास
जय गंग।
मोरे जेहि दिन राम जात
बनवास
ओहि दिन राजा मुक्ति पान
जय गंग।
मोर एतने कहिके तजै परान
तर अंधरो बैकूंठे जाए गंग।
मोर लउटे राज अवधपुर
गएं

पित्त-बित्त राजा को पड़े जय गंग।
मोर कठिन तपस्या दसरथ करवो
चार पुत्र राजा को भएवो जय गंग।
मोर राम, लक्षुमन, भर्त, सत्रोहन
चर्त-भर्त को लिख गए राज जय गंग।

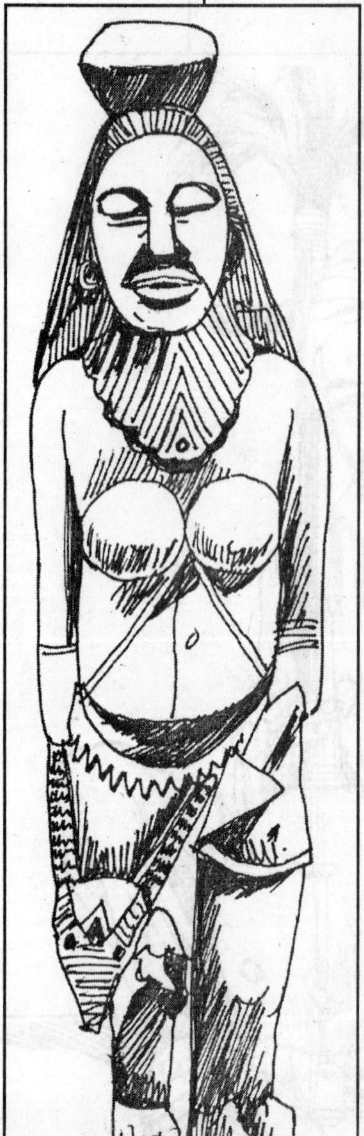

मोर जेहि दिन राम चला बनवास ठाढ़े लक्षुमन तजै परान जय गंग।
मोर एक मरन में तीनों मर गए
अंधरो मर गए सरवन सोच जय गंग।
मोर दशरथ मर गए राम वियोग
जभे का बेटा सरवन भयो जय गंग।
मोर सत्त धरम का छांड़िन नाँहों
धन्न है तिरलोको भगवान जय गंग।
मोर इनकी कथा रहैं भरपूर
वइसें साहब रहैं भरपूर
वइसें साहब रहां भरपूर जय गंग।
मोर वइसे साहब रहां भरपूर
काले कलम बचावै राम जय गंग।

कर्ण गाथा

पाई पुन्य गंगा को जाए
कि हरे मोरे राम॥
गंगा पे भली करी रे भगवान
कि हरे मोरे राम॥
राजा रे करण सो दानी न होय
कि हरे मोरे राम॥
धरम हेत राजा ओंटी रे देह गया
कि हरे मोरे राम॥
देहो अब देह ओंट राजा बाँटे सोने
कि हरे मोरे राम॥
जेकी रानी करे रे गुड़-खिचड़ी के दान

कि हरे मोरे राम॥
देखो लड़का करे रे गउअन को दान
कि हरे मोरे राम॥
अबे बहु रे करे रे कपड़ा को दान
कि हरे मोरे राम॥
जब जन्या रे दान मोसन को दीन
कि हरे मोरे राम॥
भैया पाँच ही पुन्य करण घरे होय
कि हरे मोरे राम॥
उड़े रे काग इन्द्रासन जाए
कि हरे मोरे राम॥
मोरी सुन लइयो राम सुनो रे भगवान
कि हरे मोरे राम॥
राजा रे करण सो दानी नई है कोई
कि हरे मोरे राम॥
अब करण ही करण रचे संसार
कि हरे मोरे राम॥
तुम्हारी नाम प्रभु दैं रे विसार
कि हरे मोरे राम॥
ओ एक साथ गोकुल भगवान
कि हरे मोरे राम॥
अरे मोरी बनाई दुनिया है संसार
कि हरे मोरे राम॥
जब मोसे जबर करण है कौन
कि हरे मोरे राम॥
अरे करण छलन परमेसुर जावे
कि हरे मोरे राम॥
बाबा को भेष धरी है भगवान
कि हरे मोरे राम॥
मोहिनी को रूप लखन धर लेएं

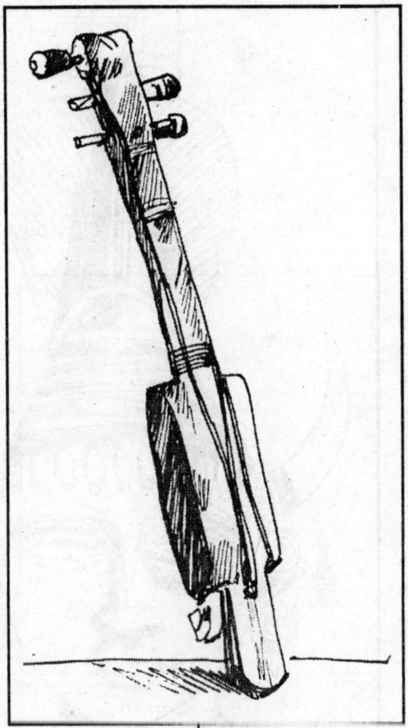

कि हरे मोरे राम॥
भैया ढूँढे ना मिलै करण जी द्वार
कि हरे मोरे राम॥
जहाँ खेले रे बालका बीच बाजार
कि हरे मोरे राम॥
देखो आओ रे बालका आगे रे
कि हरे मोरे राम॥
मोहे राजा करण को महल बताओ
कि हरे मोरे राम॥
कौन करन ऐसा दानी होय
कि हरे मोरे राम॥
अरे इस नगरी में करण हैं पाँच
कि हरे मोरे राम॥
पहलो करण गाँव को कोटवार
कि हरे मोरे राम॥
अरे दूजो करण है जात-कलार
कि हरे मोरे राम॥
अरे तीजो करण ब्रह्मा के द्वारे
कि हरे मोरे राम॥
अरे चौथी करण बनिया की है जात
कि हरे मोरे राम॥
जब पाँचवों करण राजा है राजपूत
कि हरे मोरे राम॥
महल दर पै हाथी घूमे रे द्वार
कि हरे मोरे राम॥
देखो बेई भइया निशदिन बाँटे सोने
कि हरे मोरे राम॥
जब पहुँच गए हैं तपसी रे दोई द्वार
कि हरे मोरे राम॥
आव-भाव से राजा लियो बैठाय

कि हरे मोरे राम॥
अरे चरण धोए चन्द्रोखन लीन
कि हरे मोरे राम॥
और पूछन लागे है रे देश की रीत
कि हरे मोरे राम॥
मोरे कौन देश के तपसी आओ
कि हरे मोरे राम॥
अरे कौन देश ले ढूँढे है पाँव
कि हरे मोरे राम॥
अरे क्या तुम करो रे अन्न
पर साद्ध
कि हरे मोरे राम॥
जब क्या तम करो रे दूध
फलहार
कि हरे मोरे राम॥
जब सुन-सुन राजा करण
जी के दान
कि हरे मोरे राम॥
जब ने हम करे रे दूध
फलहार
कि हरे मोरे राम॥
अरे हम तपसी बड़े माता
गीध
कि हरे मोरे राम॥
नेढेह रे बकरवा देहों रे मराए
कि हरे मोरे राम॥
बन के रे मिरग तोहें दे दऊ
मरवाय
कि हरे मोरे राम॥
नेढ़े रे बकरवा कौन है काम

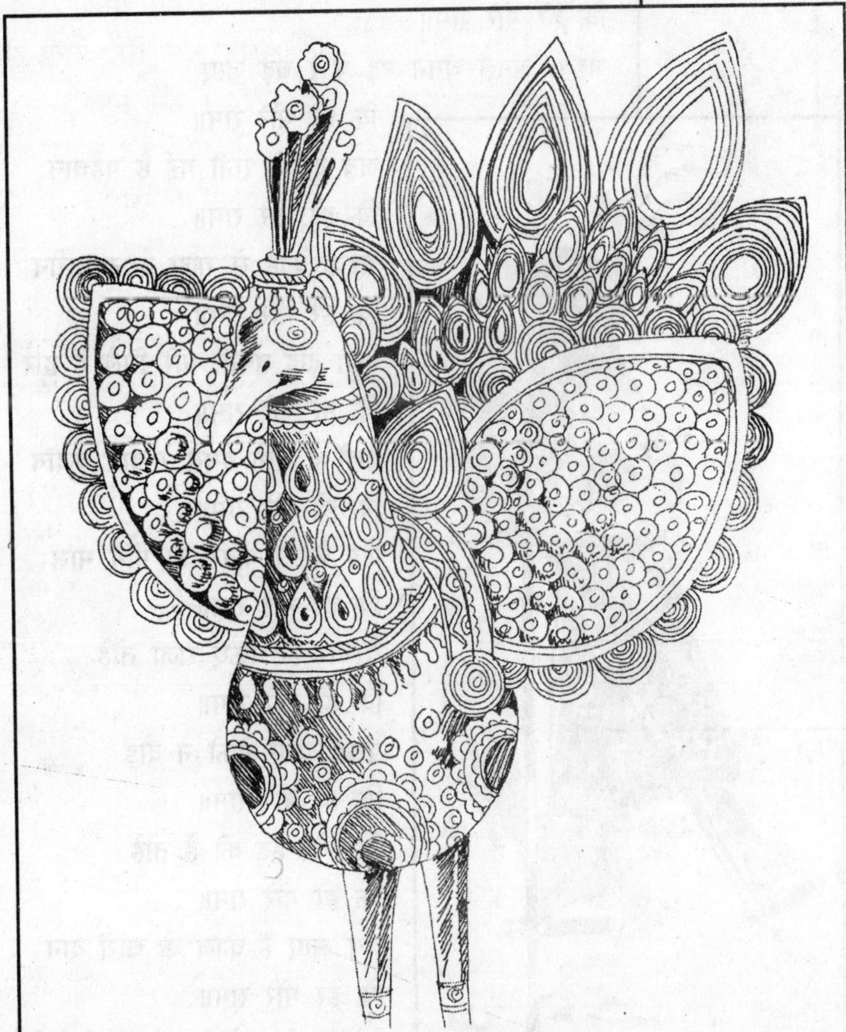

कि हरे मोरे राम॥
जब बिसरे कुँवर तोरे सुन लई पूत
कि हरे मोरे राम॥
जब राजा रे रह गयो सनाका खाए
कि हरे मोरे राम॥
देखो बीर बालक रानी के होयँ
कि हरे मोरे राम॥
देखो मैं रानी से लेहों सलाह
कि हरे मोरे राम॥
भइया अनल चनन गढ़ पे रे चढ़ जाए

कि हरे मोरे राम॥
जब दूर से रानी गई है पहचान
कि हरे मोरे राम॥
भइया काहे से राजा बदन मलीन
कि हरे मोरे राम॥
देखो दोई तपसी मोरे मिले हैं द्वार
कि हरे मोरे राम॥
देखो वे माँगे हमसे रे दान कुदान
कि हरे मोरे राम॥
जब बेटे रे कुँवर की माँगे मांस
कि हरे मोरे राम॥
बेर-बेर हट किए राजा तोहे
कि हरे मोरे राम॥
परम ध्वजा रोको न दौड़
कि हरे मोरे राम॥
बेरम-बेर हट की है तोहे
कि हरे मोरे राम॥
जब आए हैं काल के चारों दान
कि हरे मोरे राम॥
देखो नाही करो हे धरम घट जावे

कि हरे मोरे राम॥
दियो रे सोन माटीव न ले जाए
कि हरे मोरे राम॥
बिटे कुँवर को दे दओ मांस
कि हरे मोरे राम॥
जब राजा रे करण छलने को जाए
कि हरे मोरे राम॥
राजा रे करण को देखो रे सत्य
कि हरे मोरे राम॥
राजा रानी ने आरी चलवाई
कि हरे मोरे राम॥
बोटी-बोटी रे जिनकी करवाई
कि हरे मोरे राम॥
जब बिटे रे कुँवर को बन गओ मांस
कि हरे मोरे राम॥
पहले कौर राजा तुम खाओ
कि हरे मोरे राम॥
फिर पीछू से साधू खाएँ
कि हरे मोरे राम॥
पहलो रे कौर जिन लओ है उठाए
कि हरे मोरे राम॥
मैया रे दुर्गा ने पकड़ लियो हाथ
कि हरे मोरे राम॥
दूजे रे कौर जिन लियो है रे उठाए
कि हरे मोरे राम॥
देखो सत्यदेव ने पकड़ लिए हाथ
कि हरे मोरे राम॥
तीजो रे कौर राजा खाने लगे
कि हरे मोरे राम॥
देखो श्याम भगवान ने पकड़े हाथ

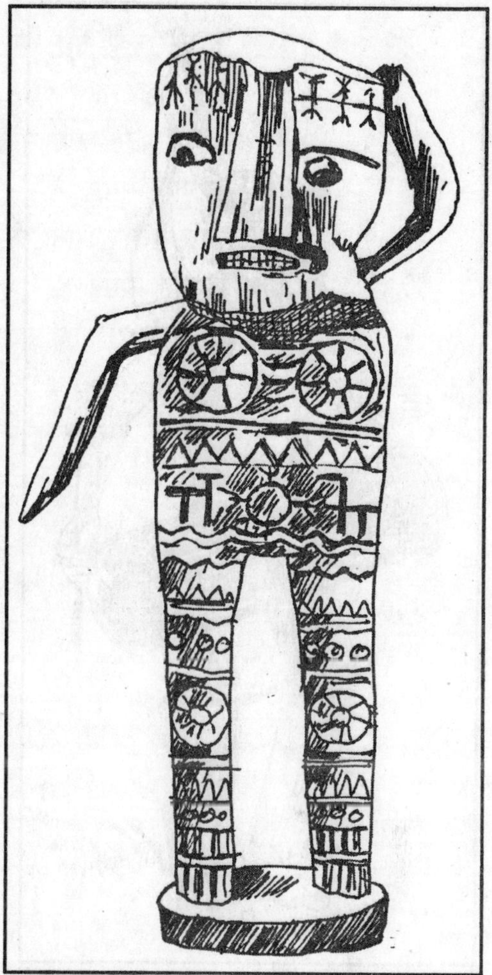

कि हरे मोरे राम॥
देखो सत्य हो राजा करण के लाल
कि हरे मोरे राम॥
तुम सो रे सत्य और नहीं है कोई
कि हरे मोरे राम॥
अब बिटे बिटे कहके टेरन लाग
कि हरे मोरे राम॥
देखो निसे कुँवर खेलत आ जाए
कि हरे मोरे राम॥
देखो बैठ गाओ है रे पिता की गोद
कि हरे मोरे राम॥
जब राजा करन ने समझ लई बात
कि हरे मोरे राम॥
जब मोरे रे द्वार में आए भगवान
कि हरे मोरे राम॥
खेलले के तरे में भजन हो जाए
कि हरे मोरे राम॥
राजा रे कथा जब हो गई समाप्त
कि हरे मोरे राम॥
तीन चन्द्र बसदेव जब गावें
कि हरे मोरे राम॥
और भैया रे रमेश दोई सँजे होए
कि हरे मोरे राम॥
वित्त लगन चिंता हरण, ज्यादा
कि हरे मोरे राम॥
राम लगन रहैं, गाजे में गुण ....
कि हरे मोरे राम॥

राजा हरिश्चन्द्र

एक बड़े पिय लागै, अरे योगी अए भरतरी

काई जी,
बहमान बरुवा गैया बनी निकलेंगे,
माँगै अजध्यो नगरी मा भीख,
त माता के रोवै, जब गंगा बहती है
ए.....पिता जी के रोवै निरधाम।

भैया के रोवै मारे फटत है कलेजवा
भउजी के रोवै दुःख होय।

त राजा हरिश्चन्द्र एक दानी,
सोते रहा पलंग माँ रे।

सोते रहा पलंगा मा राजा,
सोवत मा जब सपना होई गै।

सपना निछहीं गुरु महाराज
सपने में राजा हरिश्चन्द्र दान-पुण्य करिया रे,
ताला-कूंची धरै, दई वाय रे।

त राजेपाटे दक्षिणा दई डारि, रे राजा हरिश्चन्द्र जी,
भूरसि दान के कारण,
ब्राह्मण अटकेक हम दुआरे।

त ब्राह्मण अटके हम दुआरे,
आगे भूरसि दान देई दैवै हरिश्चन्द्र जी राजा,
ओकरी पीछे मुख-मंजन जाए।

ता प्राणी गै हैं बचये भूरसि दान में,
तरेंगी चले हैं कासी जी जइहैं,

पीछे रे तीनों परानि जइहैं।

त रेंगी चले कासी जी कै जइहैं,

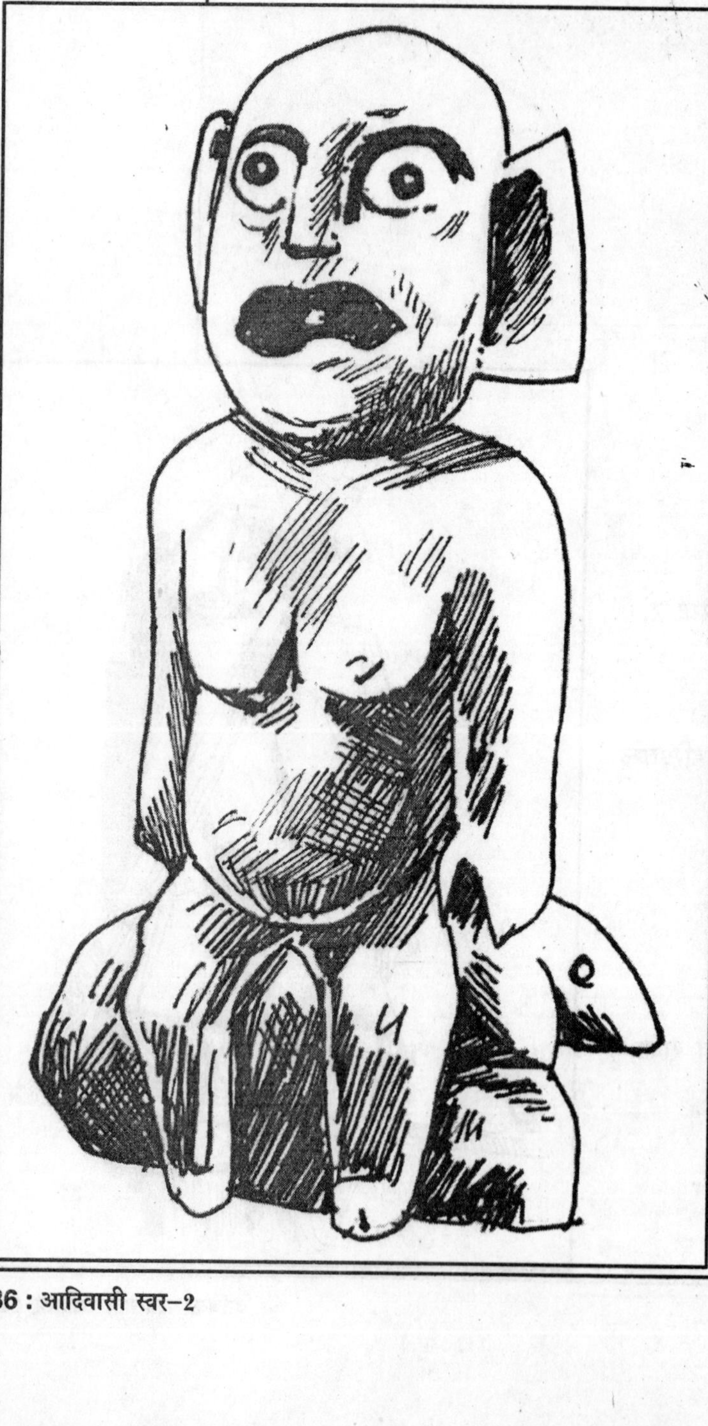

रेंगत-रेंगत पैर पिराने
घोड़ेन मा जैव छल्ला पाड़िगे।
घोड़ेन मा जैब छल्ला पाड़िगे,
सगरी बदन गए मथलाय
त मुश्किल मा पहुँचे भगवान।

त मुश्किल मा पहुँचे भगवान जी
खोरी-खोरी ब्रामन चिल्लाई हुई।

खोरी-खोरी ब्रामन चिल्लाई हुई
है कौन मानुस का लिया जइहै
त लगहीं कचेरी कल्लू डोम के

एक नौकर का दिया भिजाई
जाय के नौकर लवा बुलाई
कौन देस का तो ब्रामन आहै।

कौन देस का ब्रामन आए है तू
मनुस बेचे बर आए हवे जी
कासी जी का ब्रह्मन आहैं।
त कासी जी का ब्रह्मन आहै न
जोध्यापुर का रानी या राजा
त भुरसि दान मा पाथै हमने।

भूरसि दान मा पाए हमन हम
साँचो मार सोना का मोल.है
सब घर मा बेचै जइहै।

त रानो बिक गई बैस घर चली गै

राजा बिक गै डोम घर चलो गै
बालक बिक ब्रह्मन घर चली गै।

तीनों प्राणो गै हैं बेचाई
तीनों को बूता दियो बताई

रानी भरती बैस घर पानी
राजा के हाथ झाड़ू दिया धराए।

त पूरा कासी कर दई साफे
निस दिन मुरदा कै रखवारी।

निस दिन बालक बगिया जात है
तोरि फूल को ब्रह्मन देत है
निस दिन ब्रह्मन देत है
निस दिन ब्रह्मन पूजा करि है।

त एक दिन बालक गए पुलवारी
जहाँ नाग के बासा रहै।

त विश्वामित्र काल जब हुइगे
एक फूल जब तोर लागै
दूसरा फूल जब तमेरन लागै।

दूसरा फूल जब तमेरन लागै
उचटि काल नाग उस दीन्हीं
त बालक बिस उलाट खइहै।

त बालक गिरा उलाट खइहै
पता दई तारा रानी के पास जब
रोबत आवै तारा रानी।

रोबति जन केरि पराई आहिं
ताजो पराई रे भगवान।

त झपटि गोद में बालक रानी लीन्हिनी उचाट
झपटि गोद में बालक रानी लीनि उठाए
ऊपर अंचल यिला ओढ़ाय
त लई बालक मरघट को जइहै।

त हरिश्चन्द्र बैठे रखवारी
आगे नेग चारि दई देओ
फेरी मुरदा के भीतर जाए।
तोरे ही अन्तरा रे राजा
तोरे ही रोहित बालक ओहें
चिता जलावै अब तू देबै।

कबके रानी तू रहि हौ?
कबके राजा मैं रहौं?
कबके रोहित बालक रहे है
मोर मालिके आरडर है।

मुरदन का नेगे तू देबे बताए
दसक हाथ कफल को नेग है
एक पैसा को कुलौ को नेग है।

कला कर्म मा देब दान हम

का बेच के दक्षिणा देबै
कहा बेचिहौ के उर घाट।

त जिअ बेच के दक्षिणा देबै
तनउ बेचिहौं बैउर घाट
माथे का बिंदिया गहन धरि देती
तारा रानी

सब हाथ कफन दई देती
फेरी मुरदा के भीतर जाए
चंदन चैली दिया सिर बै रानी
तुजती सनेहिया रोहित बालक जी
का
जब अगनीना दिया रे लगाय।

जब अगनीना दिया रे लगाय।
भभकी-भभकी कै अगनी जलत है
ऊपर फूल बरसा बन लाग।

ऊपर फूल बरसा बन लागै
फेरि दूध का बरसात है
जब अगनीना गए हैं बुझाए।
त गुरुदेव जा परगट होइगे
परगट होइगे सिरी भगवान
जी कै रोहित बालक हुइगे तैयार,

त बोला कल्लू डोम जी आपन
लइले रानी तू
राजा
आपन लइले रोहित बालक

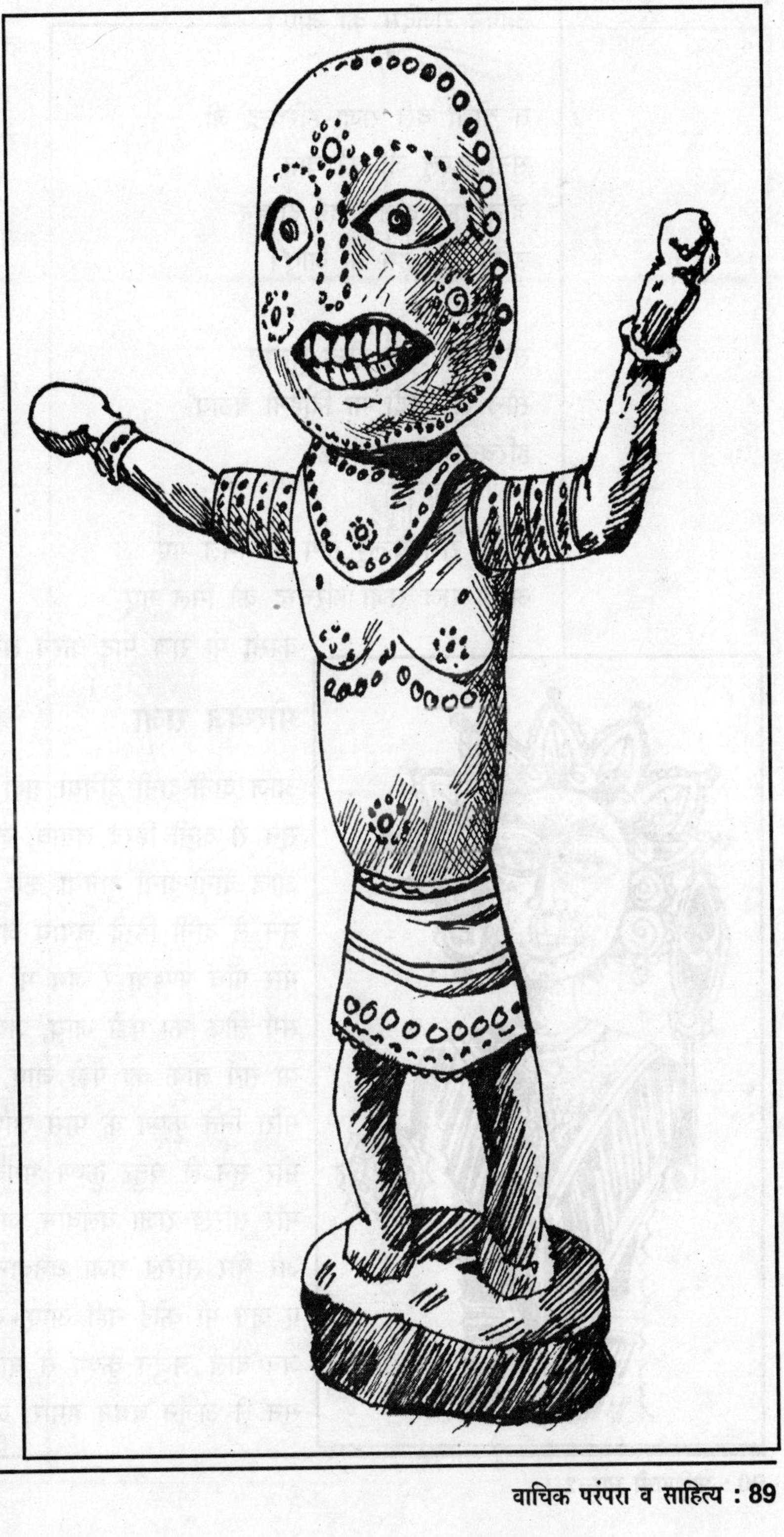

आपने राजदेस को जाए।

त बोली चलै राजा हरिचन्द्र जी,
सुनो कल्लू जी की बात
जौन राज दक्षिण दई दीन्हन
उसउ राज हम ना जाए।

सोने का झूला दीन्हे झुलाए
सोने के गद्दी मा दिहिनी बैठाय
हरिचन्द्र जी राजा का

आधी राज कल्लू डोम को मिल गए
आधी राज राजा हरिचन्द्र को मिल गए
कासी मा राज पाट करने लगै।

मोरध्वज राजा

आज दानी-दानी दुनिया सदा रे
सुन रो दानी हिरदे लगाव, जय गंगा
आज दानी-दानी दुनिया कहै रे
सुन ले दानी हिरदे लगाय जय गंगा
मोर पाँच पण्डवा रे जग माँ रेंगे
सर्ग लोक का पंडो जाय, जय गंगा
या सर्ग लोक का पंडो जाए,
मोरा निते कृष्ण के पासे जाए, जय गंगा
मोर सुन ले चतुर कृष्ण भगवान,
मोर सरिख राजा बलवान, जय गंगा
अरे मोर सरिख राजा धनवान
ए जग माँ कोई नहीं आए, जय गंगा
जब बोले अर्जुन कृष्ण से बात
सुन ले अर्जुन बचन हमार, जय गंगा

अरे मोरे सरिख राजा बलवान
मोरेह सरिख राजा धनवाने, जय गंगा
जब बोले श्रीकृष्ण भगवान
सुन ले अर्जुन बचन हमार, जय गंगा
अरे तोरे सरिख राजा बलवान
अरे तोरे सरिख राजा धनवान, जय गंगा
पर ये जग माँ कोई नहीं आए
जब बोले श्रीकृष्ण भगवान, जय गंगा
जब बड़ हिंकारी अर्जुन आय
जब घोड़ा रथ का लिया बुलाए, जय गंगा
जब लिख-लिख पाती बनावे अर्जुन
घोड़ा गले मा पाती बँधाय, जय गंगा
जब घोड़ा गले माँ पाती बांधव
छोड़ दिअई अर्जुन बलवान, जय गंगा
जब छोड़ि देत अर्जुन बलवान
जब देश-देश घोड़ा फिर आवै जय गंगा
जब देश-देश घोड़ा फिरि आवै
कोई छत्री घोड़ा ना रुकवाई, जय गंगा
जब कोई छत्री घोड़ा ना रोकई
नाम सुनै अर्जुन के राम, जय गंगा
जब बैकुण्ठ शहर में राजा रहैय
जेकर नाम मोरध्वज रहैय, जय गंगा
आरे जेकर बेटा कामुध्वज रहैय
जेकर साता बरिस उम्मर रहैय, जय गंगा
मोर खेले लाल जंगल में जाय
जब घोड़ा रथ का आवा दिखई, जय गंगा
मोरा साज-साज के लिए मिलाए
जब पकड़ी केस घोड़ा के ले आए, जय गंगा
जब परगट भै अरजुन-भगवान

जब बोलै अरजुन सभै सुनाय, जय गंगा
अरे छोड़ दे बालका घोड़ा मोर
लड़ने जोग हमरे नहीं आए, जय गंगा
मोर हाथ जोड़े कामाध्वज बोलै
सुन लो अरजुन बचन हमार, जय गंगा
मैं छत्री का बालक आहेंन
जोन शर्त पत्री में लिखाए, जय गंगा
अरे आगु हमसे कर संगराम
पाछू घोड़ा छोड़ब तुम्हार, जय गंगा
जब कहा न मानैय कामाध्वज
जब बोलै अरजुन कहै सुनाय, जय गंगा।
जौने रूप तै लड़बे बालक
हम का साँची दै दे बताए, जय गंगा
जब बोलै कामाध्वज बाई बालक
मैं धरमें बाण से लड़बई आज, जय गंगा।
जब धरमें बाण से अरजुन लड़े
धरमें बाण कामाध्वज लोड़ाई, जय गंगा।
जब अग्नि बान बरसावै अरजुन
मोर मुरछा खाए कामाध्वज गिरै, जय गंगा।
मोर विजय संख अरजुन बजवावै
मुरछा हटा कामाध्वज के, जय गंगा।
जब ब्रह्मबान में फाँसने लागे, जय गंगा।
जब फाँस लेई अरजुन कै आज
मोर खेलत लाल महल का जाए, जय गंगा।
मोर बइठै रहै मोरध्वज राजा
पकड़ि के अरजुन ले जाए, जय गंगा।
मोर पकड़ि के अरजुन ले जाए,

जब बोलै मोरध्वज वो राजा, जय गंगा।
मोर बोले मोरध्वज वो राजा
तै का पकड़ि के लाए बालक, जय गंगा।
अरि आ अरजुन आही बलवान
एहकर कृष्ण का भक्ति आय, जय
गंगा।
मोर छोड़ि दै अरजुन का बैटा
छेड़ि दै कामाध्वज आज, जय गंगा।
जब लज्जित हो कै अरजुन चलै
मोर पहुँचे जाई कै कृष्ण के पास, जय
गंगा।
जब बोलई अरजुन हाल-हवाल, जय
गंगा।
अरे का चाही परभु भगवान
तोहरै कल-बल-छल तउ आए, जय
गंगा।
जब
जब ओकर परीक्षा लेबे जाए
अरे बड़ दानी मोरध्वज राजा, जय
गंगा।
अब ओकर परीक्षा लेबे जाए
जब बोलन लगै कृष्ण भगवान, जय
गंगा।
वा तीन लोक का दानी आए
अरे ओकर परीक्षा पउबे ना, जय गंगा।
मोर कहा न माने अरजुन बीर
जब लोट-पोट अरजुन बीर
जब लोट-पोट साधु बन जाए
मोर भेख बदल डालीन भगवान, जय
गंगा।

भेख पलट डालीन भगवान मोर
राख छाउड़ि चंदन लेप, जय गंगा।
मोर नर भर जटा लेई भगवान
मोर चन्दन खरउँ लेय सवार, जय गंगा।
जब चन्दन खरउँ में भे असवार
मोर हाथे लिया कदम के छड़ी, जय गंगा।
मोर अरजुन कृष्ण जब चलने लागे
माया सिंहा लिया बनाए, जय गंगा।
मोर धरम नगर में पहुँचे जाए
मोर देख बस्ती का घर बसे है, जय गंगा।
जब देखै नगरी कैसा बसा है
राजा प्रजा बराबर बसे हैं, जय गंगा।
जब राजा प्रजा बराबर बसे हैं,
खोरी में ब्रह्मा जी गै भुलाय, जय गंगा।
जब हेरे न पवें राज का द्वार
मोर खेलत लड़िका लिहिन बुलाय, जय गंगा।

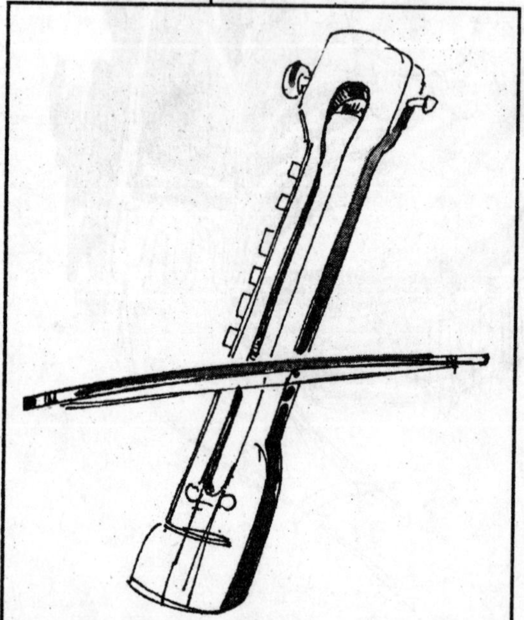

अरे लड़िका ले खोवा खा लै
दानी राजा का महल बता, जय गंगा।
अरे बड़ राजन का बड़ा दुवार
सुरजन संग है पवन दुवार, जय गंगा।
जहँ लड़ई पड़े वासुकि द्वार
जहँ दुई जवान महलों पहराह, जय गंगा।
जहँ अस्सी कोस पर ध्वजा दिखाए
ओई आहि मोरध्वज दुबार, जय गंगा।
जब जाए सिपाही कहो सनेस
कि सोउत हो राजा कि जागते हो, जय गंगा।
अरे सोवत हो तो जाग दानी
जागत हो तो बोल मोरध्वज, जय गंगा।
जब सोवत रहै पलँग पे राजा
सबद पड़ी राजा के कान, जय गंगा।

सोवत पलँग उठाई ललकार
सोने जडुवा में जल भर लाव, जय गंगा।
मोर अरजुन कृष्ण का चरण पखार कै
चरण धोई के माथे पर लेई, जय गंगा।
जब चरण धोई माथ लेई चढ़ाए
जब बोले अरजुन, कृष्ण भगवान, जय गंगा।
अरे सुन ले मोरध्वज मोर राजा
मांग ए साधु देवई दान, जय गंगा।
अरे हम माँगों एक भगवान
जौन दान माँगब हम रजा, जय गंगा।
अरे उव दान जब देबे ना तू
जब शंकर मुरति लिया धराय, जय गंगा।
रे सुन ले राजा मोरी दान रे
बिन जोते चाउर लेब, जय गंगा।
जब बिन जोते के चाउर लेब रे
बिन खिलना का पतरी लेहब, जय गंगा।
बिन सिंग का बोकरा लेबइ
बिन बँधना का लकड़ी लेब, जय गंगा।
अब इतने पे राजा गये घबड़ाए
मोर अद्भुत दान कहाँ से मिलय, जय गंगा।
मोर भुले के राजा के दै समझाय
मोर रानी अतक दै समझाए, जय गंगा।
जब रानी के आवत राजा दिख रे,
हे राजा तोर बदन मलीन, जस गंगा।
अरे के तो राज मोर ले लिहीन
के भ्राभन के दक्षिण घटै, जय गंगा।
अरे दुई झन साधु मचलै द्वार
अन्न खाएँ पानी न पिअयं, जय गंगा।
जब अन्न खाएँ पानी न पिअयं

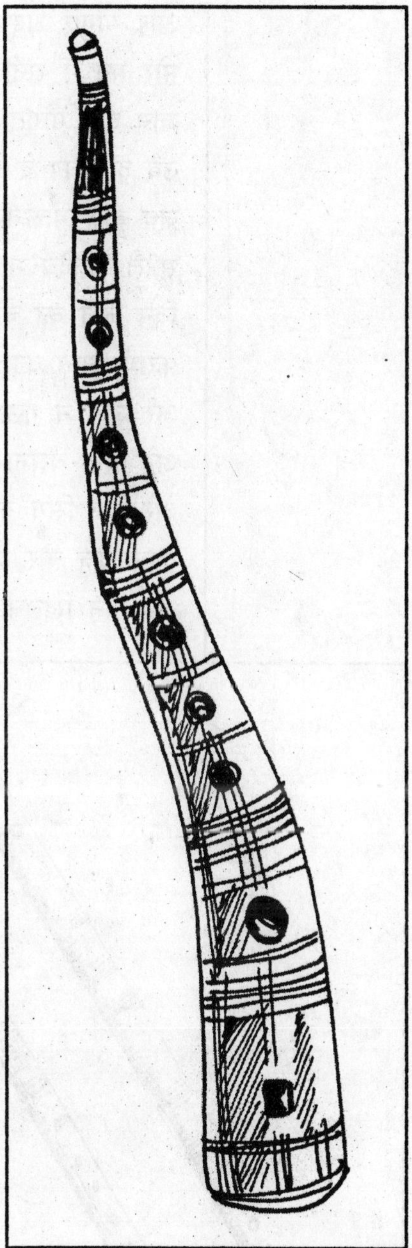

ओई माँगएँ अद्‌भुत का दान, जय गंगा।
मोर मन में रानी बोलन लागै
जोन दान माँगत है फकीर
उबे दान का दे दे बताए, जय गंगा।
जब बोलै मोरध्वज के रानी
सु लै पतिदेव महाराज, जय गंगा।
बिन जोते का चाउर माँगी
फसगी धान का चाउर आय, जय गंगा।
अरे जाउँ न गऊ के कंडा आए
अरे बिना बँधना लकड़ी मंगिब, जय गंगा।
अरे बिन सिंग का बोकरा मागिन
कामाध्वज तोर बेटा आए, जय गंगा।
अरे बिन खिलना के पतरी माँगिन
ओई तलायन पुरइन पात, जय गंगा।
अरे अतने में राजा बोध होई जाते
लइ बालक आगु कर दै, जय गंगा।
अरे जउने पूत के माँगे परभु
जउने पूत का लै लै दान, जय गंगा।
बोलई अरजुन करै जवाब पर
जिन्दा बस तोर नाई लेब, जय गंगा।
अरे जउने सत्ते पर बेटवा दिन्हें मोरध्वज
तेउने सत्त पर डार आरा चीर, जय गंगा।
जब आन-कान राजा ना कारै
लोहर घरे से आरा मँगाय, जय गंगा।
अरे जब घर से निकाली दान तब
मा बिलख पड़े आर, जय गंगा।
दानी महलन में मचा मँगाय कै
माचा लइकन दी बइठाय, जय गंगा।
मोर एक कइत रानी हो जाती
एक कइत मोरध्वज दानी, जय गंगा।

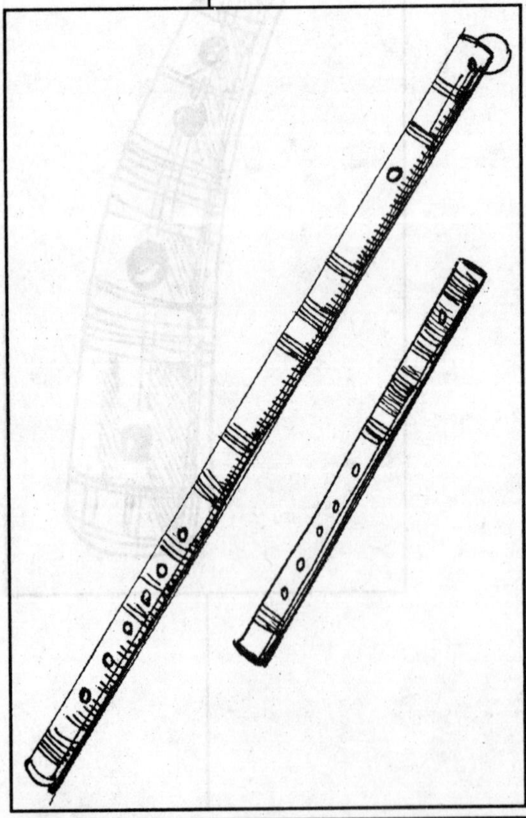

दानी राज खींचई लागै
खूनन के रे फुहारा उड़ाए, जय गंगा।
जब खूनन के रे फुहारा उड़ाए
कइसे माथ पर आरा चालय, जय गंगा।
जब चिरी बालक दुइखण्डा कारय
दहीने अंग डारिन पउलाय, जय गंगा।
वासा अंग महलऊ ढंग डालय
आज धन्य है मोर परभु दयालु नाथ, जय गंगा।
खून रकत गंगा में धोवावै
अबहूँ सिंहन भोजन देत, जय गंगा।
बोलुई अरजुन करई इ बतिया
कच्च मास सिंहा ना खाए, जय गंगा।
जउने सत्ते गुण बेटवा मोरे मोरध्वज
वोई सत्ता गुण डार चुराय, जय गंगा।
अतने बात अरजुन जब बोलै
अरजुन करहा देई चढ़वाए, जय गंगा।
लौंग मिर्च का दे के बधारा
झोंक देय बेटवा काय मास, जय गंगा।
अब लई के कलछुल अंउटे मांस
तब तनकौ आँच लगबै ना करै, जय गंगा।
जब पवन चलै पुरबइया के जब
मारे धुवन के आँसू गिरै, जय गंगा।
मोर अरजुन अऊर कृष्ण भगवाने
दोनों साधु चलय रिसाए, जय गंगा।
राजा मोरध्वज पछिआ के
लउट चलो साधु महाराजा, जय गंगा।
अरे तोर घर भोजन हम ना करबई
महलन रानी बन्छ हो रोबई, जय गंगा।
आगु-आगु राजा जाए
मोर पाछू देवता रानी जाए, जय गंगा।

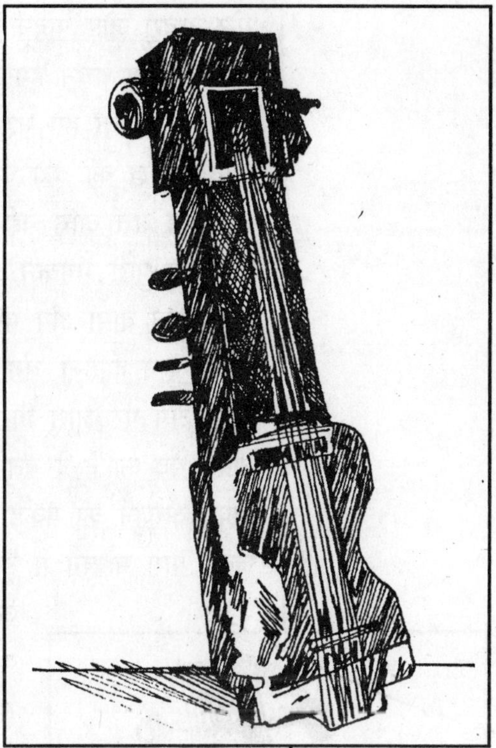

मोर अचरा जोड़ पांवन गिर जाते
सुन ले साधु बचन हमार, जय गंगा।
शपथ के बेटवा हम नई दिन्हिन
अपनी कोख का बेटा दीन, जय गंगा।
अरे बेटा सत्त आँसू नई चूवै
एक सत्त पूछी भगवान, जय गंगा।
एतना पुत्र वामा अंग माँ है
उतना पुन्न दाहिना अंग माँ है, जय गंगा।
वामा अंग पर आँसू गिरय
ओही भेद का दे दे बताए, जय गंगा।
अपन अरजुन का पकड़ के लानी
जेकर मांस महलन में टँगी है, जय गंगा।

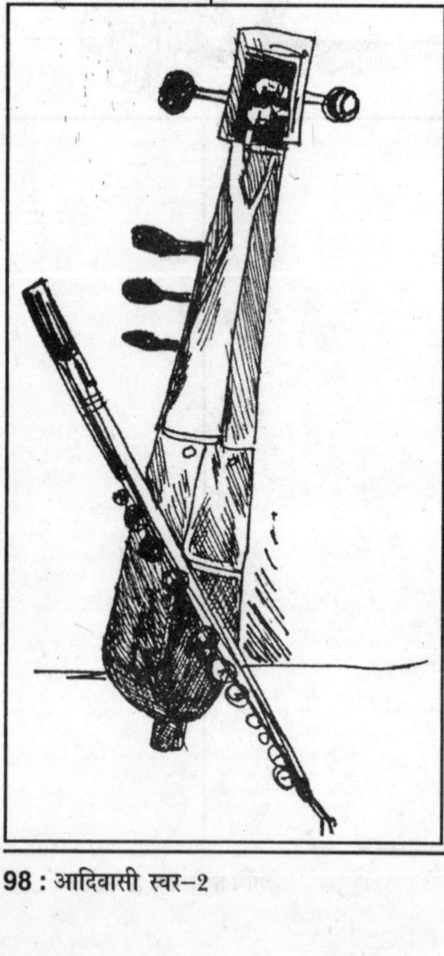

अरजुन अउर कृष्ण भगवान
जब दुनऊ साधु लउटै दुबार, जय गंगा।
रानी बड़ी देवता राहै
दुई नैनन की दीपक कारै, जय गंगा।
अरे दहिन अंग कलछुलिया बनइन
बाम अंग का लकड़ी करई, जय गंगा।
वासुदेव का सुमिरण करि कै
झोंक देई चूल्हा में हाथ, जय गंगा।
जब हवा घुसी चूल्हा में तब
खुदबुद मांसे करई चुराय, जय गंगा।
मोर छप्पन भोजन बना तैयार अब
चला न साधु भोजन लै, जय गंगा।
अरे तोर भोजन हम ना करबई
महलन रानी बंद ना रोउन करई, जय गंगा।
अरे तुम्हारे पूत एकहू नहीं राजा
बिनबेटवा भोजन ना करब, जय गंगा।
अपने बेटवा का लवा बुलाए
ओई सतवादी राजा रहाए, जय गंगा।

कामाध्वज का करई पुकार
आई के बालक आगु खड़े है, जय गंगा।
जब वामा अंग महलों से उड़े
दाहने अंग अरजुन के पास, जय गंगा।
जब आइ के राजा सामने खड़े
धन्य है दाउ तोरे भाग, जय गंगा।
जब दोऊ ब्राभन का स्वागत कराए
अरजुन अउर कृष्ण भगवान, जय गंगा।
दुन्नाई साधु परगट होई गए
धन्य रे श्रीकृष्ण भगवान, जय गंगा।
जब माँगी ले राजा तउ वरदान
जउने मंगवे तउनें देब, जय गंगा।
अरे तोरे बराबर दानी नई ए
बोलय मोरध्वज बा रजाय, जय गंगा।
मोर उठे बिहाने दरसन किहे
जउन करा सतजुग माँ करायहें, जय गंगा।
वा कलजुग माँ भी कराहें, जय गंगा।
लइ सत्ते राजा चल देइ
लई सत्त जोगी चल देई, जय गंगा।
बड़-बड़ दानी राजा रहै
बड़-बड़ दान-पुन्न करैं, जय गंगा।
बड़-बड़ गाय बछियन का दान
बड़-बड़ चाँदी-सोना इनाम, जय गंगा।
अरे लेई जा वासुदेव मोरे दान
जगह-जगह मोर लेवे नाम, जय गंगा।
एकइ अहि राम का नाम
भज ले सीता-सीता राम, जय गंगा।
बेटा देई मोरध्वज राजा
दान देई कामाध्वज का, जय गंगा।
धन्य है प्रभु दयालु नाथ तू

तीन लोक का दानी रहे, जय गंगा।
जवन दिहीन बेटवा का दान
दूसरा जनम पाइन अवतार, जय गंगा।
वो जग माँ सतवादी राजा
जाकर नाम मोरिल्ला हवै, जय गंगा।
धन्य है दीन दयालु नाथ
ओहू का पाप कमाने लगे रे, जय गंगा।
राम-राम का लई ले नाम
भज ले सीता वो भगवन, जय गंगा।
ओ एई परभुता दयालु रहैं
मोर हरिश्चन्द्र दयालु रहैं
मोर जउन दिहीन सतजुग में दान

एक राजा अनसुइया रहेंएँ, जय गंगा।
मोर ओई अनसुइया माता आए
जो लइका ला करी अवतार, जय गंगा।
राम-राम का लई लै नाम
सबको बोलो सीताराम, जय गंगा
इया, बासदेव गाना आही
एही बासदेव बिनती आई, जय गंगा।
इही भजन माँ बड़-बड़ इनाम
लेई जाएँ बसुदेव महाराज, जय गंगा।
राम-नाम का लेई ले नाम
जब बोल सीता भगवान, जय गंगा।

पंजा भरथरी

जेई दिन जनमें हईं
जई भरभरी जो
बाजई गा तबला सितार।

हरी-हरी बोबरा माँ
जवएँ रानी मैनामती
और आँगन बेदिय लिपाय।

आउँ कंचन कलसा
रवली रानी मैनावती
अउ गउति अ मंगलाचार।

कासी के पंडित
बुलावै रानी मैनामती
...चेव तु बेदवा पुराण।

ब्रह्मा जी साँचे मइया
दवउ पुरणवा
हूँ लइ धरह किताब।
नवाँ अइनी निकालत माता
....जा भरभरी जी
...रमउ के रे फलजोग।

बोली चलितु हवें
....नी मैनामती जी
...न पंडित अरजी हमार।

त कंचन सुर गाई
दक्षिणउ जो देबो पंडित
पलटि धरब देब नाम।

त उलटि-पुलटि ब्रह्मा
बेदबई बिचारई
मूलई आरथे की बाट

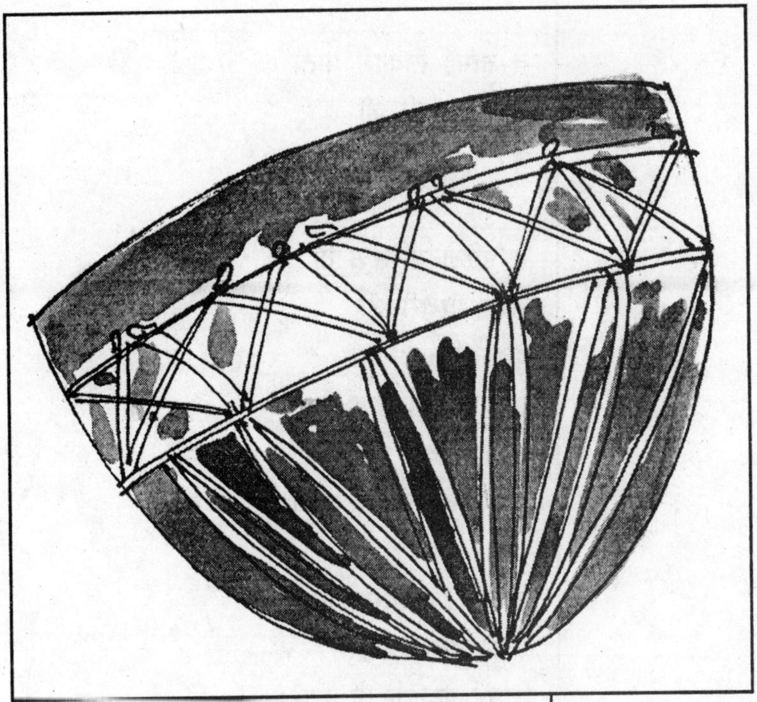

त नामई निकाले माता
राजा भरथरी जी
कर मुनी के है फलजोग।

त पहिले बरिसवा के
राजा भरथरी जी
दुजन-तीजन लोग
त चउथे बरिसवा के
राजा भरथरी जी
मातउ जिताउलेत परान।

त पाँचउ बरीसवा के
राजा भरथरी जी
सिंचई पढ़नवा के जाए।

त छठवा बरीसवा के
राजा भरथरी जी
कपड़ा जी पहिने सिंगोर
मोर नउवें बरीसवा के
राजई भरथरी जी
बयाही जी पिंगल नाम।

त बारई बरोसवा के
राजई भरथरी जी
बयाही अई श्यामा देई नाम।

त तेरई बरोसवा के
राजई भरथरी जी
लोनई तीखा कमान।

त बोली चलेतु हवैं
रानी श्यामा दई जो
सुन राजा बचन हमार।

त कबहूँ न अउते राजा
रंगीम हलिया में
कबहूँ न खेलत सिकार।

एतनइ जो सुनते हएँ
राजा भरथरी जी
पहिरे हैं राजकुमार।

त पुनि-पुनि पगड़ी जो
बाँधई भरथरी जी
बाभन खिरकी रखाएँ
त खिड़किन खिड़किन राजा
नगर धरउत हवैं
दोपक दियनत जराय।
दोपक दियनत जराय।
तो ऐसे सजउत हवैं
राजा भरभरो जो
इन्दरउ अखड़वा के जाएँ
त बोली चलउत हएँ
सिंघल की मिरगी जो
सुन राजा बचनि हमार।

त जो तू सिकरवा के
भूखे भरथरी जी
मार तू मिरगी दुई चार।

त कालउतू मिरगा उ
मत मार राजा जो
होई सतर मिरगी निढार।

त बोली चलेतु हवैं
राजा भरथरी जी
सुन मिरगी बचनि हमार।

राजा इन्द्र के नाती भए....
पुत्र गवरधन सेन
भाई बिकरमजीत के
मैनावती के हवै लीन
त तीरिअउ पर हथेवा न
छोड़ब मिरगी
छत्री धरम चल जाए।

कालउ मिरगा
मरबउ मिरगी
भक्षण लेब रे परान।
बीणा बजाई राजा भरथरी
मिरगा को लिअनि लोभाय
फुदुक-फुदुक मिरगा नाचै
राजा खेलै सिकार......

पहली गाँसी राजा मारई
ढेला सिरे सुकुवार
दूसरी गाँसी राजा मारई
खुनिया माँ मिरगा लीनि आए।

तीसर गंसिया जो
मारई भरथरी जी
मिरगा गिरे है ललकार।

बोली चलेतु हवैं
सिंघल की मिरगी जी
सुन राजा बचनि हमार।

त जाई संई कलपत
जंगल की मिरगी जी
उझई कलपई तेरी अ नार।

त मिरगइं उठावे चलइं
राजा भरथरी जी
बोलइ रे मिरगा बात।

त सुनूँ सुनूँ राजा
तई जोगी भरथरी रे
सुन तइँ बचनिया हमार।

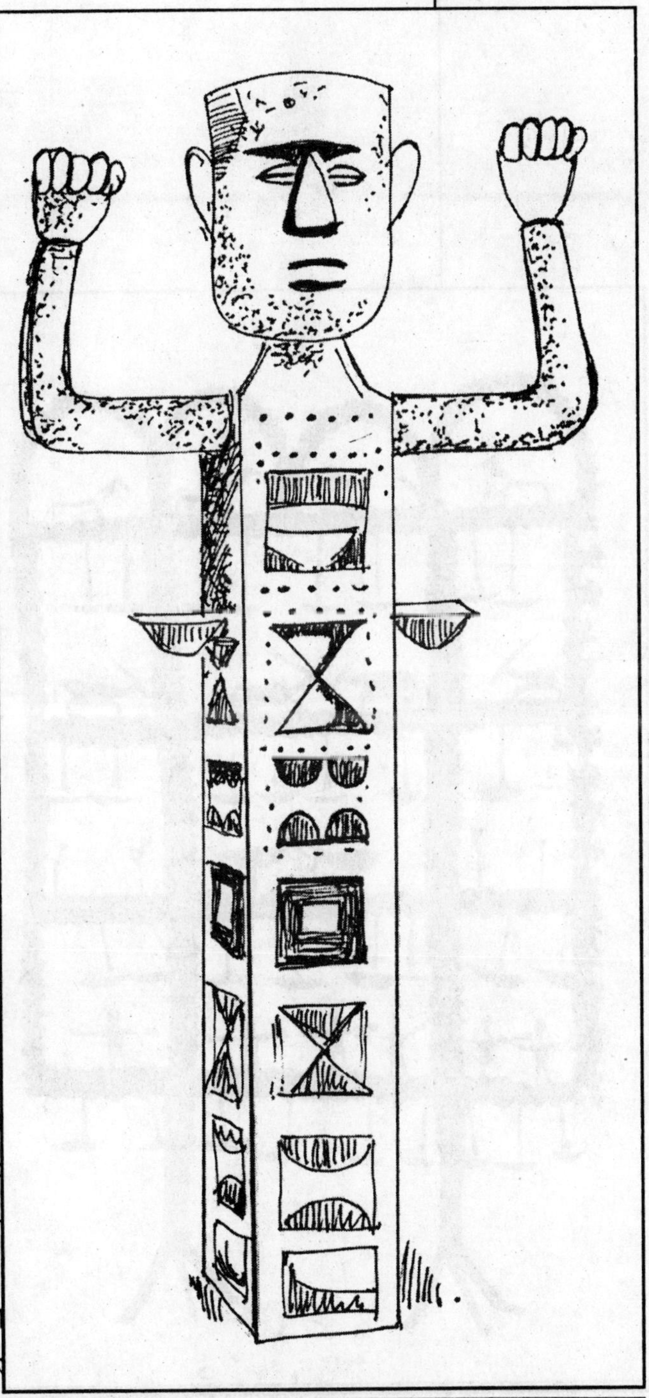

त
राज
सुनि

त
गउ
घर-

नैना
त

त सिंहिया त देना कउनो
छतरी क राजा जी
अस्त्र त देई रे बनोए।
मिरगछाला त देना कउनो
तपसी के राजा जी
बन माँ जाई हरि नाम।

एतनि बचनियाँ तो
राजा जो सुनत हवै
सिरगउ छाढ़े परान।

मिरगा उठउते हैं
राजा भरथरी जी
चली सिंघलदीप के जाए।

सिंघई मिलें
गुरु गोरखनाथे जो
चरणन छुवइ कहि जोर।

बोलि चलेतु हवैं
गुरु गोरखा बाबा जी
सुन बचा अरजी हमार।
कहवा तु हमरो तो
पैर छू देव बचवो
तुमका लगिहैं सरोप।

बोली चलेतु हवे
राजा भरथरी जी
सुन गुरु गोरखनाथ

सुन गुरु गोरखनाथ
जानि तोहका
मिरिगा का देते
जिलाय
मिरिगा का के
जिलउत गोरख
बाबा
चेला बनतो तोहार।

त चुटकी भभुतिया
जी
मारई गुरु म्हारा
मिरिगा उठय है
बहरोय।

खेलत कूदै मिरगा
मिरगिन भीर पहुँचत
है
मिरगिन देती
असीस।

जुगे-जुगे जोते गुरु
गोरख बाबा जो
फेर से लउटाए है
सोहाग

काले में अमर होवै
राजा भरथरी जो
नामेई अमर संसार।

बोली चलेतउ हवैं
राजा भरथरी जी
अरे सुनो गुरु गोरखनाथ
सुन गुरु गोरखनाथ जानि तोहका
मिरिगा का देते जिलाए

मिरिगा का देते जिलाए
मिरिगा का के जिलउत गोरख बाबा
चेला बनतो तोहार।

त चुटकी भभुतिया जी
मारई गुरु म्हारा
मिरिगा उठय है बहरोय।

खेलत कूदै मिरगा
मिरगिन भीर पहुँचत है
मिरगिन देती असीस।
जुगे-जुगे जोते गुरु
गोरख बाबा जो
फेर से लउटाए हैं सोहाग
काले में अमर होवैं

राजा भरथरी जी
नामेई अमर संसार।

बोली चलेतउ हवैं
राजा भरथरी जी
अरे सुनो गुरु गोरखनाथ
चेला बनब गुरु
गोरख बाबा जो

सेवा करबई तोहार

बोली चलेत गुरु
गोरख बाबा जी
सुन राजा बचन हमार।

तोहवें त चेलवा
ना हम बनइबेंन राजन
सुन एहो राजकुमार।

तोहरे महलिया माँ
रानी-महारानी हवें
उनकर परहीं सराप।

त पानइ तू फूलवा के
भोगिया राजा जी
तुझसे न सधहीं अजोग।

मन से सोचे गुरु
गोरख बाबा जी
मनहीं में करत विचार।
जो तूव हमारी मान
सोहई रे जोगवा
मान तूँ बचनि हमार।

महलउ से भिक्षा
तू लाव राजा
जोगई अमरि होई जाए।

खिड़की से आवत हुए
जब नई रे गोपी चंद
सुन महलउँ के भोली माँ

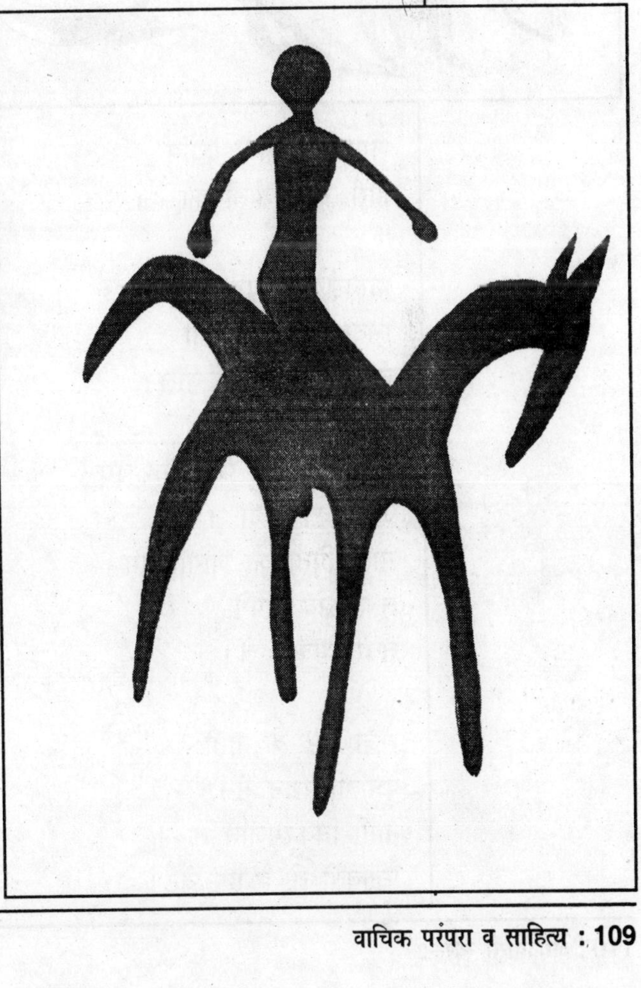

अम्बिका जवाँ बालि के गले का
गुटिका बनाए।
भालों का मोती उतारि के
दियो खबासीन के हाथ।

हाथ सवारी का दे फटफटी
मुँह में भसमु रमाए
जाने-माने जोगी चले
गुरु को सीस नबाए।

खिड़की से आवत हएँ
जब मोर भरथरी जी
सुन महलउ के भोली माए।
शब्द सुनै रानी श्याम देई
त हरी द्वारे परदा

लगावई रे रानी श्याम
हीरा अउर मोती का दै।

पारदई के अंदर से
भिक्षा तू देती रानी
ले जोगी बाबा तू बोल।

सास-ससुर का परदा रह गए
जोगी का परदा न होए
माता पिता का जोगी नाम
तू तबउब अपने
तबरे भिक्षा ले।

राजा इन्द्र के नाती
पुत्र गोवरधन सेन
नाती बिकरमजीत के
मैनावती के है हम बेट।

परदा झटकी रानी
पैअरा पकड़ती है
सुन राजा बचन हमार।
जोगी बनइके रहे
पहिले तू स्वामी
काहे तू रचल बिबाह।
पुत्र कहै माई भिक्क्षा डारी
जो अमरि होही जाए।

बोली चलेतु हवें
रानी सामदेई जी
सुन राजन बचन हमार।

कैसे पागल राजा हो गए
जो बयाही को कहते हो माय
कौन गुरु के बालक हो
कौने ने दिया तुम्हें ज्ञान।

बोली चलेतु हँए
राजा भरथरी जी
सुन मइया बचन हमार।

संत गुरु के बालक है माई
गोरख का दिन्हा ग्यान
बोली चलेतु हएँ
रानी सामदेई जी
सुन राजन बचन हमार।

मर जाएँ तोहार गुरु गोरख बाबा
जउने असन दिन्हाँ है ग्यान

बोली चलेतु हएँ
रानी शामदाई जी
सुन स्वामी बचन हमारि।
गुरु को गाली तिरिया मत दा।
गुरु कर डालें हैं भस्म
गुरु है गुणी, गुरु हैं देव

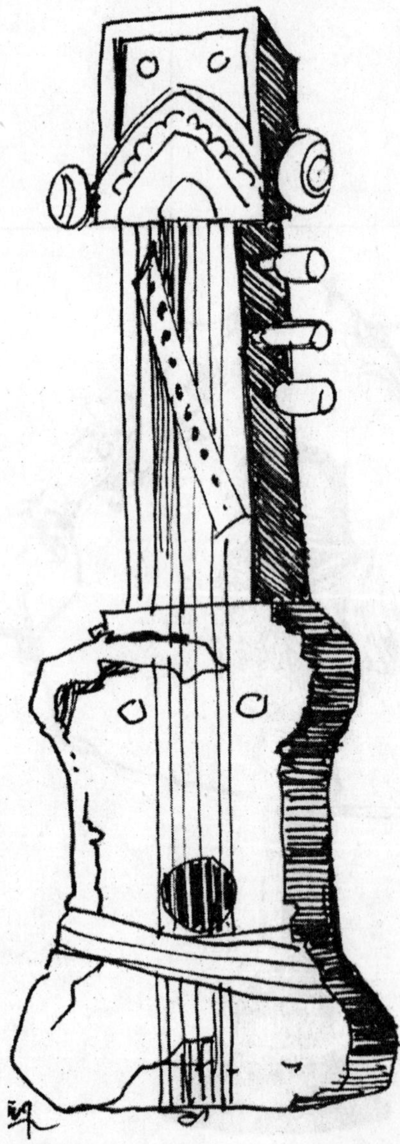

गुरु से चेला सब बरै
करि दा गुरु के सेव
गुरु है गंगा कासी
चेला बइठा है प्रेयाग।

बोली चलेतु हवें
राजा भरथरी जी
अरे सुन मइया बचन हमार।
गुरु केर भेदवा
बता देअ राजा
नहीं तो हम लेबे छिनाए।

पहिले तु पसवा
खेलअ राजा
फिर भिक्क्षा लेब दुबार।

बोली चलेतु हवें
राजा भरथरी जी
सुन मइया बचनि हमार।
पास त खेलब रानी
माता दुवरिया रे
बाजी बधा दुई-चार

बोली चलेतु हवें
रानी रे सामदेई
अरे सुन राजा बचन हमार।

जीतत जानें नहीं
दूँगा ओ राजन
हारवत संगे-संगे जाएब।

आइसन बाजीए
बाजब न रानीए
लिहो तूं दूनों ए दाँव
पाँसा पसारी रानी
भेदइ सामदेई
पड़ गए दानी रे सोंच

त पाँसा पटकती है
रानी सामदेई जी
अरे पासे का आगी लगाए

त पाँसा पटरी फेंके
राजा भरथरी जी
ले के गुरुव गोरखनाथ।

लजा बंचउत गुरु
गोरख बाबा जी
राख तू भेष के लाज।

त पाँसा पटरी फेंके
राजा भरथरी जी
पाइ गए सोलह साथ,
भरी-भरी मोती रानी
साम ले अइत हैं
रे ले जोगी बाबा तू भीख।

पुत्र कहै माई भिक्क्षा डारी
जोग अमर होई जाए।

एक मुठी चनवा
उठवती है रानी साम
अरे ले जोगी बाबा तू भीख।

पुत्रराइ कहत माता
भिक्क्षा तू डरेत
जो गई अमर होई जात।

त उवा जनमवा के
लागत तू माता जी
कीय मोर जनम तू नार।

त जबेकरानी साम सोचए
जोगी अ होहिं रे
नहीं पति देव रे आज।

एक मुठी चनवा
उठवती है रानी साम
अत ले बेटा द्वारे क भीख

सुनतई कमण्डल
भरि गइन अरज से
लइँ गुरु गोरखनाथ।
गुरु द्वार गोरख बाबा
अउ भंडरबा पर
जोगी के देत कर आज।

त कानवाँ फूकए गुरु
द्वार रे गोरख बाबा
जोग अमरि होई जाए।

पाताल कोट के भारिया

□ वसंत निरगुणे

भारिया परम्परा गीत

उपजन गीत

जाओ जाओ सइयाँ, सुईन बुलवाओ।
जाओ जाओ सइयाँ, सुईन बुलवाओ॥
दुःख दियो है री सारी रात, ए...अलबेली...
कुँवरजी ने दुःख दियो रे, दुःख दियो है सारी रात।
ए–अलबेली....।

सास मेरी गइया रे, घर मेरी नइयाँ।
सास ननद मेरी घर मेरी नइयाँ।
कौन मेरी पीर कटाय। ए...अलबेली....।

कुँवरजी ने दुःख दियो रे....॥
जाओ जाओ छड़ीदार-छड़ीदार।
गाँव पंच लाओ बुलाय॥ ए...अलबेली....।

कुँवरजी से प्रीत भारी रे॥
जाओ-जाओ छड़ीदार-छड़ीदार।
रसोड़ा ने लाओ बुलाए॥ ए...अलबेली....।

कुँवरजी की रसोई बनाए।
जाओ-जाओ छड़ीदार-छड़ीदार।
धोबन लाओ बुलाए॥ ए...अलबेली...।
कुँवरजी के कपड़ा धुलाए।
जाओ-जाओ छड़ीदार-छड़ीदार।
कुँवरजी को पानी खोराय॥ ए...अलबेली...।

सुपली में दिए सुवाय।
कुँवरजी के सूदक उठाए॥ ए...अलबेली...।

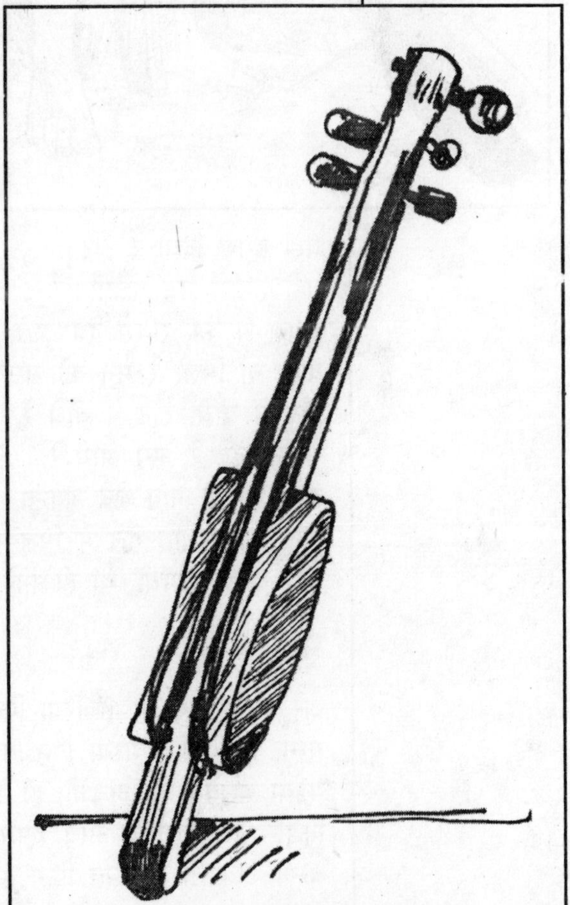

कौन राय के बाड़ी
हाँ रे हाँ रे कौन राय के बाड़ी,
हाँ रे हाँ रे बाड़ी हरियावन लागे।
कौन आजन की बाड़ी
हाँ रे हाँ रे कौन आजन के बाड़ी
हाँ रे हाँ रे बाड़ी हरियावन लागे।
कौन आजन की बाड़ी
हाँ रे हाँ रे कौन आजन के बाड़ी
हाँ रे हाँ रे बाड़ी पाकन लागे।

हल्दी गीत

खूँट में बाँधे, खूँट में बाँधे हों
सेरे समान रे।
सजना समधी ढूँढत कबके आये।
सबरो देवगढ़ सबरो देवगढ़ रे फिर आए।
कहीं ना मिले रे मन को समधी
गेल में मिल गो, गेल में मिल गो रे
वही हमरो मन को समधी
वही हमरो दियो रे ठौर।
वही हमारो मन बसगो।
सबरो बटका, सबरो देवगढ़ रे हम फिर आए।
कहीं ना मिलो रे मन को समधी।
खूँट में बाँधे, खूँट में बाँधे रे, सेरे समान रे
सजना ढूँढे रे, हम आये रे,
कौन समधी नांव लेवे थकना
गेल में मिल गो गेल में मिल गो रे
वही रहियो समधी, वो ही मोरे दिल बसो रे॥

भाँवर :

अरे यन्ना अब तो भँवरिया फिर-चाले रे
बन्ना अब तो भँवरिया फिर चाले।
गइया बछुवन की दायजो, हाँ रे बन्ना अब तो...
फिर चलै झुठेला के साथ हमारे बन्ना
बन्ना अय तो भँवरिया फिर चाले रे ॥
हीरा मोतिन के दायजो अरे बन्ना

अब तो भँवरिया फिर चाले, हाँ रे बन्ना
अब तो भँवरिया फिर चालै

तेल-हल्दी चढ़ौवा

चीरे पटा की ओली,
ओली तो झोरी रे दुलवा
चीरे पटा की ओली।
कौन तोड़े नांगा बेली
कौन झेले वो ओली।
कौन तोड़े नांगा बेली
कौन झेले वो ओली (2)
भैया तोड़े नांगा बेली
भौजी झेले वो ओली (2)
ओली तो झोली रे आजा
चीरे पटा की ओली (2)
दे ओ सासू सुपली में सोनू
बारो बिसावन जाहूँ (2)
दई सासू सुपली में सोनू
बंझलू झर-झर रोवै (2)
हाथे लठिया, मूढ़े गठिया
बंझलू झर-झर रोवै (2)
हाथे लठिया, मूढ़े गठिया
बंझलू झर-झर रोवै (2)
एक डग रिंगे बारी बंझलू
दोई डग रिंगे बारी कहीं ना।
बारों कहीं ना वो मिले।
सबरो देवगढ़ घूमे बंझलू
बारों कहीं ना वो मिले॥
सबरो देवगढ़ ढूँढयो बंझलू
बारों कहीं ना मिलै॥
या छड़ी व छड़ी ढूँढयो वो बंझलू
बारों कहीं ना वो मिलै ॥2॥
जेकी घरा में बारो पुत्तर
उमै-धुमै वो निसान।
जारे बारो सुपली म सोन्नो
बारो कहीं ना वो मिलै। 2

मँडवा

बावल मेरे मँडवाल उठाए,
कौन सो बावल मेरे, मँडवा उठाए।
कौन सो बाबल मेरे, मँडवा उठाए ॥2॥
मँडवा उठायो रे, बाबल काहो रे छायो ॥2॥
छायो तो छायो रे, बावल नग बेली छायो ॥2॥
नग बेली छायो रे बाबल का पेड़ों छायो ॥2॥
नग बेली छायो रे, बाबल कापेड़ो छायो॥

भँवर (सात फेरे)

एके भाँवरिया फिर-चले, मेरो दादा,
फिर चले झुठला के साथ।
दोई भाँवरिया फिर चलै, मेरो दादा,
फिर चलै झुठला के साथ।
तीन भाँवरिया फिर चले, मेरो दादा
फिर चलै झुठला के साथ।

विदा गीत

कैसे के छोड़ूँ, तेरो राहुल, मेरो दादा
कैसे के छोड़ूँ दुवार।
रोवत छोड़ूँ, तेरा राहुल, मेरो दादा,
मचलत छोड़ूँ दुवार।
यहीं गवाँ के अहीरा रे, मेरो दादा,
अहीरा चरावै रे ढोर।
अहीरा की लटिया जो टूट गई, मेरो दादा
टूट गयो बिटिया को हेत।
ए.......दादा......हा
ए.......दादा......हा

मटिया गीत

पानी भरी लेवो
आली-आली डोंगर वो।
तोरी संग की टोकी वो दइयो
पानी भरी लाहीर वो,

आली-आली डोंगर वो।
पानी भरी लाहीर दइयो,
पानी ढलकाई दियो वो,
आली-आली डोंगर वो (2)
वो ही कंदलरा पानी दइयो
तू ही भरी लाहीर वो
आली-आली डोंगर।
तोरा लाड़का देवर दइयो।
पानी लुढ़काई दियावहु वो
आली-आली डोंगर वो ॥2॥

बन्नी गीत

छोटा सा महुआ रंग चूहे
बन्नी खेलन जाए।
खेली कूदी बन्नी घरे आई।
बन्नी सामे दुवार।
दद्दा जी ने मारी गुलाबी छड़ी,
दाई वचन सुनाए।
मति मारो मेरे बाबल,
मति मारो उड़ जाहे पंख लगाए।
छोटा सा महुआ रंग चूहे
बन्नी खेलन जाए।

बन्ना

डिगे डिगे लिखियो
मोरे पतिया।
बीचे सासूजी के बोल,
मेरे लाल
हमने मँगाई, पिय लाल रंग चूनरी,
सजना ले आए टेरिकाट,
मेरे लाल।

दूल्हा भेंट

कौन सहर से निकरो रे दुलरा,
कौन सहर भेंट जाए ।2।

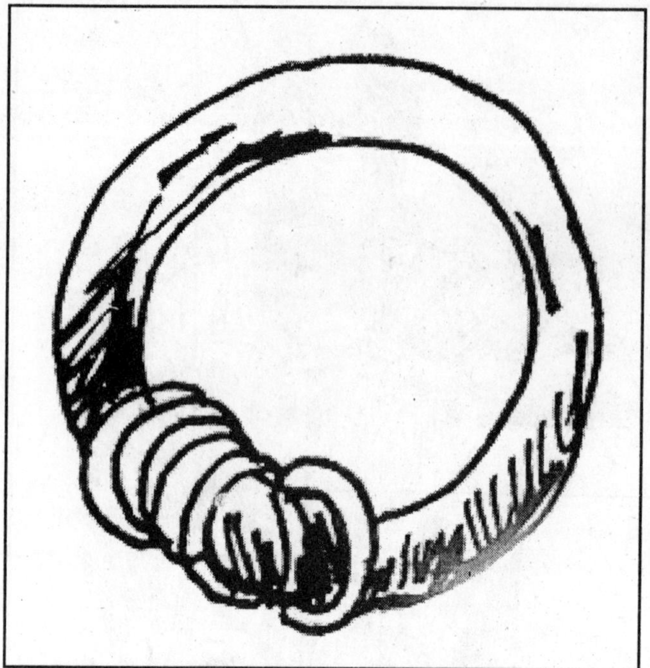

हाथन धरिस दुलवा लाल-लाल सरोता रे,
चढ़ घोड़े में सिंगार।
निकरो रनिया, निकरो कलारन बाई
दूल्हा ओ भेंट जाए ओ।
निकरो कलारन बाई, पटेलनबाई
दूल्हा ओ भेंटन आय हो।
दादा सहर से निकरो रे दुलरा।
कोने सहर भेंटन जाए।

लगुन

गड़-गड़ बाकी, आया बईल सिंगार,
इकेक चँवर आया, लगुन लिखाए रे ॥2॥
गड़-गड़ चाकी आया बईल सिंगार,
दोई चँवर आया, आसन मारी रे ॥2॥

प्यारे लाल रे बन्ना,
ऐसे धूपन में।
ऐसे धूपने में, जइयो मति रे,

प्यारे लाल रे बन्ना, ऐसी धूपन में
अरे लाल रे बन्ना, ऐसी धूपन में
जइयो मति रे....
तेरे दादा रे रच्यो रे बिहाव रे, बना,
ऐसे धूपने में, जइयो मति रे बना...।

दूल्हे का शृंगार

ऊपर देखोजी बन्ना, बेला चाँदनी लगी।
जूती पेरोजी बन्ना, बेला चाँदनी लगी।
धोती पेरोजी बन्ना, बेला चाँदनी लगी।
बागो पेरोजी बन्ना, बेला चाँदनी लगी।
हुमल पेरोजी बन्ना, बेला चाँदनी लगी।
पोती पेरोजी बन्ना, बेला चाँदनी लगी।
गमछा पेरोजी बन्ना, बेला चाँदनी लगी।
मौढ़ पेरोजी बन्ना, बेला चाँदनी लगी।

चौक पूरण

काहे को चौकलिपियो रे, दुलरा,

डिगधरी चौक लिपयो रे॥
डिगधरी चौक लिपयो रे, दुलरा
डिगधरी चौक लिपयो
चरखुटिया चौक लिपयो रे, दुलरा
चरखुटिया चौक लिपोय।
अच्छी नानी चौक पुरयो रे दुलरा
अच्छी नानी चौक पुरोय ॥2॥
चंदन काटी पिढ़ोली मँगयो रे, दुलरा
चंदन काटी पिढ़ोली मँगोय ॥2॥ डिगधरी....
ओवी में बैठक लयो रे, दुलरा
ओवी में बैठक लयो ॥2॥
काहे की दिवला मँगयो रे, दुलरा
काहे की दिवला मँगोय ॥2॥
रुप्पे की दिवला मँगयो रे दुलरा
रुप्पे की दिवला मँगोय ॥2॥
मटिया के दिवला मँगयो रे, दुलरा
मटिया के दिवला मँगयो ॥2॥
कनचन के दिवला मँगयो रे, दुलरा
कनचन के दिवला मँगयो ॥2॥
कनचन दिवला लेस्तयो रे, दुलरा
कनचन दिवला लेस्सयो ॥2॥
कपसा की बाती मँगयो रे, दुलरा
कपसा की बाती मँगोय ॥2॥

नीतो

आज भानेज को गीतो ओ मामी ओ,
नीतो करन लागै।
नाता गोता की भानिज ओ, मामी ओ,
नीतो करन लागै।
मडुवा में को पानी ओ, मामी ओ,
थारो लावै (कलेवा), आज मासी को नीतो
वो जीजी वो, नीतो करन लागै।
जलमजुक को नीतो वो, जीजी वो,
नीतो करन लागै।

विदाई गीत

काटो काटो रे आजा, चंदन रूख,
तेरी मारे वो, नतनी काटे न जाए ॥2॥
उड़ जाती रे आजा, परवन को देस ॥2॥
तेरी मारे वो बिटिया काटे न जाए।
उड़ जाती रे दादा परवन को देस।
काटो काटो रे बऊ, चंदन रूख,
तेरी मारे वो बिटिया काटे न जाए।
काटो काटो रे भैया चंदन रूख,
तेरी मारे वो बेनी काटे न जाए।
सह लइयो वो बेनी ससुर को बोल।
सह लइयो वो बेनी ससुर को बोल।
सह लइयो वो बेनी जेठ को बोल।
उड़ जाती रे भैया परवन को देस ॥2॥

गाली गीत

वेंद राई की बेटी देखन आई
देखत-देखत दारी रोवन लागी।

कौन राई को छोवर बेटा चौकन बैठो,
गोपा राई को छोवर बेटा चौकन बैठो,
गजराबाई की छिनर बेटी देखन आई,
रमती राई के छोवर बेटा चौकन बैठो,
छिमिया बाई के छिनर बेटी देखन आई।
देखत देखत दारी रोवन लागी।

परिहास गीत

हरो लीलो गोंदरा री मोरे गुथैया
बुढला सो देखी वो दारी रोवन लागी,
छोवरा देख वो दारी हँसन लागी,

कोन की छोहर बेटी देखन आई ॥2॥
हरो लीलो गाँदरारी मोरे गुथैया।
बेंदल की छोहर बेटी देखन आई ॥2॥

अररर झररर झब्बे लगी है,
हम तो कहे दारी वो ही बँदो है,
झब्बे के पीछे हीरे-मोती जड़े हैं।
इटला रे पिटला वो तो,
इटला रे पिटला वो तो कारो बँदो है,
अररर झररर झब्बे लगी है,
झब्बे के नीचे-नीचे मोती जड़े हैं।
हम तो कहे वो दारी वो ही बँदो है,
झब्बे के नीचे-नीचे दूल्हा बनो है।

जस गीत

अरे मैया के भवन लहराय, क्या बिरछा लीम के हो, मैया
कहाँ लगाउँ मैया लिमवा का बिरछा, कहाँ लगाऊँ रे अनार।
कि बिरछा लीम के हो—मैया॥

द्वारे लगाऊँ मैया लिमवा के बिरछा, आँगन लगाऊँ रे अनार,
काहेन छिंचू लिमुवा को बिरछा, काहेन छिंचू रे अनार।
दूधन छिंचू मैया लिमुवा को बिरछा, दहियान छिंचू रे अनार।
कहाँ सिरा दूँ मैया लिमुवा को बिरछा, जमुना सिरा दूँ अनार।
पाँच बखत मैया तेरी जस गाऊँ, तेरे जस तेरे गुण गाऊँ,
राखो चरण आधार।
कि बिरछा लीम के हो।

करमा

अहा हो हाय रे गेरानी पड़ गई राम,
आँसो के समैया में गेरानी पड़ गई रे।
एक कोदो बोए, कुटकी बोए,
जुवारी भैया और बोए जुवारी॥ अहा हो हाय...
ए नाहीं पाके कुटकी-कोदों,
नहीं पके धान भैया, नहीं पके धान ॥ अहा हो हाय....
ए मक्का बोए, गेहूँ बोए,

और बोए चना भैया और बोए चना ॥ अहा हो हाय...
ए नाहीं पाके मक्का-गेहूँ,
नहीं पके चना भैया, नहीं पके चना ॥ अहा हो हाय...
अहा हो हाय,....
भाजीपाला में राम, करते गुजारा, भाजीपाला में रे।
ए तोड़ कलीरा से गेंद बनाए, वो गेंद बनाए।
अहा हो हाय....

ए तू मति कहियो अकेली करले, अकेली कर ले,
मेरी सोला सी गुइँया यगल खड़ी रे, भाजीपाला में रे।
अहा हो हाय...

ए खोली तो खोली अठारह खोली रे, अठारह खोली,
कौन खोली से बोली मराठी, बोली रे भाजीपाला में रे।
अहा हो हाय....

अहा हो हाय सीता, हमारी हे राम,
रावण ने चुराए सीता हमरी हे रे।
ए ठंडो है पानी गरम रख लाये ॥2॥

अहा हो सीता हमरी हे राम।
रावण ने चुराए सीता हमरी हे राम॥
रावण ने चुराए सीता हमरी हे रे॥

ए पीर पिछोड़ा पीताम्बर धोती, पीताम्बर धोती,
अहा हो सीता हमरी हे राम। रावण...
ए चुन-चुन चावल की भोजन लगाए, वो भोजन लगाए,
अहा हो सीता हमरी हे राम,
रावण ने चुराए सीता हमरी हे रे॥

सुआ गीत

तर ना री ना ना री, नारा री सुआ,
तर ना री ना ना री, ना ना री सुआ हो
तर ना री ना ना री ना।

छोड़ चले परदेश, ना रे सुआ हो,
छोड़ चले परदेश, तर ना री...।
हमरे आँगन में संतरा को बिरछा,

ना रे सुआ हो।
छोड़ चले परदेश ना रे सुआ हो,
छोड़ चले परदेश, तर ना री....।
हमरे आँगन में केला का बिरछा,
ना रे सुआ हो।

छोड़ चले परदेश, ना रे सुआ हो,
छोड़ चले परदेश, तर ना री...।
हमरे आँगन में बीहि को बिरछा,
ना रे सुआ हो।

छोड़ चले परदेश, ना रे सुआ हो,
छोड़ चले परदेश, तर ना रे....।

मूंग फली रुनझुन, गेंदा फूली छतनार, सुआ हो।
लाल भाजी फूली झकाझोर, ना रे सुआ हो
लाला भाजी फूली झकाझोर।

एक लिओनी सुसरजी ने आए हो,
लाल भाजी फूली झकाझोर।

सुसर के संग बहू कैसी जाए, ना रे, सुआ हो।
बेरे-बेरे पैंया लगाए, ना रे सुआ हो,
बेरे-बेरे पैंया लगाए।
एके लिओनी जेठजी ने आए, ना रे सुआ हो।
लाल भाजी फूली झकाझोर, ना रे लाल भाजी फूली
झकाझोर।
जेठ के संग बहू कैसी जाए, ना रे सुआ हो।
बेरे-बेरे घूँघट डलाय।

एके लिओनी सैंयाजी ने आए, सुआ हो,
लाल भाजी फूली झकाझोर, ना रे सुआ हो,
लाल भाजी फूली झकाझोर।
सैंया के साथ हँसी-खुशी जाए, ना रे सुआ हो

पेली पार रे कान्हा गऊवा चरावै,
उली पार खेलन आवें रे लाल।
मैं कैसी आऊँ मेरे कान्हा रे मामा
मेरी पैर बिछिया बाजे रे लाल।

हो चल-चल के मेरी ओली में धर ले,
छुमक-छुमक चले आना रे लाल।
मैं कैसी आऊँ मेरे कान्हा रे मामा
मेरी पायल बाजे रे लाल।
हो चल-चल के मेरी ओली में धर ले
छुमक-छुमक चले आना रे लाल।

एक चटक जुनैर्या राज राजा कैसे आए,
ए ठंडो है पानी गरम रख लाए,
गरम रख लाए,
गरम रख लाए। ए चटक...

ए टोड़ कलीरा से गेंद बनाए, वो गेंद बनाए,
ए चटक...।
ए हरे-हरे दोना में रख ले मिठैया,
वो रख ले मिठैया।
ए चटक जुनैया...।

सैतम नृत्य गीत

हे हरियल बबूर तरे ना जइयो री काँटा गड़ जाए।
ए जारो-जारो लाता री, काँटा गड़ जाए।
ए जारो-जारो लाता री, काँटा गड़ जाए।

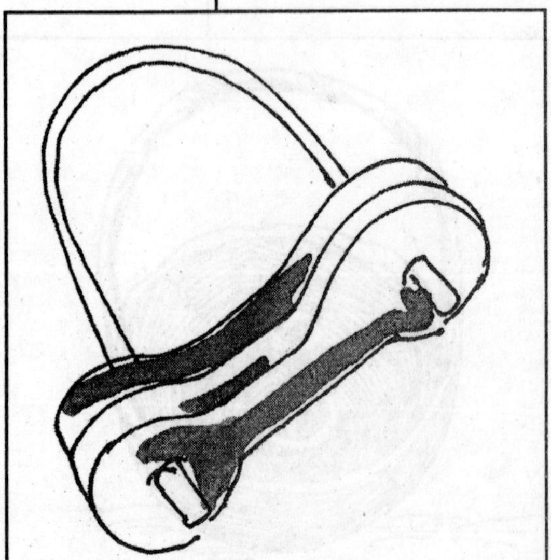

ए तेरो गरो मेरो हार री, काँटा गड़ जाए।
ए हरियल बबूर तरे....।

ए लाल पैसा बड़ो लोभी रे, काँटा गड़ जाए।
ए दोई मिली चलिए कचेरी री, काँटा गड़ जाए।
ए हरियल बबूर तरे...।
अरे लेजा रे भौंरा अपना दशेरा,
लेजा लेजा।

गैया रे बछिया अहीर ले जा,
मेरी कुंदरू सी बेटी दामाद लेजा,
ले जा ले जा।

बिन-बिना पत्थर बनाए पुलिया,
सपनों में लिखा दूँ तुम्हारों हुलिया,
ले जा ले जा।

सिवनी के मंदिर डबल कलशा,
कोने बाजू से ले लऊँ तुम्हारो नक्शा।
ले जा ले जा।

तोहे रे छोड़ँ सरई वन में,
तोसे ढूंना मिल लऊँ, अड़ाई दिन में,
ले जा ले जा।

गेंदोली बन जाती, मेरे राजा की गेंदोली बन जाती।
जब मेरे राजा को प्यास लगत है,
ए-जी जी बाई, प्यास लगत है,
लोटा गिलास बन जाती, मेरे राजा की गेंदोली बन जाती।
जब मेरे राजा को भूख लगत है,
ए बेला बाई भूख लगत है,
लड्डू-जलेबी बन जाती, मेरे राजा की गेंदोली बन जाती।
जब मेरे राजा को ठण्डी लगत है,
ए-जी जी बाई ठण्डी लगत है।
गद्दा रजाई बन जाती, मेरे राजा की गेंदोली बन जाती।

अगयानी गारी

कारी कमरी मार दरी सबरी,
बैठ गई वो टाँगा पसार,
जोड़ किया लाता।
बांदर को लम्बो पूँछ,
किरा परे बोलत नैइयाँ।
हारी थाकी आई दरी पठिया
बैठ गई वो टाँगा पसार।

सैतम गीत

कारो खेत बो दई मसुरिया री,
कारो खेत,
बो दई मसुरिया भला छोड़ दे रे यार,
हमारे वारे। हो बाई-हो।
लीम वारे। हो बाई-हो।
लीम तरै बाँधी लीलो बछैरा ले लाल ॥2॥
लीम तरै भला छोड़ दे रे यार, हमारे बारे।

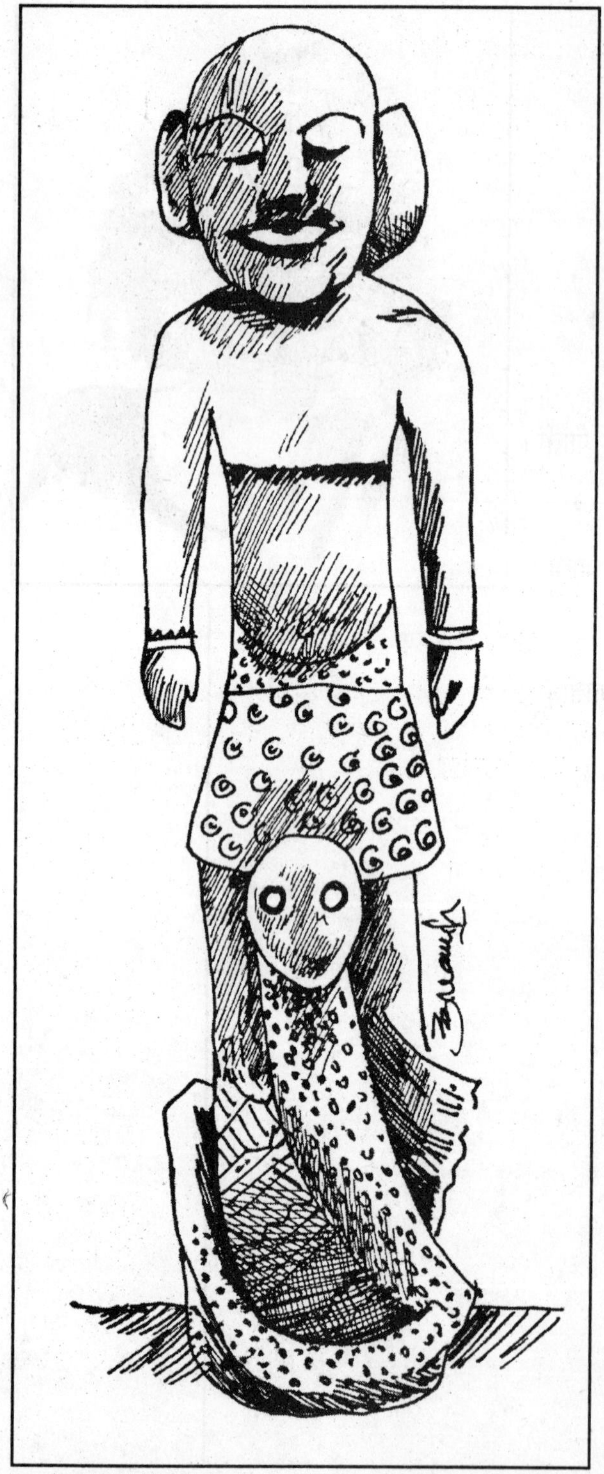

हो-बाई हो।
ठंडी में बो दई अकौवा,
ठंडी में फूले रे अकौवा,
छोड़ दे रहे यार हमारे वारे।
कारो खेत बो दई मसुरिया री, कारो खेत।

मृत्यु गीत

चुन चुन मटिया मेहल उठाए।
ये मेहल तेरा न मेरा। हो रामा, भज ले।
भज ले ले हो रामा उदासी। हो रामा, भज ले।
कौड़ी ने कौड़ी रे माया रे जोड़ी,
ये माया तेरा न मेरा। हो राम भज ले।
कुटुम कबीला रे मरघट के साथी,
ये हंस जाना अकेला। हो रामा, भज ले।
भज ले हो रामा उदासी हो। रामा, भज ले।
मटिया बिछाना रे मटिया ओढ़ाना।
मटिया के हेर-मेर रहना। हो रामा भज ले।
भज ले हेर-मेर रहना। हो रामा भज ले।
बज ले हो राम उदासी। हो रामा भज ले।

बारा जो बरस के मोरी माय, छतरी गढ़ैया,
बिच-बिच फँदना लगाय रे।
तन वो की मैया धन वो कि बाप,
बारो रे डोलो रे सिंगार।
आज मेरी झूले है हिंडोलना रे।
झूलत-झूलत मोरी माय, टूट गयो झूलना
झूलना रे भयो रे बियान रे।

चरो तो चरो रे हिरना,
कईली का चरो रे चारो,
ला हो तो लाहो रे चरवासी,
कुरमुडका को पानी।
पीहो तो पीहो रे चरवाही
कुरमुड़का को पानी।

काठी

❑ वसंत निरगुणे

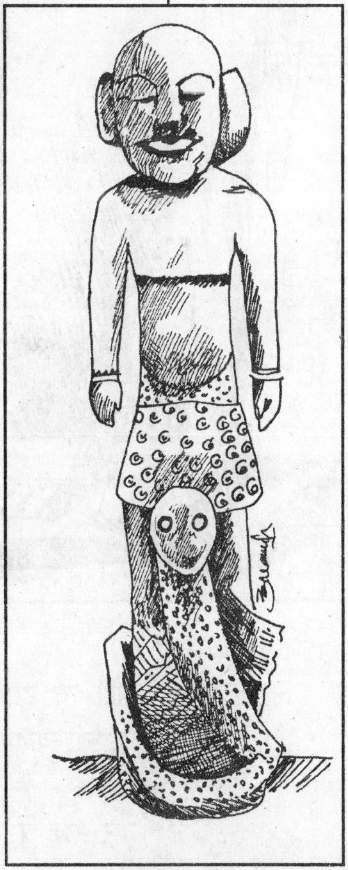

प्रस्तुति

प्रथम सँवरा रामा, देवि.......सारजा,
पाछ ऽ सी लेवाँ, गणपत ..... को नाँव।

काई बिन सँवरी रामा, ...देवी सारजा,
केसा उछाल्या, बाळो गण.....साराज।
कुण की बेटी रामा, देवी......सारजा,
अमृत लगायो, बाळो गण......साराज।
कंठ बिन सँवरी रामा, देव......वी सारजा,
हिरदा बिन सँवारियो बाळो......गणराज।

रंजा नऽ पड़ी म्हारा धणियर,
हो यगा राम।
हो राम॥
राजा, पड़ी गई साँझ,
कारण सूरीमल,
पो हो राम,
रण राजा, पड़ी गई साँझ॥

आरती भोल देव ईस्वर,
गती अम्बा माई हो।
भारती अठकुल परबत।
परती, सई देव ब्रह्मा की।

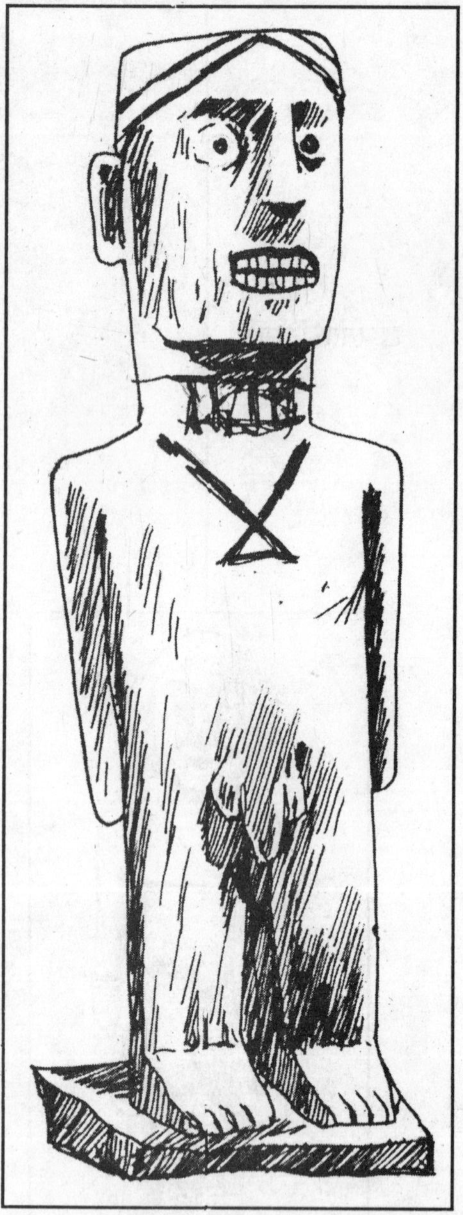

हात मंऽ वेदपुराण।
भारती,
देव मांडळई।
आरती कासप रीखी।
आरती जलमी माता पण अपणी।
जाया हीरा अवतार।
दुनिया मँह जलम नीं,
गऽ हीरा अवतार।
धरम कोई नेम करी
पुन साथ जाए,
आरती कपला गाय कामधन
दिवलो बळऽ खंड पृथ्वी माय।

कोण भगत नऽ आरती की साँजो लियो,
कोण भगत नऽ कळस दियो चढ़ाय।
सुरा भगत नऽ आरती की साँजो लियो,
पुरा भगत नऽ कळस दियो चढ़ाय।
आरती थारी गावाँ ईस्वर छव नी पड़ऽ
हरि-बुध मेला हम कलस चढ़ाय॥

वीर भाई ने इस आरती का प्रसाद लिया है।
और बलिदानी भाई ने कीर्ति कलस चढ़ाया है।

गायो गवाड़्यो नगर को धरम हुजो।
सुणता सामळता गंगा स्नान॥

कहो ते हम गावाँ रे राजाराम हरिचन्द,
कहो ते हम गावाँ वन की गोंडेन नार,
कहो तो हम गावाँ रे सुरियाळो सती महाजन,
नई तो कवो तो हम गावां नानो सो भिलणों बाळ॥

चार खंड रे सुरता न कऽ परखई दिया,

धीरेऽ-धीरेऽ कयजो मंदड़ा की बात॥
हमनऽ यो गायो, सूरता नऽ समाळ्यो,
उनखऽ हूजा वैकुण्ठ को वास।

हरिश्चन्द्र की कथा

थारो नाँव लेवा, म्हारा राजा हरिचंद
थोरा नाँव लेवा, भरी सभा का माँय।
थारो नावँ लीतऽ दुखियन का दलिद्दर कटऽ
जलम-जलम का पराचित कटता जाए॥

चवरों डोल, सिंगासण कापी गया,
थारा सत का मारे।
उप्पर का डोल्या-चंदन का झाड़,
गवरामाता बोलऽ
भोळा ईस्वर देव जी,
केका पुन आया सिव का चवरा माँय।
सत का एक दुनिया मंऽ कुण हुया।
केका पुन आया सिव का चवरा मांय।

ओ बेटा राजा तऽ छीतल का बेटा
कासम रीखी
सवा लाख का टका हरचंद नऽ कड़ सी बाँध्या,
अरू करवत लेणऽ चल्या
कासी नगर मंऽ।

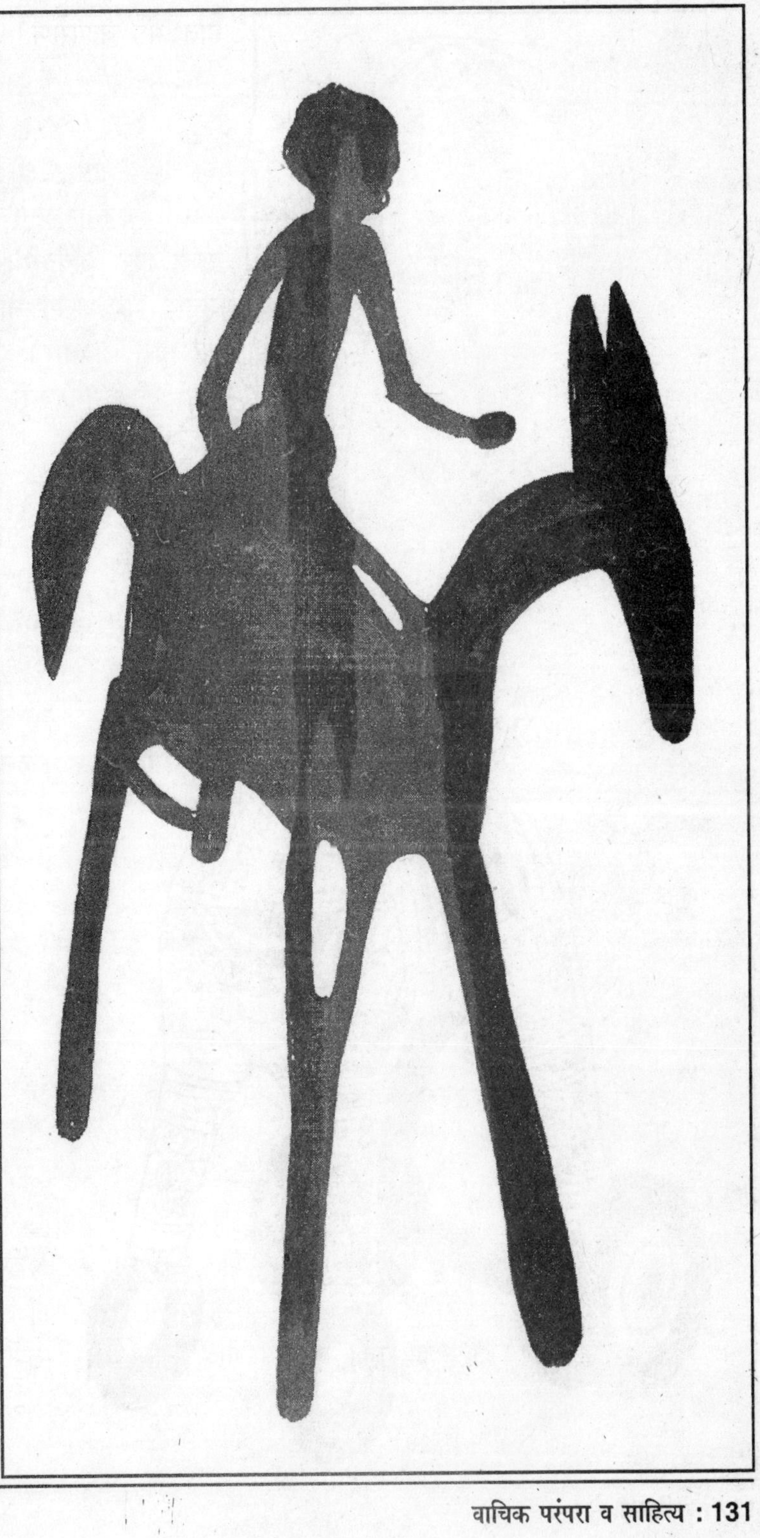

रात की रात जंगल में रयण लग्या,
दिन उग्याँ गया कासी नगर मंऽ।
करवत दीजे कासी का करवत्या।
करवत देवाँ सवा लाख कटका लगगऽ
कमती नी लेवाँगाँ करवत को मोल,
सवा लाख टका करवत का गोड़ मंऽ धर्या,
करवत लेण लग्या कासी नगर माँ,
लगई करवत हरिचंद का टालवा पर धरी
हरिचंद रोवणऽ लग्या धूणी-धार।
करवत्यो बोल्यो—राजा हरिचंद रोवण केरो भेद बता।
डाँवी-डाँवी धड़ का सब कई बणऽ
जवणी धड़ को कोण हवाल।
डाँवी धड़ को कोण हवाल।
डाँवी धड़ को राजा हरिचंद दीवान।
खून का बूंद धरणी पड़्या
पैदा हुई गाया रोई दास
वो कासी वसाड़ी तिरिया तारामती नऽ
हरसूद वसाड़ी राजा हरिचंद
नौ सौ महिला पारधी का
बट्ठा मईना मसोरा खाय।
नौ सौ पाहारध्यी अट्ठारा सौ जीव धरि लावऽ
वो घड़ी मंऽ राजा जीवड़ो देय छुड़ाव
जीवड़ो छुड़वा राजा हरिचंद
टका चुकाव तिरिया तारामती॥

बायीं धड़ के सभी कोई होते हैं,
दाई धड़ का कोई नहीं।
बाई धड़ रानी तारामती है,
दायीं धड़ राजा हरिश्चन्द्र दीवान हैं।
खून की बूँद धरती पर गिरते ही रोहित पैदा हो गया।
काशी नगर को रानी तारामती ने,
और नगर हरसूद को राजा हरिश्चन्द्र ने बसाया।

गोंडेन नार कथा

छालकी अलाल की गोंडीराज कंदमूल खोदऽ,
टोपली भरऽ गोंडेन नार।
चैत वैशाख को गोंडीराज घाम पड़ऽ,
सोवन मुखड़ा जाए कुम्हलाय,
घाम लग्या गोंडीराज कलपी गया,

जाइनऽ नीळा नीला कदम की छाँव
जूड़ो छोड्यो परबत वाली गोंडनी
वो की परमळ गई शिव का चौरा माय।

रण दमाको रे गोंड्यि न बजई दियो
छिन मं कढ़ी गोंडिया की धाड़।
साठळ-साठ गलका, गोंडया न भलका,
धामण काम तो गोंडिय लिवी चढ़ाए।
अगल्या-पगल्या गोंडियो कई चाली गाया
चाली नऽ गया, नंदी नाळा का माँय।

गोपण गोळा रे गोंडिया
चलावणऽ लग्या,
डाँवा जवणा होता जाए।
अवला चक्कर शंकर नऽ फेरी
दिया।

छिन मंऽ मारी गोंडवानी नार।
सुण का सामल रे वली धणा
पार का
जीवती करजे म्हारी गोंडवानी
नार।
सुण का सामल रे अबला
गोंडणी,
तू काई होयगा म्हारा चवरा
की नार।
अवला चक्कर शंकर नऽ फेरी
दिया,
छिन मंऽ, खड़ी कर दी गोंडनी
नार॥

न्हाई एक धोई गोंडेन, खड़ी
रई,
लागी रई ऊँगता सूरिया भान
का पाँय।
चोली पेरी गोंडेन चम्पाकली,
लुकड़ो वैड़ी जरद गुलाल,
नैणा में कजलो सारी लियो,
टीकी लगाई ली तारा की
जोत।
सोला सिंगार गोंडेन न अपरंग
लियो,
जाई न लागी सासू नणद का

पाँय
अमर रयजो कुलवऊ थारो रंग मायरो
सदा रयग थारा गोंडिया को राज।

भिलणो-बाळ कथा

पैमल एक फाट्यो सुरिया भान रथ पऽ चढ्यो,
रूलगाँव मंऽ मची गयो रविनाद।
भिलणा को नाँव, मैदा नऽ कान सुण्या
बन्द कर दिया रे, रवि का नवई नाद।
दही नऽ दूध का भऱ्या सरवर,
लोणी की बाँधी आड़ी पाळ।
अलेख जगई पलेख मंऽ शंकर गया,
जईनऽ उब्या गोरदन बाड़ा का मांय।
कल्यांग जाती रई, मैदा गवलन,
कल्यांग जाती रई देव भिलट की मांय।
भिलणा को नाँव, मैदा नऽ कानऽ सुण्या,
छाती में पड़ी गया यैरण का घाव।
रवि का रिसना रवि का संग गाठी दिया,
जोगी पयचाणऽ रे राई का अंगणा मांय।

राग-भूपाली

माँडवा–नीळा नीळा रे माँडवा का नीळा रे तोण्या,
नीळाई वाछेण की जाळजी।
नीळा रे माँडवा रे, नीळा रे तोरण्या
नीळा वाछेण की जाळजी।
म्हारा गवलई को नंदन छोरो भाई,
राजळ ब्यावण जायजी॥ नीळा रे.......
लगिण लगाव, नऽ फेरऽ, फिराव, न,
राजळ ब्याही घर लावजी॥ नीळा रे.....

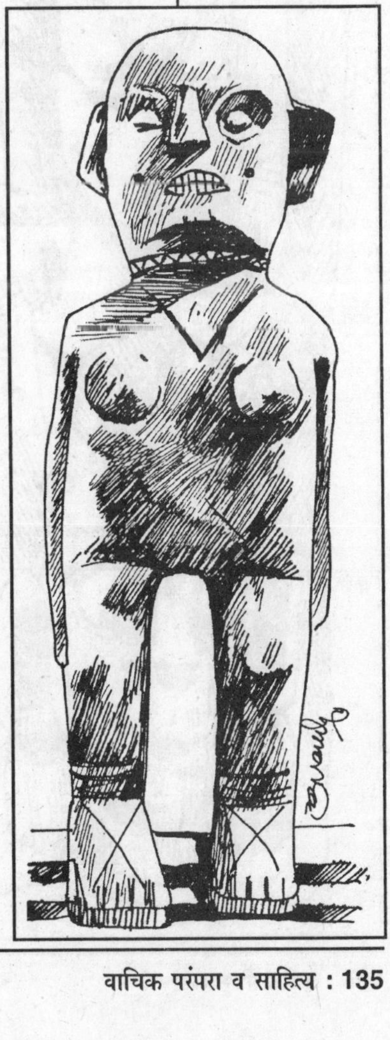

राग–जय-जयवंती

म ग रे ग/रे सा नि सा / रे सा रे ग / रे रे सा ऽ /

बाना–भिलणा आज को वानो कुँवर थारो
कुण्ण निवत्यो रे
भिलणा आज को वानो अमुक भाई नऽ
निवत्यो रे॥
भिलणा जीमाड़्यो छे, दुध मोह्यो भात,
पटोळई नऽ छायो, माँडवो रे।
भिलणा वाजा तो वाजऽ कुँवर थारा,
झाँगड़-झाँगड़ रे।
भिलणा सिंगाड़्या की दूसरी ललकार
गवळेन को बेटो बानो फिरऽ रे।
सुवासन–भिलणा कुण बण नऽ थारी सुवासणी रे,
भिलणा कुण बण नऽ वरमाय
गवळेन को बेटो बानो फिरऽ रे।
भिलणा चौसठ जोगण थारी, सुवासणी रे,
मैया अगाम भुवानी वरमाय,
गवळेन को छोरो बानो फिरऽ रे।

राग-भूपाली

चवरी–चवरी नी फिरऽ म्हारो रायवर,
चवरी नी फिरऽ रे।
देणो होय तो चवरी मंऽ दीजो
करण्या को जश लीजो रे
हत्ती दी जो, घोड़ा दी जो
दूधऽ पीणऽ कऽ गायजी।

सुरियालो सती महाजन

कोण परब मंऽ महाजन आउथ्रया
कोण परब मंऽ सुरियालो लियो अवतार।
जंगल मंऽ, नी मिलऽ चारा को तिनकलो,
सागर मंऽ नी मिलऽ वाणी को तुषार।
वाछरू नऽ छोड़ दिया गऊ को संगात,
मरद नऽ छाँड़ी, सेजा की इस्तरी,

इस्तरी नऽ छाँइयो, पुरुष को साथ।

बावड़ी खोदाड़ी सुरियालो सती महाजन,
धड़ पऽ लगाया असा पल्लव का झाड़।
असा पल्लव का गयरा-रंग छावळा,
छावळा मंऽ उतरिया, जोगी भगवान।
पाणी वाटऽ आई रे, नारी पणघट की पाल,
महादेवजी बोलऽ बन्नो नारायण ऽऽ,
कमला कऽ पूछो महाजन को बार।
खड़ी-खड़ी रयणा, बामण की कमलावति,
सुरियाला सती महाजन को मयल बताव,
नवली मकऽ आणी रे कसबा मंऽ, नव
दिन हुया रे,
हऊँ कई जाणूं सती महाजन को बार।
नवली तुखऽ आणी, कसबा मंऽ भलो
काम हुयो,
एकालेण पाणी हम जोगी न ऽ क ऽ
पिला,
पानी पिलावतऽ बाबा जोगी होण, वार
लगऽ,
पलणा मंऽ रोवऽ नानो सो फुलडो बाळ,
नवली तू खऽ आणी कसबा मंऽ, नौ दिन
हुया,
कां सी वो लाई, नानो फुलड़ो बाळऽ ळ,
रंग जोवन उपजो नानो फुलड़ो बाळऽ,
बाप सैतान कमला हमकऽ मत बोलऽ,
हुई कई जासे जीव को नास थारा।
सोच्या दाणवई कऽ महादेव फुरमई गयो
सोची कई गयो कुवाँ निवाण,
तेई तूख, पापेण को, घड़िलो फोड्यो,
वोका हाथ, खऽ पाणी मेलोऽ सातवाँ
पंईयाल।

तपस्या–राग-भीम पलासी

अवं बारा-बारा बरस का रे
सदाशिव तप पऽ बठ्या हो देव
शिव जोगी तप पर बठ्या हो देव,
तप पऽ ध्यान मोड़्यो रे,
पहाड़-पर्वत मंऽ,
थारी अवत की भवत,
उधईननऽ अवळा करया म्हारा देव।
उधईनन अवळा कर्‌यो हो देव।
भुज पुरी निकला अटूट वो
थारी डाढ़ी की मूछनमांऽ,
खुसुर नन खोसाला कर्‌या म्हारा देव।
नाक पऽ तो लग्या रे कोटिक मुहाळ,
थारी पायँ मंऽ की पद्‌मा
शिवजोगी पयंयाल गई म्हारा देव।
जटा धारीगई रे सरग दुवार
थारी पायँ मंऽ की पद्‌मा, वासुकनाग पूजण करऽ म्हारा देव।
जटा धारी पूजऽ रे राजा इन्दर की नार।

पार्वती को चूड़ो (शंकर पार्वती संवाद)

राग-भूपाली
सोलह सिणगार रे भोला देव राज करो,
चूड़िलो रे पेरावो, गवरी का जवणा रे हाथ।
चूड़ो रे पेरावो रे भोला ईश्वर
हर बुध लावऽ गढ़ चवरा का देव।
चूड़िळो तो पेरावऽ, पिता थारो रे महाजन,
हरब बोलावऽ रे थारी चन्द्रावली माँय।
म्हारो एक पिता हिमाचळ, गरीब वसऽ जी,
स्यामी तुम्हारीज धरती का,
कंद मूल खोदी नऽ खाय।
थारा पिता कऽ तूनऽ गरीब जाण्यो
जोगी का घर मंऽ अवं काई धन माल॥

सिखड़ा का संगऽ इनऽ मकऽ दी रे परणाय,
जोगी घर आई, सुपड़ो लईंनऽ दलणो नी दल्यो हो।
घट्टी पंऽ नी गाया दुबला माय न बाप।

नाना गणपत कऽ गवरा नऽ गोद लियो,
रस्तऽ लगी गई अवं पीयर की वाट।

जाणा एक जाणा अम्बा रंग म्हारी माड़ी
थारी रूठी जी वऊ कऽ मनई नऽ घरऽ लाव।
म्हारी तो वऊ ख बेटा तूनऽ माथऽ रे चढ़ई
....
भाई कठण जालिम देव की वाट।
महादेव का चवरा मं, ठंड को हिवालो पड़ऽ
अनऽझुरी-झुरी हो...हो।
बेटा झुरी पिंजर हुई जाए
मांस म्हारो गल वो, जलमी धरणी पड़ऽ।
खाली पिंजरा हो...हो।
जाई मिलऽ रे शंभु दरबार॥

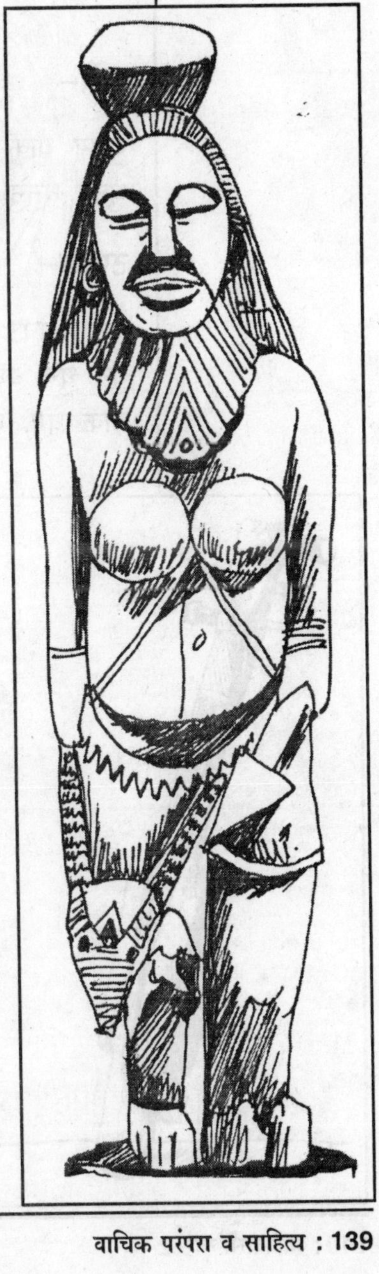

जोड़ चाल–

धुंग धुंग धुंग धुंग
धुंग धुंग धुंग धुंग
धुंग धुंग॥
धुधुंग धुधुंग धुधुंग धुंऽग्।
धुधुंग धुधुंग धुधुंग धुंऽग्।

लरी–

धुधंग् धाक् धुधंग धाक् धुंग्,
धुनुनु धुनुनु धुनुनु धाक् (आठ मात्रा)

टपोरा–

धुनुक धुनऽ क् धुन, धुनक धुनक धुन्,
धुन् धुन धधंग् धंग (दस मात्रा)
धाक धुंग्, धाक् धुंग् धाक् धुंग् धाक धुंग्
तताक् ततक् धुंग,
तताक् ततक् धुंग/धाक धुंग्

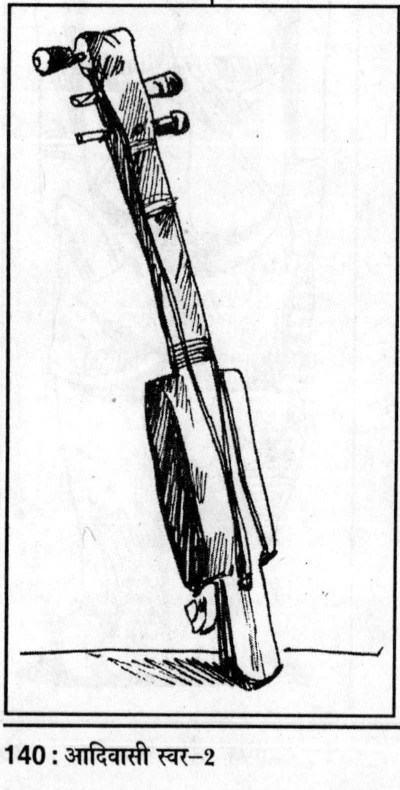

दूयरो गाय टपोरा–

दद्द ददड़, दद्द ददड़
दद्द ददड़ दड़, दद्द ददड़। धुनक् धुन्।

देवार

□ निरंजन महावर

दशमत ओड़निन

धार नगर के चम्पक भाठा, डेरा बने नौ लाख
राजा महर के बेटी एक दसमत ए दे ओड़िनिन हे ज्वान
दस लाख ओड़िया दस लाख ओड़निन डेरा पड़े हे आन
पड़ते काल में बियाना होई सब राजा जोहारे लजाय
राजा जोहरनी पाँच रुपइया सब ओड़िया
ल लीन बिसाय सुरूखा डबरी कदम लागे
बिरखा के हरिना बांधा ला कोड़ाय
दस लाख ओड़िया के दस लाख कुदारी
बिजली असन चमके ला लागिस
दस लाख ओड़िया के दस लाख कुदाली
जब बरसिसं
त धरती हर थर थर काँपले लागिस...
ओड़निन मन सब माटी डोहारिन राजा दाव लगाइस जी
एक ढेला मोरे तो भैया मुलाहिजा
दूसरे में डट्टा आय
फेर ढेला मारबे तो राजा
मार हूँ तोला कुदारी के घाँव

बोडरा चिरई हुँत कराइस
सुन भाँटो के जात
बाम्हन जात के बेटी बनाते
कुल बम्हनिन के सुहात
चिरई में सुन्दर रे पतरेंगा
साँप माँ सुन्दर मणिहार
तिरिया भर माँ दसमत ओड़निन,
तोर बर तजौं परान
टुटहा चरिहा टुटहा गुंडरी
चेंदवा मुड़ माँ लिहिस मड़ाय
एक खेप डोहारिन देवता ला सुमरिन
दूसरे खेप छाती दर्राय
तीसरे खेप जब बोहिस राजा
चेंदवा मुड लागिस करलाय
माटी बुता झन दे ओ दसमत
कहिके झौंहाला मढ़ाए
सूरा चरा लेबे, गदही बेड़ा लेबे,
हर काम बरहवों तइयार
माटी बुआ कराबे तो दशमत
मोर से नहीं सके जाए
हमर जान के बेटी ला बनावे
त मन्द अऊ मांस ला खाव

तब ओड़निन ला पावे राजा
अइसे तो नहीं पावे
पाँच रुपइया धर के ओड़निन
कलार के घर दौड़त जाए
पाँच रुपइया माँ ओड़निन टूरी
टिपली भर मन्द बिसाए
नौ लाख ओड़िया बाँटिन मन्द ला
बूँद बूँद नहीं आय
दू गिलास के मन्द ला दसमत
राजा ला दिइस पिलाय

चुरपुर चुरपुर होय राजा ला
पेट माँ गुन ला बजाय
ओखर पिए ले राजा
लेड़ग असन मै बोराय
खींच के मारिम छुरी मा सूरा
देख बरन नइ जाए
भूंजिस रांधिस उही मांस ला
साग ला लेड़न पकास
एक मूठा मिरवा अऊ एक मूठा नून
डाल
चुरचुरा के पूरन होइस
राजा ला परोसन लागे
अतक सुग्धर साग लागिस
पत्ता ला चाटत जाए
उहाँ ले उठके महान देव राजा
खटिया में सुटिस जाय
गधी के पूँछो सजा के चूँदी
बेनी गँथना अस गाँथ
दू कोडरा गधी ला मारिन
राजा धिसलत जाए
नौ लाख ओड़िया डेरा ले रेंगिन
सुरही डीह चले जाएँ
उहाँ सुरूंग ला खोदे सब्बोझन
ओड़ार बाँध पहुँचाय
ओड़िया दीखव करिया-करिया
करिया धरै उर डाल
नौ सेर के कुदारा रापा
अस गेंडा के खाल
एक दिन अऊ एक रात माँ
ओड़िया दीन कुदारी बरसाय
बारा बैल के भौना पानी
तरिया में छवाय

ओडार बाँध तरिया फूटे ले
धरती हर फट जाए
जलारंग पानी होगे साम्भू में
का...का नहीं हो जाए
राजा डांटिस तिरिया दंडी
ओड़निन मोहनी आय
सब ओड़निन के पता लगाइस
तिर तरवार नहि पाए
अपने मन के रेंगिस राजा
सुरंगी तक चल जाए
उहां पता लगाइस तो
तुरते लेइस सुरंग पहुँचाए
उहीं सुरूंग माँ निंगके राजा
ओड़ार बाँध जब जाए
तरिया माँ ओड़निन दसमत के
दस तमे हो जाए
बार-बार समझाएव राजा।

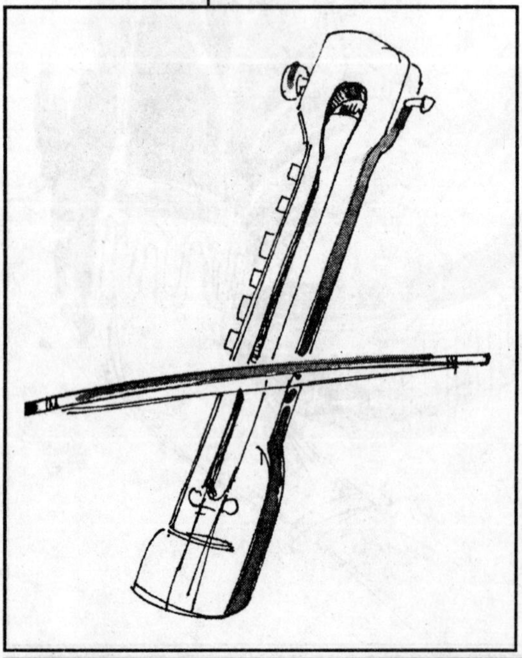

बरजे माने न बात
सब उड़िया मन गुस्सा के मारे
करलिन अपनेच घात
राजा-हरदी सही तोर अंग दिखत है
कुंदरू जस तोर ओंठ
पाका केरा अस जाँघ दीखत है
काचा खवाडल आस।
चर चर दिन के रंग रंग टेसुआ
पुनि अँधियारी रात
गए समय नहीं बहुरे राजा
उतरत मन झुंझवात
सात रानी तैं पहिलेच बनाए
सोला घरेली आए
सात मा मोला आठ पुरावे
दिन रात खिट खिट छाय

सात रानी के दूर बनवासा
एक के नई दो कान
बेटी ला छोड़ों बहुरिया ला छोड़ों
तोर बर तजौं परान
महादेव मंय तो बेटी हंवगा
मैं तो कुल बम्हनिन के जात
ओही समय दसमत ओड़निन हर
आगी म लीन झपाय
सती होके ओड़निन टुरी है
पानी मा लीन ठंडाय

बीरम गीत

अँगना लिपाय चक चंदन मोर
भाई रे मोतियन चउक पुराय
धारा नगर के बम्हना बोलाइ के
सुभ देख के लगन धराय।
मइके के खोल बड! सहना मोद ददा
रेंगले हौं बइहां झकोर
ससुरे के खोल बड़ रांकुर मोर ददा
रेंगलइहौं बइहां सकेल।
अगना माँ कुवाँ खनाय लेते मोर
दाई धियरी ला देते ढकेल
ऊपर पथना पिटाई देते मोर दाई
ओ गंगा कर लेते असनान।
कोड़ि-कोड़ि बोई लेते अरंडी ला मोर दाई
जोति जोति बोइते कपास
खाई लेते अरंडी के गोफीला मोर दाई
कोखिया ला करि लेते बाँझ।
दाखम कोईया अऊ घट पीपर
सुलुँग खजूर कइ पेड़ हो गहि तीन पिसि पिए दुलहिन दे के
मइया बिटिया झनि होय हो।

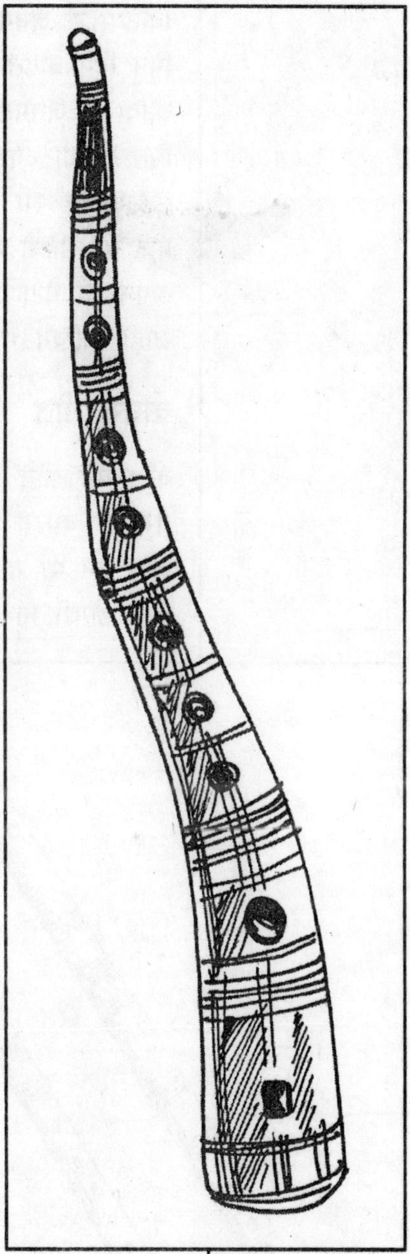

बिटिया के जनम तो झाँझर कोखिया
नित दिन बाढ़ता सगोड़हो
बेटवा के जनमत निरमल कोखिया
नितदिन बाढ़े परवार हो
उड़त चिरई ला तै झन टिपिवेगा
पीठ के बहिनी समान
अपन घर बेटा अऊ पर घर बिटिया गा,
जोड़ी लिखिन भगवान हो।

बोधरु गीत

कोन बन कोन डाँगरी कोन रद्दा
मेरे मोर बोधरु भैया
कोन बन मा गइया ला चरावत होवे रे
कोन डोंगरी मा बंसी ला बजावत होऊ रे

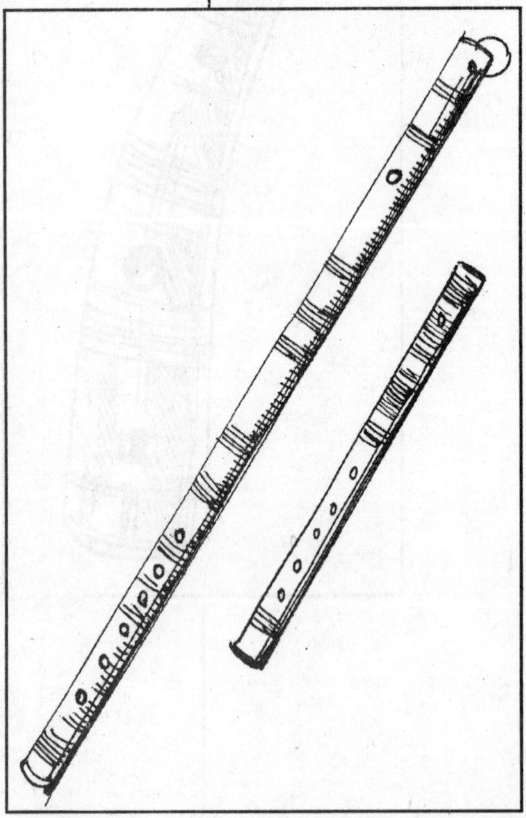

कोन कुआँ ले पानी टेड़त होहू रे
में कोन थाने बासी ला अमराऔ भइया मोर
दूही बन इसी झाड़ी में ओ दीदी मोर
इही जंगल मा गरुआला चरावत हवन ओ
इहि डहर बासी ला उतारे देबे ओ बहिनी मोर।
आए बर आवे ओ बहिनी
करसा कलौरी ला लेते आबे ओ
सात गाँठ हरदी ला लेते आबे ओ
बिजन अरु पर्रा ला लेते आबे औ
मउर मुकुट ला औ मोर दीदी...।
न मोर घर करसा कलौरी रे मोर भाई
न मोर घर पर्रा और बिजना ये गा।
न मोर सात गाँठ हरदी ए रे
न मोर घर हवय मउर मुकुट गा।
कुम्हरा घर करसा कलौरी ओर मोर दीदी
अऊ कड़हा घर पर्रा अऊ बिजना ए ओ
बनिया घर सात गाँठ हरदी ओ बहिनी मोर।
का करबे पर्रा अऊ बिजना ला रे।

का करबे मउर मटुक ला भाई।
का करवे सात गाँठ हरदी लागा भाई मोर।
तोर संग मंगली तोरे च संग जंचनी
तोरेच संग करहूँ बिहाव
टेड़ा बारी में भाँवर परिहि ओ बहिनी मोर।
तोर आँखी फूटय तोर छाती फाटे तोर गोड़ टूटय
रे अरे रोगहा रे बेहिनी बर नियत लगाय रे।
नहीं आँखी फूटय नहीं छाती फाटे नहीं टूटय मोर गोड़ओ
अओ डौंकी मोर, हमर गोंड गोंडवानी में असन चलथे वो।

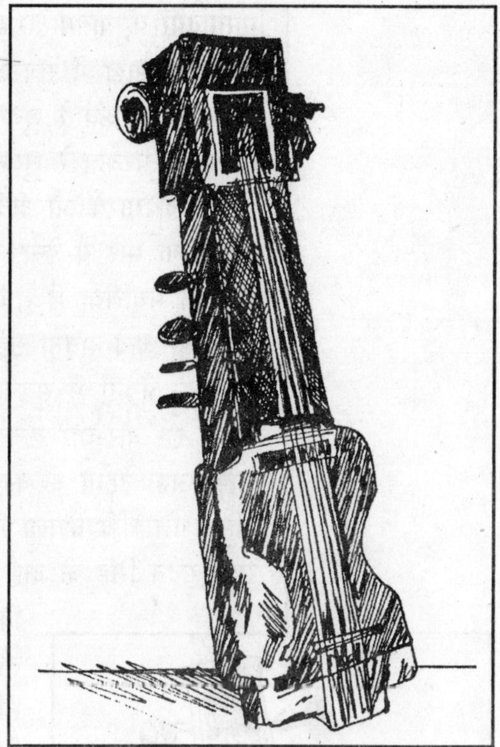

गोपी चंद का गीत अंश

धोए चाउंर, अऊ बेटे के पाती
नित उठ सिव मा चढ़ाइबे
सिवजी के सेवा मा बेटा तोला पायेंव
एक बहिनी मा एक भाई
बारा बरस ले बेटा बंझली कहायेंव हो
तेरा बरस मा तोला पयेंव....
एकादसी बेट बरत रहेंव
अन्न नहीं खायेंव बेटा
पियेंव नहीं पानी
बेटे के खातिर लेसेंब सकल सरीर
सावन बेटा बुन्दिया झीरियन बरसे
जस बीच रोथय महतारी

कँवला रानी गाथा के अंश

अतेक जाड़ माँ कँवला रानी अटल कुंवारी मोर जंवरिहा के दाई होगे बरे बिहाव
संगी मोर हांसय हांसय हो दाई
.....हांसय मोर जंवरिहा
कोरवा बैठार के औ बेटी लगीन घरायेंव
पर्रा बैठार बैठार के भाँवर पढ़ाएंव
कोने गाँव में हावय औ दाई मोर ससुरार
हरदी सहर में बेटी तोरे ससुरार

माता गौरी पिता मोर महादेव
का तोला माख में सुवना, का तोला पटकंव
का तोला पटकंव रे सुवना, डो के "ँखुरिया
का तोला पटकंव रे सुवना, पिंजड़ा में मोर
झन मोला मारवे औ दीदी, ओ पिंजरा के मोर
झन मोला मार बे डेना औ पंखुरिया
सोन के मचुलिया में सुवना मोर बइठे (मदन सिंह)
उड़ी-उड़ी जावे सुवना उही रे पीपर मा
राजा के अँगना में सुवना के, पारस के पीपर
अंचरा ला चीर-चीर कँवला ओ कागद बनावे
काड़ी अऊ टहनी के कलम अऊ सियाही
पहिली लिखे थे कँवला सिरी सिताराम।
राजा मदन सिंह के दाई मतोर संसो तो करय

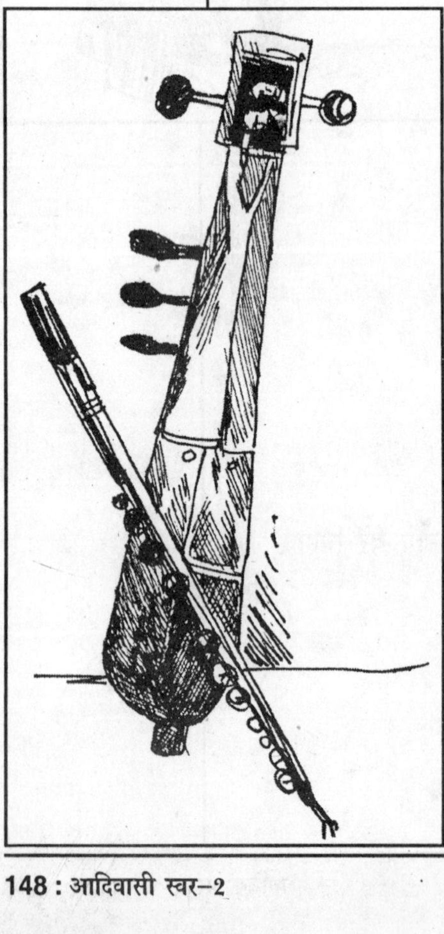

किया तोला संसो गा बेटा परे तो हावे
तोरे बहु ओ दाई चिट्ठी भेजे हवय
तरियन होही ने दाई चूरी हो पहिरय
मरद होहव औ दाई तो अइहय बराते
अन्न नहीं खाहों पानी नहीं पियंव
ढाढ़े तो गवन औ दाई लानंव मैं कराइके
धाने ला कुटवा ले, गेहूँ ला पिसावय
ब्राह्मण बल वै अऊ लगिन धरावै
गाँव में ये ...हाँके औ परावे
राजा मदन सिंह के भाई चलव गा बरातै
पहिरे पिताम्बर धोती डोर उरमाले।
घोड़ा घुड़साल रे भाई, घोड़ा सम्हरावे
राजा तो मदन सिंह रे भाई, रेंगय बराते।
राजा मदन सिंह रे भाई, घोड़ा ले नई उतंरय
गवन कराकें रे भाई घर भर मिरय
सबोझन बरातिया रे भाई निकलन लागे
कँवला रानी मोर पहिरे सोरह सिंगारे
बाहिर में निकलय राजा मदन सिंह
सबोझन बरातिया तो घर बर रेंगे

राजा तो मदन सिंह रे भाई घोड़ा कर पूछी में
घोड़ा के पूछी कँवला ला बाँधे
घोड़ा ला कुदावय तब कँवला हर चिल्लाय
गोबर के हेरइया राजा मैं पानी के भइरया
कतको मोर हवय बाई मोर गोबर के हेरइया
कतको झन हवय मोर पानी के भरइया
घोड़ा ला दबाते रे भाई तब कँवला चिलराय
अल्लर-कल्लर के जब कँवला हर रोवय
गोरसी के भरइया राजा कचरा में फेंकइया
कतको झन हवैं हम कचरा में फेंकइया
कतको हमार हवय गोरसी के भरइया
टूटी फूटिके रे भई मोर सोरह सिंगारे
कँवला ओ रानी के भई मोर छूटिगे परान
अंत तोर हाथ परे कँवला अंत तोर गोड़े
चील अऊ कउँवा झूमन जब लागे
औती के आवय दादा नारद मुनि
उहीं में आवय भई पारेबती
हाड़ा अऊ गोड़ा ला कँवला के सकेलय
पारबती हर सबोला सकेलय
सुनि ले तैं सुनि ले ओ नारद बचन हमार
इहिला जियावे तैं नारद, तमे अन्न खइहौं
पारेबती हर हठे पकड़लिस
नारद मुनि हर तमे अमरित छीचें
अमरित छींच के भाई कँवला ला जियावे

ससुर के रद्दा ल भई कँवला जब पकड़य
राजा मदन सिंह तो भइया पासा में बइठे
उहींच ठौर माँ कँवला हर पहुँचगे
कोन गाँव के हावस रे हर रहवइया
गाँव मा तो घर नईये राजा रवार में तो खेले
पहिलिच पासा डारे औ कँवला धने औ दोगानी
दुररेच पासा में ओकँवला भैया ओ गोहड़िया

राजा तो मदन सिंह ला भई कँवला हर जीते
राजा मदनसिंह हर तो भाई कँवला के पाँव
से गिरगे
कोन गाँव के हावस ओ बहिनी तेंहर रहइया
गबन कराके हो राजा तही मोला लाने
घोड़ा के पूँछी में राजा तंही मोला बाँधें रहे
अमरित पानी राजा नारद जब छीचिस
कँवला रानी हो राजा मही हर त आंव
कँवला रानी जब जीवन लागे
राजा मदन सिंह तब हार गइस

नगेसर कइना

सिव नायक बेटा सीताराम

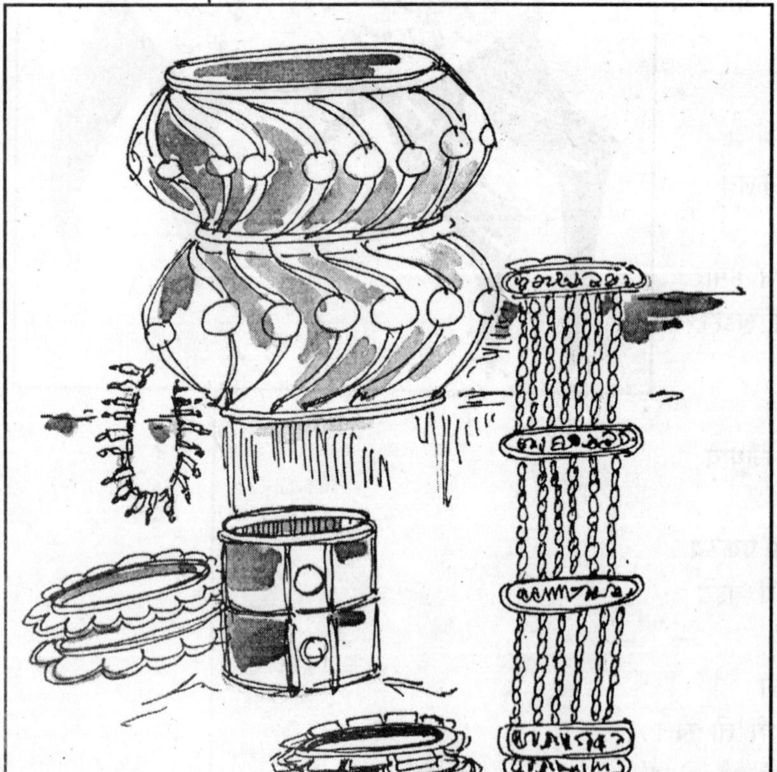

बह्मन के लागौं दमाद
रतनपुर के आँव में जाथौं
मल्हार मोर ससुरार
झारा रतनपुर के पगड़ी बिराजे राम
एक दिन होंगे, दुई दिन होइगे
भइगे तीन दिन गा
चौथे दिन के छावमा पहुँचैव भैया
तरैया के पार
ससुरे के तरिया तम्बू तनातेंव
कँबल के फूल में बरदा रेगातेंव
बरबतरी बइला कदम तरी बाँधे
घोड़वा बाँधे आमाडार
तरिया के पाटके बोली ओट्री झुरमुर
लेट्टे पिरीत
नगर डाहू के बइला निकालेंव
तेकर सूपा बरोबर कान
आए हो मल्हार में गबन कराए
साते भैया के
बहिनी नगेसर

जेकर हवय बड़ा दुलार
जब बिदा नइ दियो जब आयेंव
गवन कराए
दाई वो दाई बँधा नुन्हाय के साथ
झन जाबे वो पेटी अनजाबे
नगेसर आजे वो काल तोर लगन
लिखाए
एक दिन हो जाही जीके काल
दाई ददाके बरजे नमाने भोजई के
न बात
फेर मोला बन्धा नुव्हाए के साथ वो
दाई
बन्धा नुव्हाए के साथ
घरहिन कुँवा धरहीन बावली घवहीन
करौ असनान
दस झन आगू दसझन पिछमें करिहौं।

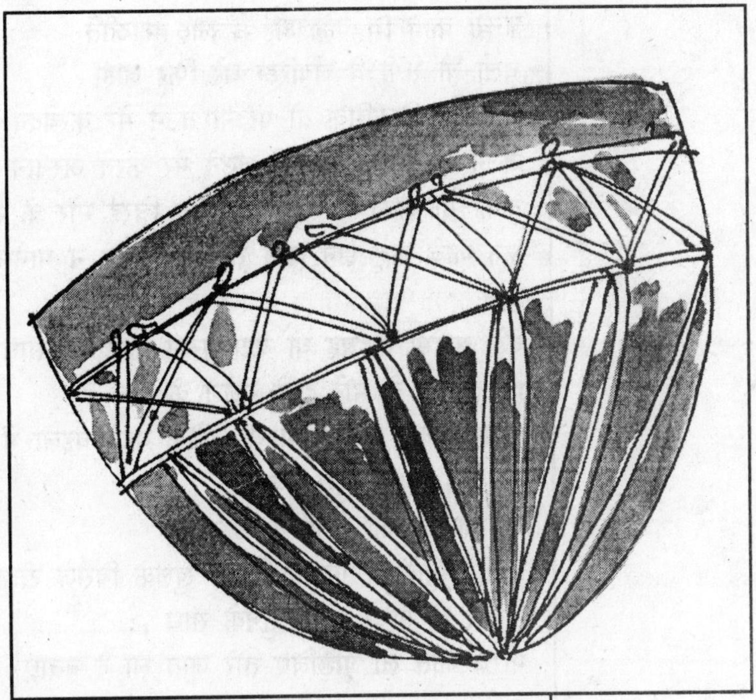

फेरिका पेलन मोर संगी आए बासी चोटी तोर
संगी आए
सिली मुड़ी झानो मुड़ी तौर संगी आए
ठगिया मिलापा संगी अंदरिहा भोली जँवारा
घरके निकलन बेलई आड़ काटत खोरके निकलत
कुकुर
दुर रे कुकुरवा छुर रे बिलैया का बैरी का दुसमन
काकर संग होही भेंट
आहूँ लहुटती .....पूजा
मुनगा फूले पाँहर खाखमा फूले सफेद
नानपन के तोर बने बिहाता बो नगेसर
तोर बन्धा में होही भेंट
जूठा के चटैया कुकुर घुरवा के बैठैया तेकर बरजे
न मानें बात
दाई ददा के बरजे न माने भाई
भऊजी के बात कहे न माने बन्धा नुव्हाए के साथ

बन्धा के चढत कोलिहा वो आड़ काटत
चलो वो संगी वे जँवरिहा धरे फिर जाही
जोन मेर चिकमिक वो पंखना तउने मेर करवेदन वन
जउने मेर घइला वो बूड़े तउने मेर करवे अस्नान।
कका गा कका गा सुन लेबे बात चिरई मोर के साथ
झन जाबे बाबू झन जाबे सीताराम बरजे न मानेस
बातें
बड़े आदमी के बहु वो बेटा बन्धा नहाए के साध
एक गुलेल ले मारे दूसरे गुलेल के छाँव
तीसर गुलेल छाँव में भइया उड़िके बइठे घइला में
घुस देबे बहिनी घुस देबे
बा बह्मनिन का सेनारिन के जात
छीनी अँगुली में गोदना बिराजे खुलके बिराजे टोड़ा
दिखते के सुन्दर बोली सुनके साध
मोरेच जात ला पूछिलिए तोरे जात ला दे बताए
का बाम्हन अस का रजपूत असच
का सोनारे के जात
पातर तीतर डंगनी बरोबर फूटे मेछा के रेख

धोती पहिरे रेसम काठी तोला खुलके बिराजे उरमाल
दिखे के सुन्दर बतायस बोली जहर
चली वो संगी चलो जँवरिहा घर जाही
कहाँ के आए हमला करत है खियाल
सुनके बात ला तोर घइला के धरम जूड़ा पानी
जिवरा जाए जुड़ाए।

मोर असन में कुछु नई माँगे
पानी ला माँगके रहे
हरी मूँगके दार रँधातेंव दस मतिअन के भात
भेला के भेला गुड़ खवातेंव
तेल लगाए बर नाऊ उधातेंव ओढ़ना धोबाय बर
धोबी तोर घर के मोला जुटहा बनाए तो घर के फेरहा
मोर असन के पाले परते टूरी

तोला दिन-दिन बरदा चरवातेंव
भड़वाके टुरा रे
चली ओ संगी चली वो जँवरिहा
धरे फिरन चल जाही
कहाँ के जुटहा कहाँ के फेरहा
हमला करत है खियाल
सोन के घईला ला अँगना में पटके
चाँदी के गुढरी छान्हीं में पटके
रोवल लागे नगेसर सातों भाई के बहिनी नगेसर
कोने वो दिए रिसाय
कहाँ के जुटहा कहाँ के फेरहा
हमला बन्धा में करिस खियाल
ददा गा ददा गा लाडू लुटाय
चलो रकासन रयत लाडू छुटाए जाई
ददा ग ददा सुन लेवे बात चलो जोरो फऊज
फटाक
बेटा रे बेटा सीताराम बरजे न बात
बरजे न मानेस बात
झटपट तब उसालेन पर चले भगाय
छै कोरी बँटा सात भाई ले के बंधा के आके
उतरे
आके देख सीताराम ला लिए हाथ माँ गुलेल

सातो भाई तिलके हाथ जोर बईठे करथे भँटोंला जुहार
सारा के नाते हम ... हया-मया माँगयौ राखो हमर मरजाद
ओतक बात ला कहके सबो झन लेथै सीताराम ला घेर
थोड़ा रेंगावत चलै सीताराम
जाथे सीताराम ससुराल
दाई ददा वों सात भाई मिल के
सुभ दिन महुरत धराय
जाथे रतनपुर नगेसर कइना डोला पालकी फँदाय
दाई ददा के इन्द्री जरथें
भउजी के जियरा जुड़ाए

साते ठन भइयन के एक ठन बहिनी
गा गरम टूटे ससुरार

गोपाल राय बिंझिया का गीत

अहो माय सरसती भवानी
मोहिं चघ गावौं गीत
अंठे गावों कंठे जिमिया में गुरू गनेस
जोन जो अच्छर गावौं सरसती जिभिया में बैठ कहि देय
देव बरोबर राजा रतनपुर के राज सिरी कालियान साय
चार जुग के महाराजा में छत्री जन में गोपाल राय
तेकर संग मा गोपालराय के तैंतीस कोरी देवता परगट हैं। कौन कौन देवता हवैंय।
देवर चंडी देव प्रचंडी देवमाता मावली
रइगड़ के रंगेली अठरा सती, मुरगा पाठ देवता,
छुरिन के कोस गाई, तरैंगा के मावली घोरा धार,
समलाई संबलपुर के....
सम्मुख देवता महामाई रतनपुर के काना भैरव
लखमी देवी, बूढ़ा महादेव
मेंडी-मुंडा में ठाकुर देवता, जिनके आगू मा परऊ बैग
मातिन के मातिन देई, सुरगुजा के नथलदेई
सातगढ़ कँवरा ने में झगर खंड देउता
पेंडरा के माटा में गुरमेली नगारा, मैन नाँव के हथनि न रहिन
लल्लू बजैं चारजुग के नेबी बने रहिन तो प्रगना चलालै
कतेक राजा के परगना, सात राजा के सँजारी,
सोरा राजा के बलौद, असी राजा के धमधा

बावन क गढ़ा, बावन के मंडीला, बावन के बनराज
अठारा गढ़ में रतनपुर, औ अठारा में रायपुर
सारंगढ़ में नागपुर, छप्पर कोट के जिमिंदार
छै गढ़ पटरानी पटना, उतर बघेली
सोरा डंड के सुरगुजा, बाइस डंड के ओडियान।
सात राजा के कोड़िया, सातराजा के मखार
बिन्द्रावन खोली ले
छै कोरी माल लोहा बजवैया हथियार उठवैया
अंडा महुदा माल मागे दुबे सगरो बाम्हन के बेटवा
असन मागे दुबे
पीपर थाह का नवाय के बोकरा का पत्ती चरावै
नौ मूँठा के साबर गठरी पारैं
भेज देय रतनपुर काबर अख्तियार चले गठरी छूटे
एक्के छौरे गोपालराय दूसर के लेखा बोझा हो जाए
उनके बल के थाह में दुन्नोनझन मितानी बदे रहिन
सोन जोंधन साह हठीला बेला दुला में जगमान बढ़ई
मटवा सगरो माल खेदु बैजनाथ माल रहिन टेढ़ी मउह
भोजमान गढ़ा तुरतुरी कँतराय कँतीन राय
गुंड मै सावर साय नवागढ़ में ठाकुर लखमी चंद
तेकर सबसे माल बिजरा गोपालराय
चारोजुग नेगी अपना चलावत रहिन।
तो सगुनी मंत्री पंडता के प्रभुता में
आल्हन के प्रभुता में लीलामन भाट रहिन गढ़ कौहा में रहिन

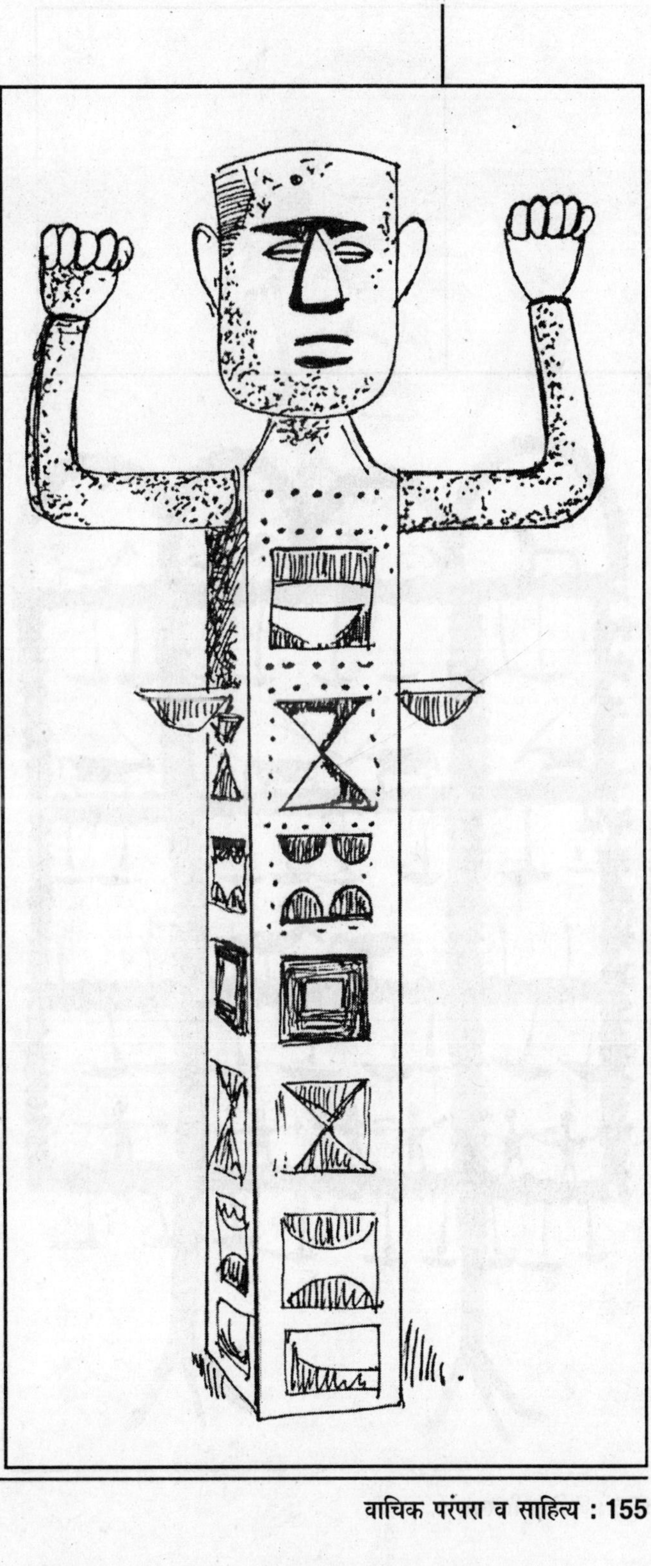

राजा कलियानसाय रतनपुर मा रहिन तो नेगी देवान कहवाइन
चारौं जुग के राजा भइन चारौं जुग के पाछू राजा कलियानसाय
भइन। बड़भाग मानी राजा धरमी राजाऔ राज पती
बाइस पुरखा रतनपुर के राजहोन रहित।

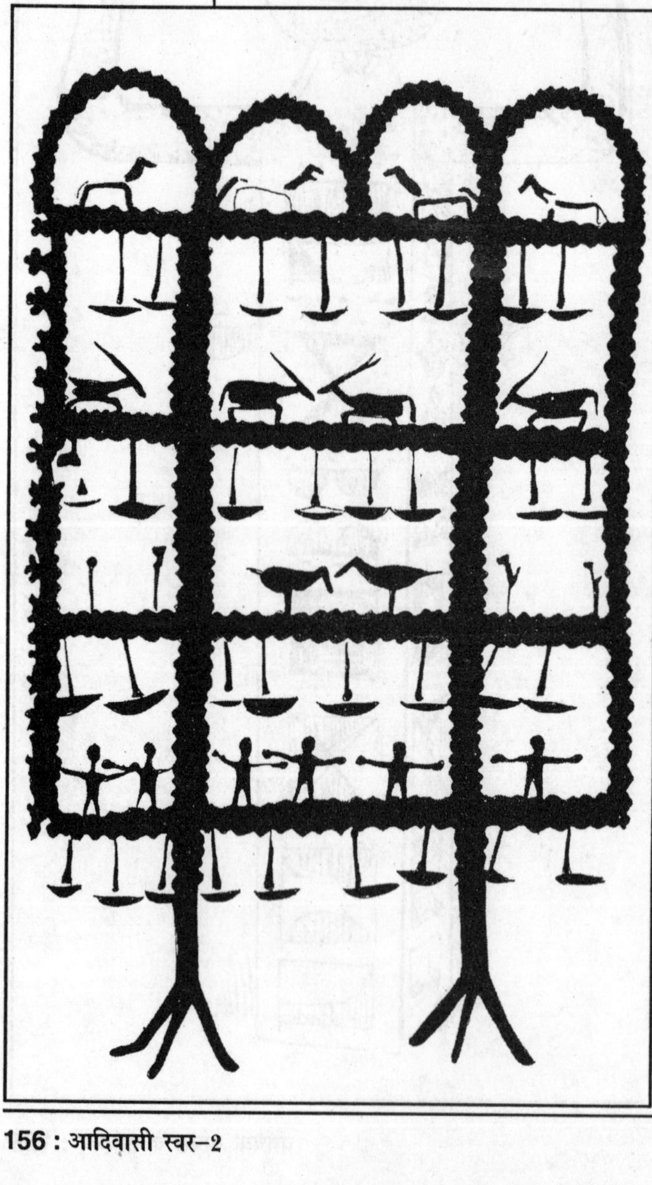

बा छाय जनम धरे है दिल्ली में
उनके चघे है ....
सातै सुब्बा बैठे है ....वीरन नवाब
बाइस पुरुत ..... के उपर मां तखत खालें में कचेरी
चंदन के ...... है मेघ छत्र के छाँळ
अऊठ हाथ के .... तखत ऊपर में
सात आठ ..... कौन कौन बैठे है
बा छाय के बेटुवा शाहजहान
बा छाय के बीरन बइठे बहादुर नेगी
बहादुर नेगी बेटवा दबल रवान
बा छाय के गुरु हैं दलीला मलीला
बा छाय के भाई हवंय खुरमी दुरमी इलाहाबाद के
खाले मा कचेरी कँकर खुज मुगुलसराय चेतनीराय बाछनी
तबल रूहेला डाँगी लगे पठान
सात लाख घोड़ी में घोरमुँहा बइठे
झार बहादुर बइठे हैं मुगल दरबार
हाड़ जाँगड़ा बइठे है करचुल हैं परिहार
खाय-खाय नागिन झूमरथैं भरना खा नहीं डेराय
तगड़ी बात को नही सुनैं फेंक मार तलवार
ऐसे बाछाय के कचेरी बने रहिन।

ढरकत रैंगे गड़े मूंड
गोपालराय उल्टे कब्जा
जाँधन में जंग देवता, भुँजा
माँ कुन्हरिया
दुन्नो नैन मा सनीचर,
तोलगी में चितावर
खर्राघांट के जोगिन नैन मा
बइठे है
रेंगत है गोपाल राय गली
गली माँ रतनपुर के आदमी
देखय टुक-टुक दिल होय
देखत है मल्हानिन छाती
पीटय आव आव आव
अभी तुम सुपोती बइठौ
सुपेती बइठौ, पान खाव,
गाँजा तमाखू पीवो

खेले दाँव गोपालराय खाँडा
निकाले
छै कोरी मोहरी के लनी
खाँडो गेंडरा मेंड़ धर नइ
दिखै।
खेले दाँव गोपालराय खाँडा निकालै
छै मासी रात के लेनी खाँडा गेंड़रा
कुँवारी हाथ के ढारे खाँडा गेंड़रा अय
चटवार बरोबर माल के टोखाए
बहाल के खुदवाए, हाथी के खुदवाए, खाँड़ा गेंड़रा
तैंतीस कोरी ओकर खाँड़ा में देउता बइठे
खाँड़ा गेंड़रा शिवन के जल हली
खाँड़ा के मांथा मा हनुमान के लंगूर।
खाँड़ा के माथा में सतधार समुंदर बने हैं
सोरा जमनाजी, भीमसेन के गजा डाँग खाँड़ा के माथा

छितामाई के चौक पुरे हैं खाँडा के माथा मा
धरती आकास के बूत खाँडा के माथा माँ।
परबत भर के तोर के तन मा लान चघावै
लालफरी सेंदुराही ला बुढ़वा ओढ़े रहे।
रिसकर खाँड़ा फटकारै गोपालराय
लालफरी सेंदुराही टुकुटा उड़गै
फेर खाँड़ा फटकारतिन तो खोल जनेउ उड़ जातिन

दिल्ली शहर माँ जाब सोच करके अइहो
और सोच करके जइहो
बुढ़िया कस का देखिहौं तो महिरतारी गोठिअइहो
जबाना कस का देखिहो बहिनी गोठिअइहौ
कुछु के अन्नाई डिल्ली सहर माँ झस्न करिहौ
तुम्हारा राजा जाथै कल्यान साय
तौन का सोझ लहुटाय के लेअइहौ

सरवन गीत का अंश

देखो हो कलजुग के चाल
सास करय पतो के सेवा गा
देखो हो कलजुग के चालला गा
बाप कबंरिहा बेटा असवार
एक मास एक मसिया भये दु मास पुतुर दुरजन भये
तीन मास में तिरलोचन भये, चार मास राजा भरत भए

पाँच महीना माँ पाँचों पँडवा, छटे नारायन देवता भये
सात महिना सतमसिया भए, आठ मास जीयय नहीं कोय।
नव मास में सर दुनिया अऊ दस मास राजा सरवन भये।
....निकले कुलच्छन नार सुन लै भैया मोरे बात
मोर बर तै बतरन गढ़ दे एक हंडी के दू ठिन पेट
.... ला सूनिस कुम्हार, चाक ला देइस चढ़ाए
एक हंडी के दू ठन पेट, बना के करिस तैयार
हंडी धरे कुल्छन नार, अपन घर मा आवन लागै
एक में रांधै निर्मल खीर एक मा रांधे खट्टा मही
राँधरु-रुधाँ के भइन तइयार
जेंयबर परसिस कुल्छन नार
गोड़ धोके खाए बर बैठिन सरवन अंधी-अंधा
नीरमल खीर परोसिस सरवन ला
अऊ खट्टा मही ला अँधरा अँधरी ला गा
देखन लागे सरवन मोर भाइ पिता कइसे दुबराय
एक दिन सरवन सथरा पलटाय
निरमल खीर अँधरी-अँधरा अउ खट्टा महीला आपना खाए
घर से निकले सरवन राय दोपहर के बेरा में
अंधी-अंधा मरीस पियास
बोलन लागे अँधा-अँधरी सुनले बेटा सरवन मोर
मोला लगे है अब्बड़ पियास
आमा झाड़ तरि काँवर ला उतार
पानी डूमे उही समय में सोवत राजा दसरथ जाग
बड़े मिरगा के भोरहा में सरवन ऊपर बान चलाए
राम राम सरवन देखन लागे सरवन भाय
कपिला माँचा ला बान लगे मिरगा के धोका में

रोवन लगे डंड पुकार
तूम्बा माँ पानी भर के आवन लागे दसरथ राज
अंधी-अंधवा ला पानी देवन लागे पियास
सरवन हाँक मारे तबले दसरथ नई गोठियाय
आखरी बात में बोले दसरथ सरवन ऊपर
भोरहा में बान चलायैव

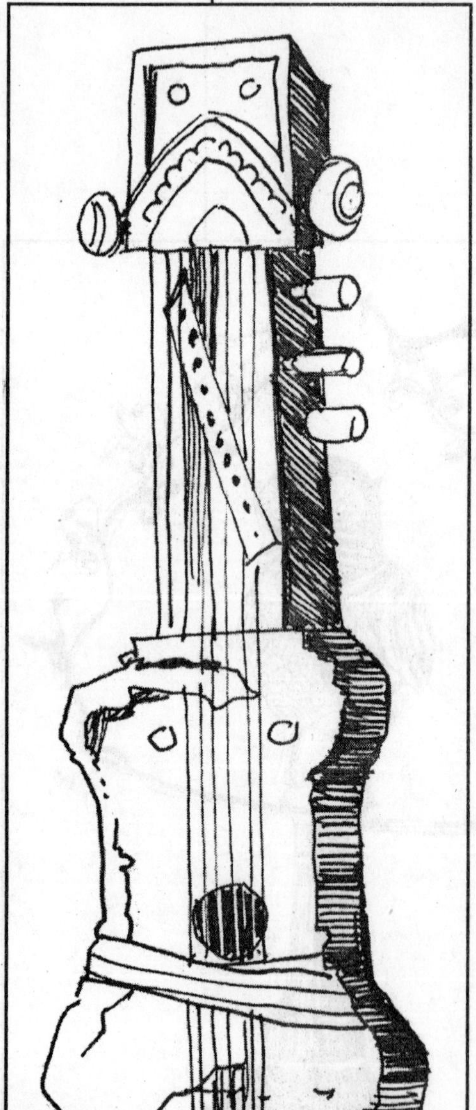

ओतका ला सुने अंधी-अंधा 'राम राम' कहके परान गँवाय

गोंडवानी का अंश

कइसे हीरा खान छत्री
जगत परसिध जोधा रे भाई
अपन खाँडा के जोर मा
बावन गढ़ के राजा मन ला
जीत लै है दादा।
हजारों राजा के सिर ला काटे है
हजारन जमींदार ला कुचल डारे हवे भइया
चुरैलन वो भुतवन ला
अपन बस माँ करलेहै
राजामन के रानीन ला
अपन महल....रे दादा
कैद कर राखे हवय
पाँच नागर पाछे
अऊ पाँच कौड़ी गरे बिसवास
हीराखान छतरी हो घोड़ा के गहना ऊपर
सब किस्सा लिखे रहे अपने जीत अऊ करतब के
कइसे देश-देशन मा डंका त बजाए रहै हैं
हीरा खान क्षत्री हो....।
ऐसन हीरा खान छत्री जोधा
जेखर नाम ला सुन के गोंड राजा के धोती छूटथे
हाथ ले ढाल तरवार गिर जाए
ओखर बड़े भाई का धोखा में मार के
तपेसर बड़ा जुलन ढाए हे रे भाई

अब बोले है दिवान रे मोरे भैया
तै झन सोच ..... राजा
रेया सिंधोल मा ..... दे दादा
बावन गढ़ के आये रे लोग अऊ बाइमन
उहैं चल वों राज करले तैयारी
रैया सिंधोला की पद्मावती के बहिनी
अऊ तपसेर राजा के बेटल ला हाथ पकरके
लानबो अन ब्याही रे राजा
अन ब्याह रे राजा
रबै दाह बुझही रे छाती के भैया
अब चले हवै हीराखान गा भइया संगमे दीवान
संग अऊ साथी रे ददा घर के बल्लम अउ बरछा
बाँध के फेंटा लकरी अऊ फाटा भइया
पत्ता अऊ दोनों काँटा अऊ फरहा
चार अऊ भिलमा तेंदु ओ बैचाँदी गा
तीखुर अउ भाजी अउ चार के चिरौंजी भइया
धवा केर गाद रे घर-घर के भैया
कैसे चला थे हीराखान के संग साथी हो
हो जायके पहुँचे हैं बजार मोरे भाई
बावनगढ़ के बावन बजारन ले बढ़के हवय
रैया सिधोला के बाजार गा।
दूर-दूर देसन के बड़े-बड़े बेपारी
आए हवय बाजार मा गा भइया
किसम किसम के सामान ला लाने हवय
बेचे खातिर बाजार माँ हो दादा

बघनीला

बघनीला छीला मोर चंदा छबीला मोर बघनीला
बघनीला चीला मोर चंदर छबीला मोर बघनीला
मारे चदैनी चोटी टीपेला चिरैया
संगी नो है साथी मोर जीव के लेवइया
बघनीला छीला मोर चंदा छबीला।

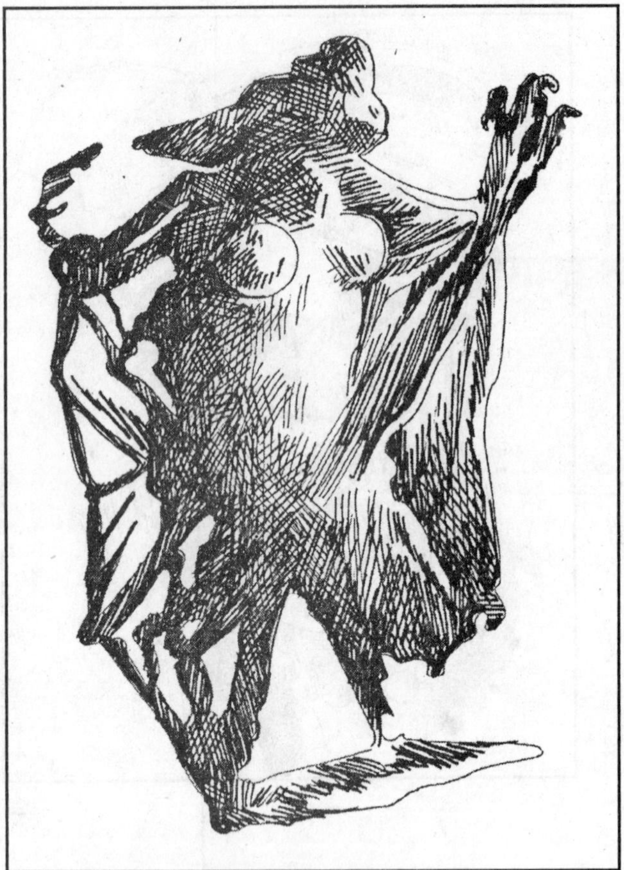

तोड़ा तोड़ा मोर गोड़े के तोड़ा
मोरे करा आबे खेला दू हूँ तोला
मोर करा आबे खेला दू हूँ तोला
बघनीला छीला मोर चंदा छबीला मोर बघनीला
बघनीला चीला मोर चंदर छबीला मोर बघनीला
तरिया के तीर मा खेलत हवय पासा
डइका वाले डऊका के कौन करे आसा।
मोर बघनीला....
चंदा चंदा मोर पोनी के चंदा, पोनी के चंदा
दिखब में लोंदा अऊ खावय में गीला
मोर बघनीला....
गेहूँ की रोटी ला कर डारे कुटका, कर डारो कुटका
बड़नीक लागे मोर धनी के मुटका
मोर बघनीला....
गेहूँ के रोटी ला अंगारा माँ सेकय
दिल नहीं माने मोर परछी ले देखय
मोर बघनीला....

आदिवासी लोक-कथाएँ

❐ डॉ. सुश्री शरद सिंह

कोंदा मारों और सिंगा मारों

ये कहानी उस समय की है, जब बस्तर के दक्षिण भाग में और भी घना जंगल पाया जाता था। इस घने जंगल में सभी तरह के पशु और मनुष्य मिलजुल कर रहते थे। जंगल के बीच में ही मनुष्य खेती करते थे और पालतू पशु जंगली पशुओं के साथ हिल-मिल कर रहते-खाते थे। वे दिन आज-कल के दिनों से बिल्कुल अलग थे। उन दिनों झरने गाना गाते थे और पेड़ राहगीरों पर पत्तों से पंखा झलते थे। जंगल में हजारों पक्षी भी रहते थे जो सुबह से शाम तक गाना गाते और यहाँ-तहाँ उड़ते रहते।

उसी जादुई जंगल में एक गाय रहती थी और एक शेरनी रहती थी। दोनों में घनिष्ठ मित्रता थी। दोनों साथ-साथ घूमतीं और साथ-साथ खातीं-पीतीं। उन दिनों शेर-शेरनी केवल मांसभक्षी नहीं होते थे, शाकाहारी भी होते थे। वे लोग घास, पत्ते और फल-सब्जियाँ भी खाया करते थे। उन दिनों की एक और विशेषता यह थी कि तब यह जरूरी नहीं होता था कि शेरनी का बच्चा शेर या शेरनी हो, शेरनी के पेट से बैल पैदा हो सकता था और गाय के पेट से बैल जन्म ले सकता था। साथ-साथ घूमने वाली इन दोनों सहेलियों के साथ भी कुछ ऐसा ही था। गाय के पेट से शेर ने जन्म लिया था और शेरनी के पेट से बैल ने। गाय अपने शावक को बहुत प्यार करती थी और शेरनी अपने बछड़े को दुलारती रहती थी। शेर और बछड़े में भी आपस में बड़ी दोस्ती थी। वे दोनों साथ-साथ खेलते, साथ-साथ खाते, अक्सर साथ-साथ घूमते।

गाय और शेरनी अपने-अपने बच्चों को तो चाहती ही थीं, साथ ही एक-दूसरे के बच्चों को भी बेहद प्यार करती थीं। गाय को अपने शावक को छोड़ कर अगर कहीं जाना पड़ता तो शेरनी उसके शावक की देख-भाल करती। इसी तरह यदि शेरनी को अपने बछड़े को छोड़ कर कहीं निकलना पड़ता तो गाय उसके बछड़े को सम्हालती। उन दिनों पशुओं के बच्चे भी

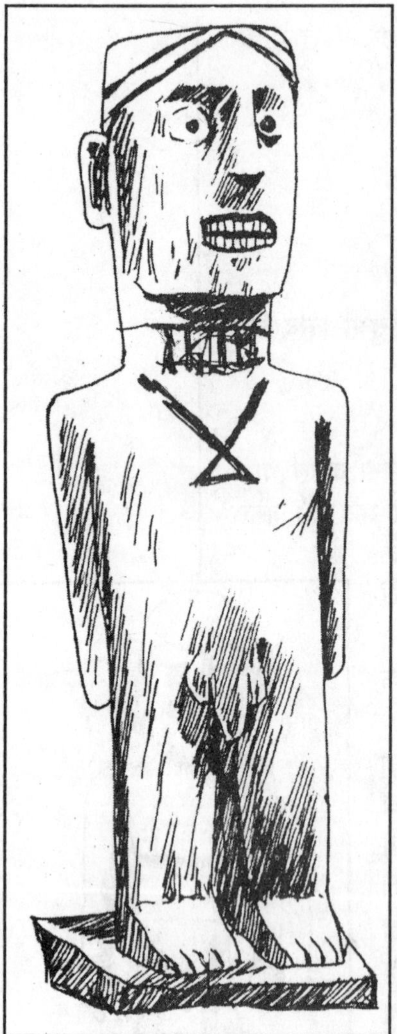

मनुष्य के बच्चों के समान खिलौनों और धनुष-बाण तथा तलवार आदि से खेल खेलते, तो कभी किसी खिलौने से भी खेल लिया करते।

एक दिन शेरनी और गाय एक खेत में चरने गईं। वहाँ उन्हें खीरा फला हुआ दिखा। खीरा देख कर शेरनी ने गाय से कहा–'बहन, ये खीरा देखकर मेरे मुँह में पानी आ गया है। अब तो मैं इसे खाए बिना नहीं रह सकती हूँ।'

'हाँ, शेरनी बहन! मेरा भी यही हाल है। जैसे ही मैंने इस खीरे को देखा वैसे ही मेरा मन इसे खाने को ललच उठा है। मैं भी इसे खाना चाहती हूँ।' गाय ने शेरनी से कहा।

'अगर ऐसा है तो हम इस खीरे के दो टुकड़े कर लेते हैं। एक टुकड़ा तुम खा लो और एक टुकड़ा मैं खा लेती हूँ। आखिर हम सहेलियाँ हैं और हम हमेशा मिल-बाँट कर खाते हैं।' शेरनी ने गाय से कहा।

'हाँ, तुम्हारा कहना सही है। हम सहेलियाँ हैं और इसलिए हमें मिल-बाँट कर खाना चाहिए।' गाय ने शेरनी की बात का समर्थन किया।

इसके बाद गाय और शेरनी ने खीरे को बेल से तोड़ा और उसके बराबर-बराबर दो टुकड़े कर लिए। एक टुकड़ा गाय ने लिया और दूसरा टुकड़ा शेरनी ने। शेरनी ने अपने हिस्से का पूरा खीरा खा लिया। उसे खीरा बहुत स्वादिष्ट लगा। जब गाय ने अपना हिस्सा खाना शुरू किया तो उसे भी खीरे का स्वाद बहुत अच्छा लगने लगा। गाय ने सोचा कि इतना अच्छा खीरा मुझे अकेले नहीं खाना चाहिए, मुझे अपने शावक के लिए भी इसमें से ले चलना चाहिए। यह सोच कर गाय ने खीरे का एक टुकड़ा अपने शावक के लिए बचा कर रख लिया। इसके बाद दोनों सहेलियाँ देर तक खेत में इधर-उधर चरती रहीं।

घर लौटने पर गाय ने साथ लाया खीरे का टुकड़ा अपने शावक को खाने को दिया। शावक ने बड़ा स्वाद ले-ले कर उस टुकड़े को खाया। इसके बाद गाय ने उससे कहा कि वह जा कर बाहर खेले। शावक गाय की बात मान कर अपने मित्र बछड़े के साथ खेलने घर से बाहर चला गया।

'अब कौन-सा खेल खेला जाए?' बछड़े ने शावक से पूछा।

'तुम सोचो कि कौन-सा खेल खेलना है। मैं तो थोड़ी देर आराम से बैठूँगा।' शावक ने कहा।

'लो, अभी तो हमने खेला भी नहीं और तुम अभी से थक गए। दाम देने से डरते हो क्या?' बछड़े ने शावक का मजाक उड़ाते हुए कहा।

'नहीं, मैं दाम देने से नहीं डरता हूँ! लेकिन क्या तुम सुस्ताना नहीं चाहते हो?' शावक ने बछड़े से पूछा।

'नहीं तो! भला मैं क्यों सुस्ताना चाहूँगा?' बछड़े ने आश्चर्यचकित होते हुए पूछा।

'अरे, क्या तुमने अभी अपना खीरा नहीं खाया है? क्या तुमने बाद में खाने के लिए बचा कर रखा है?' शावक ने बछड़े पूछा।

'खीरा? कैसा खीरा?' बछड़े ने चकित हो कर पूछा।

'खीरा मतलब खीरा! क्या तुम्हारी माँ ने तुम्हें खीरा नहीं दिया?' बछड़े ने पूछा। खीरे का नाम सुन कर उसके मुँह में पानी आ गया।

'हाँ! मेरी माँ ने मुझे खाने को दिया। तुम्हारी माँ भी तुम्हें जरूर देगी। बाद में खा लेना।' शावक ने कहा।

'नहीं, अब तो मेरा भी मन कर रहा है खीरा खाने को। मैं अभी जाता हूँ और अपनी माँ से माँग कर खीरा खाऊँगा। तब तक तुम सुस्ता लो।' बछड़े ने कहा।

'ठीक है, जैसी तुम्हारी मर्जी!' शावक ने कहा और वह सुस्ताने लगा।

उधर बछड़ा भाग कर अपनी माँ शेरनी के पास पहुँचा। शेरनी ने उसे देखा तो दुलार भरे स्वर में पूछने लगी, 'क्या बात है, आज तू जल्दी खेल कर लौट आया? तबीयत तो ठीक है न तेरी?'

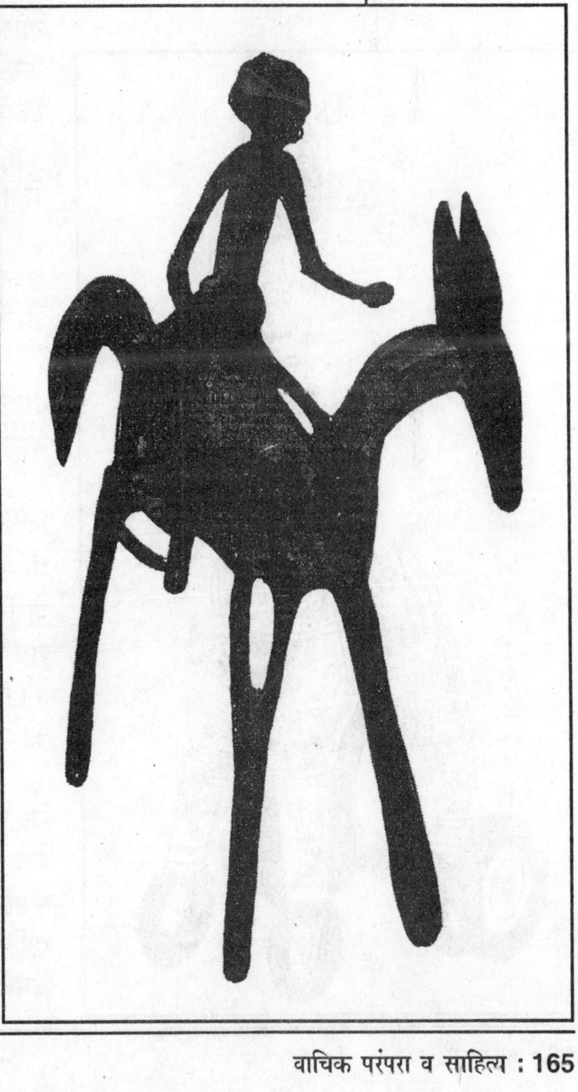

'हाँ माँ, मेरी तबीयत ठीक है। मैं अभी फिर खेलने जाऊँगा, मगर पहले तुम मुझे वह खीरा दे दो, जो तुम मेरे लिए लाई हो। मैं उसे खाना चाहता हूँ।' बछड़े ने शेरनी से कहा।

'कौन-सा खीरा? मैं कोई खीरा नहीं लाई हूँ।' शेरनी ने कहा।

'तुम जरूर लाई हो, माँ! तुम मुझे इसलिए अभी नहीं दे रही हो कि मैं बाद में फिर न तुमसे खीरा माँगने लगूँ। लेकिन मैं तुम चिन्ता मत करो, मैं बाद में तुमसे और खीरा नहीं माँगूँगा। तुम मुझे अभी दे दो!' बछड़े ने शेरनी को विश्वास दिलाते हुए कहा।

'लेकिन बेटा, मैं खीरा नहीं लाई हूँ!' शेरनी ने समझाते हुए कहा।

'तुम झूठ बोलती हो! तुम खीरा लाई हो और मुझे नहीं दे रही हो!' बछड़ा जिद करता हुआ बोला।

'नहीं, बेटा! मैं झूठ नहीं बोल रही हूँ। मैं सचमुच खीरा नहीं लाई हूँ।' शेरनी ने कहा।

'ऐसा क्यों? तुम मेरे लिए खीरा क्यों नहीं लाईं? मेरे दोस्त शावक के लिए तो उसकी माँ खीरा लाई है। तुम भी गाय मौसी के साथ खेत में गई थीं। तो तुम मेरे लिए खीरा क्यों नहीं लाईं। जरूर तुमने

अकेले-अकेले खीरा खा लिया होगा।' बछड़े ने नाराज होते हुए कहा।

'हाँ, बेटा! बात तो सच है, आज मैंने खीरा खाया है। मुझे बहुत जोर से भूख लगी थी कि तभी मुझे एक खीरा दिखाई दिया। मैंने गाय से पूछा कि क्या तुम भी खीरा खाओगी? तो उसने कहा कि हाँ वह भी खाएगी। इस पर हम दोनों ने खीरे के दो टुकड़े किए और खा लिए।' शेरनी ने बछड़े को समझाया।

'तुम झूठ बोलती हो! गाय मौसी ने खीरा नहीं खाया। वह अपने बेटे को बहुत प्यार करती है। वह तो अपने बेटे के लिए खीरा ले कर आई, मगर तुम मुझे प्यार नहीं करती हो इसलिए तुम मेरे लिए खीरा नहीं लाईं।' यह कहकर बछड़ा रोने लगा।

'नहीं बेटा! तुमको कोई धोखा हुआ है। मैंने खुद देखा था कि गाय ने अपने हिस्से का खीरा खा लिया था।' शेरनी ने बछड़े को समझाया।

'नहीं मुझे कोई धोखा नहीं हुआ है। मुझे शावक ने खुद बताया कि वह अभी-अभी खीरा खा कर आ रहा है। उसकी माँ उसके लिए खीरा ले कर आई थी। मगर तुम मेरे लिए नहीं लाईं। ऐसा क्यों किया तुमने? तुम जानती हो कि मुझे खीरा बहुत पसंद है। मुझे खीरा चाहिए और अभी, इसी समय चाहिए!' बछड़ा रोता हुआ, पैर पटकता हुआ कहने लगा।

'देख बेटा, अब आज इस समय तो खीरा नहीं मिल सकता है लेकिन मैं कल तेरे लिए खीरा जरूर ला दूँगी।' शेरनी बछड़े को समझाने, मनाने लगी।

बछड़ा बहुत देर तक जिद करता रहा। रोता रहा। अपने बेटे की ये हालत देख कर शेरनी को गाय पर बहुत गुस्सा बाया। शेरनी गाय के पास पहुँची।

'देखो बहन, ये तुमने ठीक नहीं किया। अगर तुम्हें अपने बेटे के लिए खीरा लाना था तो मुझे भी बता देतीं, मैं भी अपने बेटे के लिए खीरा ले आती। तुम अपने बेटे के लिए खीरा ले आईं, जबकि मैं नहीं लाई। मेरे बेटे को जब से इस बात का पता चला है, तब से वह रोए जा रहा है। तुम्हारे कारण मेरे बेटे को दुख पहुँचा है।' शेरनी ने गाय को उलाहना देते हुए कहा।

'मैंने ऐसा जानबूझ कर नहीं किया। तुम्हें याद होगा कि तुमने अपना हिस्सा मुझसे पहले खा लिया था। मैंने बाद में खाना शुरू किया था। खाते-खाते अचानक मुझे यह सूझा कि इतना स्वादिष्ट खीरा तो अपने बेटे को भी खिलाना चाहिए। बस, उसी समय मैंने खीरे का एक छोटा-सा टुकड़ा अपने शावक के लिए रख लिया था।' गाय ने बताया।

'मैं कुछ नहीं जानती, तुमने सहेली हो कर मुझसे बात छिपाई। यह बात बहुत गलत है।' शेरनी का गुस्सा कम नहीं हुआ।

'ठीक है, मुझसे गलती हो गई। मुझे क्षमा कर दो!' गाय ने क्षमा माँगते हुए कहा।

'ठीक है, अब तुम क्षमा माँग रही हो तो मैं तुम्हें क्षमा कर देती हूँ! बताओ कि कल हम चरने कहाँ जाएँगे?' शेरनी ने भी सामान्य होते हुए पूछा। 'कल हम मैदान में चारा खाने चलेंगे।' गाय ने कहा।

'ठीक है! कल मैदान में ही चलेंगे! लेकिन देखो, आइन्दा अपने बेटे के लिए कुछ खाने का रखने से पहले मुझसे पूछ लेना, मुझे बता देना।' शेरनी ने कहा।

'ठीक है, मैं ध्यान रखूँगी!' गाय ने भरोसा दिलाया। दूसरे दिन गाय और शेरनी घास चरने के मैदान की ओर चल पड़ीं। वे दोनों चलते-चलते थोड़ा आगे-पीछे हो गईं। शेरनी पीछे रह गई और गाय आगे निकल गई। शेरनी जब मैदान में पहुँचती है तो उसे वहाँ गाय नहीं दिखाई दी। उसने सोचा कि हो सकता है वह किसी दूसरे रास्ते से धीरे-धीरे आ रही हो। शेरनी मैदान में घास चरने लगी और गाय की प्रतीक्षा करने लगी। जब बहुत देर हो गई और गाय नहीं आई तो शेरनी को उसकी चिन्ता हुई। शेरनी घास चरना छोड़कर गाय को ढूँढ़ने चल पड़ी। शेरनी ने मैदान के चारों कोनों में देखा, मगर गाय नहीं मिली। शेरनी ने मैदान से बाहर निकल कर ढूँढ़ना शुरू किया। शेरनी खीरे के खेत में गई। गाय वहाँ नहीं मिली। शेरनी जरी भाजी के खेत में गई। गाय वहाँ भी नहीं मिली। शेरनी पोखर के पास गयी। गाय वहाँ भी नहीं मिली। गाय कहाँ चली गई? यह सोचती हुई शेरनी गाय को ढूँढ़ती फिर रही थी कि तभी उसे गाय चिउर भाजी के खेत में चरती दिखाई दी। शेरनी गाय को सही-सलामत देख कर बहुत खुश हुई मगर उसे यह देख कर आश्चर्य हुआ कि मैदान में चरने की बात हुई थी तो गाय यहाँ चिउर भाजी के खेत में क्या चर रही है? शेरनी गाय के पास पहुँची और उसने गाय से कहा–'मैं वहाँ मैदान में तुम्हारी कब से प्रतीक्षा कर रही हूँ और तुम हो कि चिउर के खेत में मजे से भाजी खा रही हो!' 'अरे, मैंने समझा कि तुमने मुझे यहाँ आते हुए देख लिया होगा और तुम भी यहीं आ जाओगी।' गाय ने कहा।

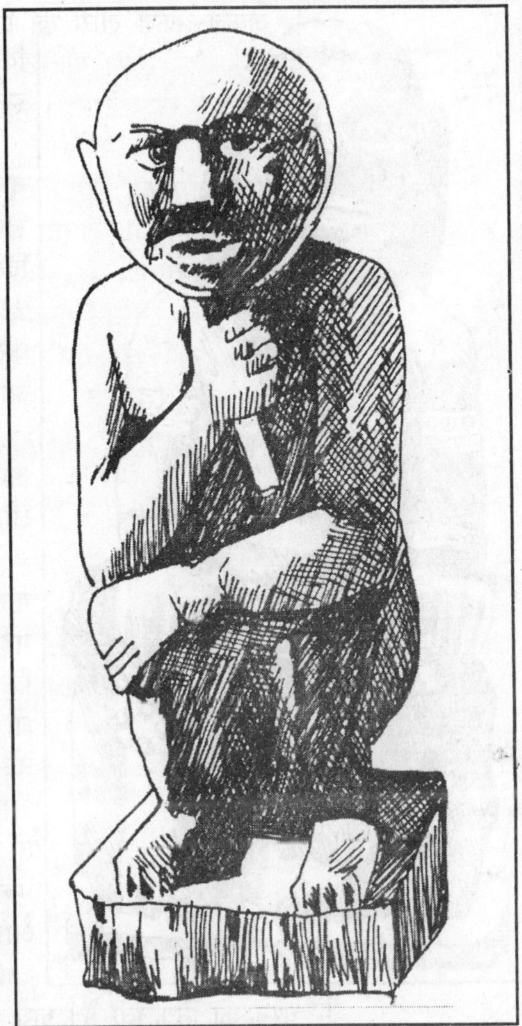

'मैं कैसे देख लेती? तुम तो मुझसे बहुत आगे निकल आई थीं। फिर कल तुम्हीं ने तय किया था कि आज हम मैदान में घास चरेंगी।' शेरनी ने गाय को याद दिलाया।

'हाँ, कहा तो था मैंने! मगर मुझे अचानक याद आया कि चिउर भाजी के पत्ते अब खाने लायक बड़े हो गए होंगे। इसलिए मैं इधर निकल आई।' गाय ने भोलेपन से कहा।

'तुमने अपनी बात झुठलाई और मुझे धोखा दिया! ये बात ठीक नहीं है! तुम तो यहाँ अच्छी, स्वादिष्ट चिउर भाजी खा रही हो और मुझे वहाँ मैदान में बेस्वाद घास खाने को भेज दिया।' शेरनी ने नाराज होते हुए कहा।

'अगर तुम ऐसा समझती हो तो ऐसा ही सही! अब ऐसा करते हैं कि कल हम दोनों यहीं चिउर भाजी के खेत में ही आएँगा। ठीक है न!' गाय ने कहा।

'ठीक है! कल हम दोनों यहीं चिउर भाजी के खेत में आएँगे!' शेरनी ने गाय की बात मान ली। दोनों घर की ओर लौट पड़ीं।

मगर रास्ते में शेरनी सोचने लगी कि बात ठीक नहीं है। गाय ने जानबूझ कर ऐसा किया। खुद भाजी के खेत में रुक गई और मुझे मैदान में भेज दिया। उधर गाय ने इसलिए ऐसा किया था क्योंकि उसके मन में इस बात की फाँस लग गई थी कि शेरनी ने उसे डाँटा, उसे उलाहना दिया। जबकि वह तो अपने हिस्से से अपने बेटे के लिए खीरा ले कर गई थी। अगर शेरनी को भी अपने बछड़े के लिए खीरा ले जाना था तो खुद ही सोचना चाहिए था। इस प्रकार दोनों सहेलियाँ परस्पर एक-दूसरे के प्रति मन ही मन गुस्सा करती हुई वापस लौट आईं।

अगले दिन सुबह शेरनी और गाय चिउर भाजी के खेत में चरने को निकलती हैं। गाय शेरनी को चिउर भाजी के खेत में ले जाने के बदले खेत में ले जाती है और वहीं चरने लगती है। इस पर शेरनी को बहुत क्रोध आता है। वह समझ जाती है कि गाय जान बूझ कर उसे तंग कर रही है। मैदान में जाने को कहती है तो खेत में पहुँच जाती है और खेत में जाने को कहती है तो मैदान में जा पहुँचती है। गाय उससे इस तरह झूठ पर झूठ बोले जा रही है। इसका मतलब कि गाय अब उसे अपनी सहेली नहीं मानती है। यह सोच कर शेरनी को गाय पर इतना अधिक क्रोध आया कि वह गाय को मारकर खा गई।

शाम को शेरनी घर लौटी। गाय घर नहीं लौटी। गाय के बच्चे शेर ने देखा कि शेरनी अकेली घर लौटी है, गाय उसके साथ नहीं लौटी। उसको अपनी माँ की चिन्ता हुई। वह भाग कर शेरनी के पास पहुँचा और उसने शेरनी से पूछा—'शेरनी मौसी! मेरी माँ क्यों नहीं लौटी? वह रोज तुम्हारे साथ लौटती थी।'

'मुझे पता नहीं कि वह कहाँ है। मैंने तो आज सुबह से उसे नहीं देखा।' शेरनी ने झूठ बोलते हुए कहा।

'मगर वह तो सुबह तुम्हारे साथ-साथ गई थी।' शेर ने याद दिलाया।

'ओह, हाँ! याद आया! वह सुबह मेरे साथ ही निकली थी, मगर फिर वह मेरा साथ छोड़ कर कहीं और चली गई।' शेरनी ने झूठी सफाई देते हुए कहा।

उसी समय शेर को शेरनी के मुँह में खून लगा हुआ दिखाई दिया। शेर समझ गया कि शेरनी ने उसकी माँ को मार डाला है। 'मौसी, यदि तुमने मेरी माँ को नहीं मारा है तो तुम्हारे मुँह में ये खून कैसे लगा हुआ है? मैं जान गया हूँ कि तुमने मेरी माँ को खाया है। अब मेरा पालन-पोषण तुमको ही करना होगा।'

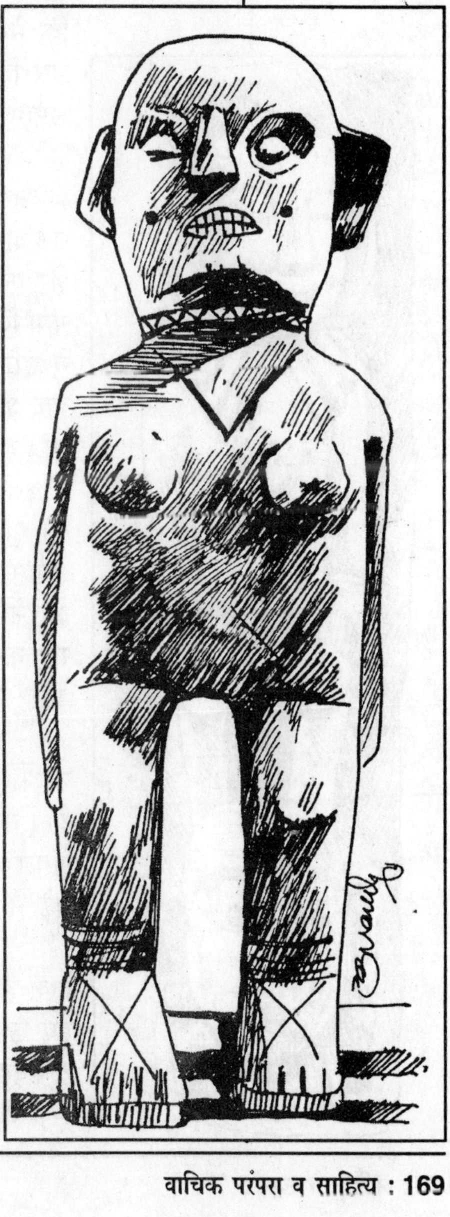

गाय के बेटे की बात सुन कर शेरनी ने स्वीकार कर लिया कि क्रोध में आकर उसी ने गाय को मार कर खा लिया है। वह गाय के बेटे को अपने बेटे के साथ रखने को तैयार हो गई। इसके बाद बछड़ा और शेर दो भाइयों के समान साथ-साथ रहने लगे।

एक दिन शेर ने बछड़े से कहा—'चलो हम शिकार खेलने चलते हैं।'

'हाँ, ये बढ़िया रहेगा!' बछड़ा बड़ा खुश होकर बोला।

'शेरनी मौसी, हम शिकार खेलने जाना चाहते हैं। हमारे लिए दो धनुष-बाण और दो तलवारें बना दो।' शेर ने शेरनी से कहा।

'ठीक है, अभी बना देती हूँ।' शेरनी ने कहा।

थोड़ी देर बाद शेर और बछड़ा शिकार खेलने निकल पड़े। बछड़े ने अपना धनुष-बाण और तलवार रखी और शेर ने सिर्फ धनुष-बाण रखा, तलवार जानबूझ कर चुपके से छोड़ दी। कुछ दूर जाने के बाद अचानक शेर ने बछड़े से कहा कि वह तो अपनी तलवार घर भूल आया है।

'तुम धीरे-धीरे जंगल की ओर आगे बढ़ो! मैं अभी दौड़ कर जाता हूँ और घर से अपनी तलवार उठा लाता हूँ।' शेर ने कहा।

'अरे, अब कहाँ जाओगे, तुम मेरी तलवार ले लो! जंगल में अकेले बढ़ने में मुझे डर लगेगा!' बछड़े ने शेर से कहा।

'नहीं, दोनों के पास तलवारें होनी चाहिए, तभी शिकार खेलने में मजा आएगा। अगर तुम्हें आगे बढ़ने में डर लग रहा है तो ऐसा करो कि तुम यहीं बैठ कर मेरी प्रतीक्षा करो! मैं अभी गया और अभी आया!' शेर ने बछड़े से कहा।

इसके बाद बछड़ा वहीं बैठ गया और शेर वापस घर की ओर चल दिया। शेर घर पहुँचा। शेरनी उस समय घर पर ही थी। शेर

ने शेरनी से कहा—'मौसी तुमने मेरी माँ को मारा था, अब मैं तुम्हें मारता हूँ!' यह कहते हुए शेर ने शेरनी को तलवार से मार डाला और वापस जंगल की ओर चल दिया। शेर बछड़े के पास पहुँचा। बछड़े ने देखा कि शेर तलवार तो ले आया लेकिन तलवार में खून लगा हुआ है।

'तुमने मेरी माँ को मार डाला न!' बछड़े ने शेर से पूछा।

'अरे नहीं, मैं तो सिर्फ ये तलवार लेने घर गया था। मैंने तुम्हारी माँ को नहीं मारा।' शेर ने बछड़े से कहा।

'अगर ऐसा है तो तुम्हारी तलवार में ये खून क्यों लगा हुआ है? मैं जानता हूँ कि मेरी माँ ने तुम्हारी माँ को मार डाला था इसलिए तुमने मेरी माँ को मार दिया। खैर, जो हुआ सो हुआ, हम दोनों तो आपस में भाई-भाई के समान हैं इसलिए चलो, हम शिकार खेलने चलते हैं।' बछड़े ने कहा।

दोनों शिकार खेलने घने जंगल में जा पहुँचे। उसी समय कुछ मनुष्य शिकार खेलने उधर आ निकले। उन्होंने शेर और बछड़े को देखा तो वे उन दोनों के पीछे दौड़े। शेर और बछड़ा अपनी-अपनी जान बचा कर भागे। शेर एक ओर भागा तो बछड़ा दूसरी ओर। शेर भाग कर झाड़ियों में छिप गया जिससे उसकी जान बच गई। बछड़ा छिप नहीं पाया। शिकारी मनुष्यों ने उसे पकड़ लिया और उसे मार कर खा गए। शिकारियों के जाने के बाद शेर झाड़ियों से बाहर आया उसने देखा कि बछड़े की हड्डियाँ पड़ी थीं। यह देख कर शेर बड़ा दुखी हुआ। उसे लगा कि बछड़े की माँ शेरनी ने उसकी गाय माँ को भले ही मार कर खा लिया था और उसने बछड़े की माँ शेरनी को भले ही मार दिया था, फिर भी बछड़ा उसके भाई के समान था। अब बछड़ा मारा गया तो अब मैं अकेला जी कर क्या करूँगा? शेर ने बछड़े की हड्डियों को इकट्ठा किया और लकड़ियाँ, पत्ते वगैरह रख कर उनमें आग लगा दी। फिर स्वयं पास के एक पेड़ पर चढ़ गया और उसी आग में कूद कर उसने अपनी जान दे दी।

एक दिन एक बूढ़ा आदमी बाँस के पेड़ ढूँढ़ता हुआ जंगल में आया। उसने पूरा जंगल छान मारा था लेकिन उसे कहीं अच्छा बाँस नहीं दिखा था। उस बूढ़े के साथ उसकी बुढ़िया भी साथ आई थी। 'लगता है इस जंगल में कोई अच्छा बाँस नहीं! हमें कहीं और जा कर ढूँढ़ना होगा!' बूढ़े ने बुढ़िया से कहा।

'ये देखो, सामने रहे ये दो बाँस के पेड़! लगता है कि तुमने इन्हें देखा ही नहीं!' बुढ़िया ने सामने लगे बाँस के पेड़ों की ओर संकेत करते हुए कहा। बूढ़े ने देखा, सामने सचमुच दो बाँस के दो सुंदर पेड़ लगे हुए थे। बूढ़े को वैसे ही पेड़ों की जरूरत थी। वह उन पेड़ों को देख कर बहुत खुश हुआ। बूढ़े ने जैसे ही बाँस के पेड़ों को काटना शुरू किया वैसे ही

बाँसों से आवाज आई—'ठीक से काटो नहीं तो तुम्हें काट खाऊँगा!' 'ठीक से काटो नहीं तो मैं तुम्हें सींग मार दूँगा!' बूढ़ा ये आवाजें सुन कर डर गया। बूढ़ा नहीं जानता था कि वे बाँसों के पेड़ उसी जगह पर उगे हैं जहाँ बछड़ा मारा गया था और शेर ने अपनी जान दे दी थी। वे बाँस के पेड़ असल में शेर और बछड़ा ही थे। इसीलिए वे बोल उठे थे।

बुढ़िया ने देखा कि बूढ़ा बाँस काटना छोड़ कर चुपचाप खड़ा है तो उसने बूढ़े से कहा—'तुम बाँस क्यों नहीं काट रहे हो, अगर तुम बाँस नहीं काटोगे तो हम टोकरी कैसे बनाएँगे? चलो, जल्दी-जल्दी बाँस काटो!'

'मैं नहीं काटूँगा!' बूढ़े ने मना करते हुए कहा।

'क्यों नहीं काटोगे?' बुढ़िया ने पूछा।

'क्या तुम्हें सुनाई नहीं दे रहा है कि ये बाँस बोल रहे हैं! मैंने बोलते हुए बाँस आज तक नहीं देखे हैं। नहीं, मैं इन्हें नहीं काटूँगा!' बूढ़े ने मना करते हुए कहा।

'मुझे तो कुछ भी सुनाई नहीं दिया। लगता है तुम्हें कोई धोखा हुआ है। चलो, बाँस काटो!' बुढ़िया ने बूढ़े से कहा। बूढ़े ने फिर बाँस काटना शुरू किया। इस बार बाँस चुपचाप रहते हैं। बूढ़ा बाँसों को काट लेता है। फिर उन्हें बाँधने लगता है। इस पर फिर आवाज आती है—'ठीक से बाँधो! हाँ-हाँ ठीक से बाँधो!'

यह सुन कर बूढ़ा फिर डर जाता है और बाँसों को बाँधना छोड़कर एक ओर खड़ा हो जाता है। बुढ़िया यह देख कर नाराज हो जाती है।

'लगता है कि आज काम करने में तुम्हारा मन नहीं लग रहा है। तुम बाँसों को बाँधना छोड़ कर खड़े हो गए हो। क्या बाँसों को ले कर वापस घर नहीं चलना है? क्या खाली हाथ लौटोगे?' बुढ़िया ने बूढ़े से कहा।

'...लेकिन इन बाँसों से आवाज आ रही है। इनमें कोई है जो बोल रहा है!' बूढ़े ने डरते-डरते कहा।

'बाँसों में भला कौन होगा? ये तुम्हारा भ्रम है। चलो, बाँसों को बाँधें और घर चलें!'

बुढ़िया ने बूढ़े से कहा।

बूढ़ा साहस करके फिर आगे बढ़ा उसने बाँसों को बाँधा। इस बार कोई आवाज नहीं आई। बूढ़े ने जैसे की बाँसों को उठा कर अपने सिर पर रखना चाहा वैसे ही फिर आवाज सुनाई दी—'ठीक से उठाना!' 'हाँ-हाँ ठीक से उठाना!' यह सुनकर बूढ़ा हाथ खींच कर एक ओर खड़ा हो गया। बुढ़िया ने देखा वह तो आगे बढ़ी और उसने बाँसों का गट्ठा उठा कर बूढ़े के सिर पर रख दिया। बूढ़ा गट्ठा ले कर वापस घर की ओर चल पड़ा। घर पहुँच कर बूढ़ा गट्ठे को जमीन पर पटकने ही वाला था कि उन बाँसों के गट्ठे से आवाज आई—'धीरे से पटकना।' 'हाँ-हाँ, धीरे से पटकना!'

बूढ़ा फिर डरा और उसने धीरे-से गट्ठे को जमीन पर रख दिया।

'ये अच्छे बाँस हैं! अब तुम इन्हें फाड़ दो तो मैं इनसे अपने लिए दो टोकरियाँ बनाऊँगी!' बुढ़िया ने बूढ़े से कहा।

'ठीक है, फाड़ देता हूँ!' बूढ़े ने कहा और वह बाँस फाड़ने लगा। उसी समय बाँसों से आवाज आई—'ठीक से फाड़ना!' 'हाँ-हाँ, ठीक से फाड़ना!' बूढ़ा इस बार भी डरा लेकिन उसने साहस करके बाँसों को फाड़ दिया। बाँसों को फाड़ते ही उसमें अदृश्य रूप से रहने वाले शेर और बछड़ा बाहर निकल आए और बूढ़े की झोंपड़ी में छिप गए। शेर और बछड़ा वहीं झोंपड़ी में छिप कर रहने लगे।

एक दिन शेर और बछड़ा नदी में नहाने जाते हैं। नहाते समय उनके एक-एक बाल टूट कर नदी में गिर जाते हैं। उसी नदी में कुछ दूर पर एक लड़की नहा रही थी। वे बाल बह कर उस लड़की के पास जा पहुँचते हैं। उस लड़की का कोई भाई नहीं था। वह सोचा करती थी कि उसका भी कोई भाई होता तो कितना अच्छा होता। लड़की जब भी नदी में नहाने आती तो नदी से कहती—'नदी मौसी, मुझे एक भाई दे दो!' लड़की नहाने के लिए पानी में उतरी तो उसने नदी से कम से कम एक भाई देने की प्रार्थना की। उसी समय शेर और बछड़े के वे दोनों बाल बह कर लड़की के पास जा पहुँचे। लड़की उन चमकदार बालों को देखकर बहुत खुश हुई। वह उन बालों को देख कर सोचने लगी कि जिनके ये बाल होंगे, वे कितने अच्छे होंगे। अगर ऐसे ही चमकदार बालों वाले मेरे भाई होते तो कितना अच्छा होता। लड़की ने अपने मन की बात नदी से कह दी—'नदी मौसी, तुम मुझे ऐसे ही चमकदार बालों वाले भाई दे दो।'

उसी समय शेर और बछड़ा भी अपने बालों का पीछा करते हुए लड़की के पास जा पहुँचते हैं और उसे अपने बाल देखता हुआ पाते हैं। वे उसकी प्रार्थना भी सुन लेते हैं। वे दोनों अदृश्य रूप में होने के कारण लड़की को दिखाई नहीं देते हैं।

'पास में ही एक झोंपड़ी है। झोंपड़ी में एक बुढ़िया रहती है। ये दोनों बाल बुढ़िया

को देना और उससे दो फूल ले लेना।' लड़की को यह आवाज सुनाई दी। उसने इधर-उधर देखा। उसे कोई दिखाई नहीं दिया। शेर और बछड़ा तो अदृश्य थे।

मुझे तो फूल नहीं भाई चाहिए मगर चल कर देखना कि इन बालों के बदले मिलने वाले फूल कैसे होंगे? लड़की ने सोचा। वह बुढ़िया की झोंपड़ी में जा पहुँची। बुढ़िया उस समय और टोकरियाँ बना रही थी। 'अम्मा, अम्मा! मुझसे ये दोनों बाल ले लो और मुझे अपने दो फूल दे दो!' लड़की ने बुढ़िया से कहा।

'कौन से फूल?' बुढ़िया ने पूछा। उस समय तक शेर और बछड़ा भी वापस आ कर एक टोकरी में दो फूल बन कर छिप गए थे। 'ये लो कुम्हड़ा फूल!' बुढ़िया ने लड़की को कुम्हड़े के फूल देते हुए कहा। 'नहीं, ये नहीं चाहिए मुझे!' लड़की बोली। 'ये लो लौकी फूल!' बुढ़िया ने लड़की को लौकी के फूल देते हुए कहा।

'नहीं, ये नहीं चाहिए मुझे!' लड़की बोली। 'ये लो करेला फूल!' बुढ़िया ने लड़की को करेला के फूल देते हुए कहा।

'नहीं, ये नहीं चाहिए मुझे!' लड़की बोली। 'ये लो आम फूल!' बुढ़िया ने लड़की को आम के फूल देते हुए कहा। 'नहीं ये नहीं, चाहिए मुझे!' लड़की बोली।

'तो और कौन-सा फूल चाहिए? मेरे पास तो और कोई फूल नहीं है!' बुढ़िया बोली। 'नहीं, इनके अलावा तुम्हारे पास और भी फूल हैं। तुम ठीक से देखो!' लड़की ने बुढ़िया से कहा।

'नहीं, मेरे पास और कोई फूल नहीं है। मैंने देख लिया।' बुढ़िया ने कहा। उसी समय झोंपड़ी के भीतर से फूलों की सुगंध आई।

'देख लो, तुम्हारे पास और फूल हैं! अगर तुम मुझे देना नहीं चाहती हो तो साफ-साफ कहो!' लड़की ने बुढ़िया से कहा। 'नहीं-नहीं, ऐसा नहीं है! मैं तुम्हें अभी दे देती हूँ मगर मैं खुद तो देख लूँ ये कौन से फूल हैं जो इतने अच्छे महक रहे हैं।' बुढ़िया बोली। बुढ़िया उठ कर झोंपड़ी में भीतर गई। वहाँ उसने देखा कि एक टोकरी में दो फूल खिले हुए हैं। सुगंध उन्हीं फूलों से आ रही थी। बुढ़िया ने फूल उठाए और वह झोंपड़ी से बाहर आ गई।

'ये लो फूल! ये दोनों फूल ही चाहिए न तुम्हें?' बुढ़िया ने लड़की को फूल देते हुए पूछा। 'हाँ, ये दोनों फूल चाहिए मुझे!' लड़की ने बुढ़िया से वे दोनों फूल लिए और वह खुशी-खुशी अपने घर की ओर चल पड़ी। रास्ते में शेर और बछड़ा अपने असली रूप में आ गए और वे तीनों साथ-साथ घर पहुँचे। इसके बाद शेर, बछड़ा और लड़की भाई बहन बन कर आपस में हिल-मिल कर प्रेम से रहने लगे।

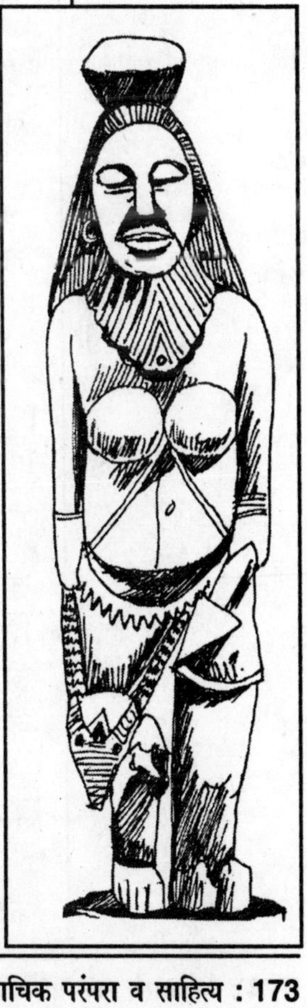

चालाक लोमड़ी

बस्तर के दक्षिण में एक घना जंगल था। उस जंगल में सुंदर-सुंदर पेड़-पौधे थे। वहाँ नदी बहती थी और कई झरने थे। उस जंगल में विभिन्न प्रकार के पशु-पक्षी रहते थे। उसी जंगल में एक लोमड़ी रहती थी। वह लोमड़ी खुद अच्छा शिकार

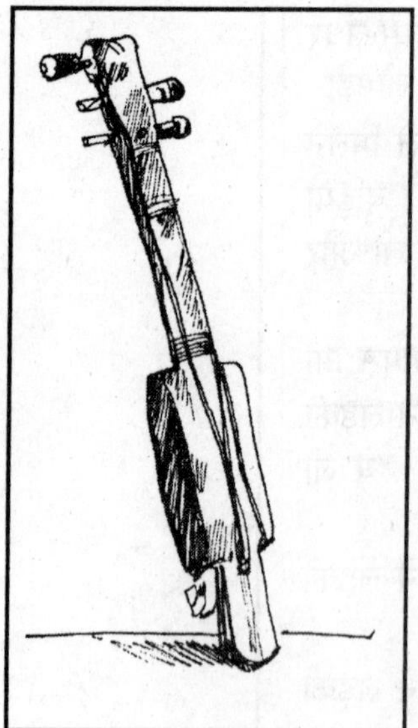

नहीं कर पाती थी जिसके कारण वह दुखी रहती थी। उसी जंगल में एक तेंदुआ रहता था जो शिकार करने में निपुण था। एक दिन लोमड़ी ने सोचा कि क्यों न इस तेंदुए से दोस्ती कर ली जाए। वह अच्छा शिकार करेगा तो उसमें से मैं भी हिस्सा ले सकती हूँ। यह सोच कर लोमड़ी तेंदुए के पास पहुँची।

'तेंदुए-तेंदुए! क्या तुम मुझसे दोस्ती करोगे?'' लोमड़ी ने तेंदुए से पूछा। ''मैं तुमसे क्यों दोस्ती करूँ? मुझे किसी दोस्त की जरूरत नहीं है।'' तेंदुए ने कहा।

''तुम मुझसे इसलिए दोस्ती कर सकते हो क्योंकि मैं चतुर हूँ, चालाक हूँ और फुर्तीली हूँ।'' लोमड़ी ने अपनी प्रशंसा करते हुए कहा।

''मैं भी चतुर हूँ, चालाक हूँ और फुर्तीला हूँ। भला मैं तुमसे दोस्ती क्यों करूँ?'' तेंदुए ने दोस्ती करने से मना करते हुए कहा।

''मैं किसी से नहीं डरती हूँ। इसलिए तुम मुझसे दोस्ती करो!'' लोमड़ी ने कहा।

''मैं भी किसी से नहीं डरता हूँ फिर मैं तुमसे दोस्ती क्यों करूँ?'' तेंदुए ने पूछा।

''मैं बड़े-बड़े शिकार कर लेता हूँ फिर मैं तुमसे क्यों दोस्ती करूँ?'' तेंदुए ने कहा।

''ये बढ़िया है! जब हम दोनों चतुर, चालाक और फुर्तीले हैं, हम दोनों किसी से नहीं डरते हैं, जब हम दोनों बड़े-बड़े शिकार कर लेते हैं तो हमें आपस में दोस्ती कर लेनी चाहिए।'' लोमड़ी ने तेंदुए को समझाया।

''हाँ-हाँ, तुम ठीक कहती हो। हमें आपस में दोस्ती कर लेनी चाहिए। मैं भी अकेले-अकेले शिकार करते ऊब चुका हूँ। हम दोनों साथ-साथ शिकार करेंगे तो मजा आएगा।'' तेंदुए ने लोमड़ी की दोस्ती स्वीकार करते हुए कहा।

''तो हमारी दोस्ती पक्की?'' लोमड़ी ने पूछा।

''हाँ-हाँ, बिलकुल पक्की।'' तेंदुए ने कहा।

''ऐसा है तो फिर आज से हम जहाँ भी शिकार करने जाएँगे, साथ-साथ जाएँगे!'' लोमड़ी ने कहा।

''हाँ-हाँ, साथ-साथ जाएँगे!'' तेंदुए ने वादा करते हुए कहा।

इसके बाद लोमड़ी और तेंदुए में दोस्ती हो गई। दोनों साथ-साथ शिकार पर जाने लगे। लेकिन लोमड़ी को इस दोस्ती से कोई लाभ नहीं हो पा रहा था। तेंदुआ अपना शिकार और लोमड़ी अपना शिकार करती। तेंदुआ बड़ा शिकार करता, जबकि लोमड़ी छोटा शिकार करती। तेंदुआ छक कर खाता जबकि लोमड़ी को आधा पेट खा कर रह जाना पड़ता। एक दिन लोमड़ी ने तेंदुए से इस बारे में बात करने का निश्चय किया। ''तेंदुए-तेंदुए! कभी-कभी तुम भी मुझे अपने शिकार से कुछ हिस्सा दे दिया करो।'' लोमड़ी ने तेंदुए से कहा।

''क्यों? तुम तो चतुर, चालाक और फुर्तीली हो और खुद बड़े-बड़े शिकार कर लिया करती हो।'' तेंदुए ने कहा।

"हाँ! वो तो है। मैं तो यूँ ही कह रही थी।" लोमड़ी ने बात बदलते हुए कहा। वह समझ गई कि तेंदुए से सीधे-सीधे बात करके उसकी दाल गलने वाली नहीं है। लोमड़ी ने चालाकी से काम लेने का विचार बनाया।

दूसरे दिन तेंदुआ और लोमड़ी शिकार करने निकले। बहुत घूमने के बाद तेंदुए को एक जंगली मुर्गी मिली और लोमड़ी को एक गौरैया। उस समय तक तेंदुआ और लोमड़ी को बहुत भूख लग गई थी। जंगली मुर्गी बड़ी थी और गौरैया छोटी-सी थी। लोमड़ी को लगा कि एक छोटी-सी गौरैया खा कर उसका पेट नहीं भरेगा। उसने तेंदुए से मुर्गी हड़पने का इरादा किया। उसने गौरैये को इस ढंग से पत्तों में छिपा कर रख दिया कि उसकी पूँछ भर दिखती रहे। फिर वह चटखारे लेती हुई तेंदुए से बोली–"आ-हा-हा! आज तो मजा आ गया। आज बड़ी अच्छी चिड़िया हाथ लगी है।"

"मुझे भी एक अच्छी जंगली मुर्गी मिली है।" तेंदुए ने कहा।

"होगी, लेकिन मेरी चिड़िया के बराबर नहीं हो सकती है। मेरी चिड़िया में बारह घड़ा तेल और तेरह हाथ मांस है जबकि तुम्हारी जंगली मुर्गी तो तुम्हारे दाँतों में ही फँस कर रह जाएगी।" लोमड़ी ने इतराते हुए कहा। लोमड़ी की बात सुन कर तेंदुए के मुँह में पानी आ गया। उसे जोरों की भूख तो लगी ही थी इसलिए उसने सोचा कि अगर मैं ये जंगली मुर्गी इस लोमड़ी की चिड़िया से बदल लूँ तो अच्छा रहेगा।

"लोमड़ी-लोमड़ी, तुम मुझे अपनी चिड़िया दे दो और तुम मुझसे मेरी ये जंगली मुर्गी ले लो।" तेंदुए ने लोमड़ी से प्रार्थना की।

"वाह! मैं ऐसा क्यों करूँ? मेरी चिड़िया बड़ी है और तुम्हारी मुर्गी छोटी। कोई अपनी बड़ी वस्तु दे कर छोटी वस्तु लेता है भला? तुमने मुझे क्या नासमझ मान लिया है? नहीं, मुझे नहीं बदलनी है अपनी चिड़िया तुम्हारी मुर्गी से।" लोमड़ी मना करती हुई बोली।

"देखो, तुम मेरी अच्छी दोस्त हो। मेरा शरीर तुम्हारे शरीर से बड़ा है। मुझे तुमसे अधिक भूख लगती है। इस समय भी भूख के मारे मेरी जान निकली जा रही है। इसलिए दया करो और तुम मुझे अपनी चिड़िया दे दो और मुझसे मेरी जंगली मुर्गी ले लो।" तेंदुए ने गिड़गिड़ाते हुए कहा।

"ठीक है। अब जब तुम मुझे दोस्ती का वास्ता दे रहे हो तो तुम्हारी बात माननी ही होगी। चलो, तुम मुझे अपनी मुर्गी दे दो और मेरी चिड़िया वो वहाँ पत्तों में ढँकी रखी है, उसे तुम ले लो।" लोमड़ी ने अहसान जताते हुए कहा। तेंदुए ने खुश हो अपनी जंगली मुर्गी लोमड़ी को सौंप दी और खुद पत्तों में से चिड़िया निकालने के लिए बढ़ा। लोमड़ी ने एक पल भी गँवाए बिना मुर्गी उठाई और एक चट्टान की ओट में चली गई। वहाँ पहुँच कर उसने मुर्गी खा डाली। फिर आराम से डकार लेती हुई चट्टान की ओट से बाहर आई। उधर तेंदुए ने पत्तों से चिड़िया बाहर निकाली। उसने देखा चिड़िया बहुत छोटी-सी थी। उसमें बारह घड़ा तेल और तेरह हाथ मांस हो

ही नहीं सकता है। मगर अब हो भी क्या सकता था। वह तो चिड़िया से मुर्गी बदल चुका था। उसने मन मार कर चिड़िया खाई। चिड़िया उसके दाँतों में ही चिपक कर रह गई। वह भूखा का भूखा ही रह गया। वह समझ गया कि लोमड़ी ने उसे मूर्ख बनाया है। उसे लोमड़ी पर बड़ा गुस्सा आया।

उसी समय लोमड़ी मुर्गी खा कर डकारें लेती हुई चट्टान की ओट से बाहर आई। तेंदुए को यह देख कर लोमड़ी पर और अधिक क्रोध आया।

''तुमने मुझे मूर्ख बना कर ठीक नहीं किया। मैं तो भूखा हूँ इसलिए अब मैं तुम्हें खा कर अपना पेट भरूँगा!'' तेंदुए ने दहाड़ते हुए कहा। लोमड़ी ने देखा कि तेंदुआ बहुत नाराज है तो वह वहाँ से भाग खड़ी हुई। तेंदुआ हाथ मलता रह गया। इसके बाद से तेंदुआ और लोमड़ी फिर अलग-अलग शिकार करने लगे। तेंदुआ इस चक्कर में रहता कि किसी दिन लोमड़ी पकड़ में आ जाए तो वह उसको सबक सिखाए। मगर लोमड़ी थी, चतुर और चालाक। वह तेंदुए के आस-पास फटकती ही नहीं थी। एक दिन तेंदुआ और लोमड़ी का आमना-सामना हो ही गया। लोमड़ी उस समय सियाड़ी के पेड़ के पास खड़ी किसी शिकार की प्रतीक्षा कर रही थी। तेंदुए को अपने पास आता देख वह समझ गई कि अब उससे भाग कर बचा नहीं जा सकता है। तब लोमड़ी ने जल्दी से एक गड्ढा खोदा और सियाड़ी के बड़े-बड़े पत्ते उठाए और उनसे शंकु के आकार का बड़ा-सा लबादा बनाने लगी। तेंदुए ने देखा तो वह चकित रह गया।

''ये तुमने गड्ढा क्यों खोदा है और ये तुम सियाड़ी के पत्तों से क्या बना रही हो?'' उसने लोमड़ी पर झपटने के बदले उससे पूछा।

''मैं अपने लिए बरसाती लबादा बना रही हूँ। मुझे पता चला है कि अभी बड़ी जोरों की आँधी-पानी आने वाला है। जब आँधी-पानी आएगा तो मैं इस गड्ढे में बैठ कर इन पत्तों की बरसाती को ओढ़ लूँगी। जिससे मैं भीगने से बच जाऊँगी।'' लोमड़ी ने कहा।

''ऐसा है तो तुम मेरे लिए भी एक गड्ढा खोद दो, मेरे लिए भी एक बरसाती बना दो। भीगना मुझे भी पसंद नहीं है।'' तेंदुए ने कहा।

''मैं तुम्हारे लिए गड्ढा क्यों खोदूँ? मैं तुम्हारे लिए बरसाती क्यों बनाऊँ? तुम्हारी और मेरी मित्रता तो कब की समाप्त हो चुकी है। तुम तो मुझे मार कर खा जाना चाहते हो!'' लोमड़ी ने कहा, ''तुम खुद ही अपने लिए गड्ढा खोद लो। तुम खुद ही अपने लिए बरसाती बना लो।''

''मुझे गड्ढा खोदना नहीं आता है। मुझसे बरसाती बनाते नहीं बनती है। वैसे तो सवाल हमारी मित्रता का है तो अभी हमारी मित्रता समाप्त नहीं हुई है। वो तो मैं चिड़िया और मुर्गी वाली बात पर तुमसे नाराज था। अब अगर तुम मेरे लिए एक गड्ढा खोद

दो और एक बरसाती बना दो तो मेरी नाराजगी दूर हो जाएगी।'' तेंदुए ने लोमड़ी से कहा।

''ठीक है, ऐसा है तो तुम मेरे गड्ढे में घुस कर बैठ जाओ और तुम मेरी बरसाती ले लो। मैं अपने लिए दूसरा गड्ढा खोद लेती हूँ और मैं अपने लिए दूसरी बरसाती बना लेती हूँ। किसी भी पल आँधी-पानी आ सकता है। तुमने मुझे दोस्ती का वास्ता दिया है, इसलिए मैं नहीं चाहती हूँ कि तुम भीग जाओ।'' यह कहते हुए लोमड़ी ने अपनी पत्तों की बरसाती तेंदुए को ओढ़ा दी।

तेंदुआ जैसे ही गड्ढे में घुस कर, बरसाती ओढ़ कर बैठा वैसे ही लोमड़ी ने पत्तों की बरसाती में आग लगा दी। बरसाती धू-धू करके जलने लगी। लोमड़ी ने एक बार फिर चालाकी दिखा दी और तेंदुआ अपनी मूर्खता के कारण आग में जल कर मारा गया।

मणजी भील

झाबुआ के एक छोटे से गाँव में एक भील युवक रहता था। उसका नाम था मणजी। मणजी मस्तमौला युवक था। उसके मन में जो आता, वह करता। मगर उसमें एक खूबी यह थी कि वह कभी किसी का बुरा नहीं करता, किसी का दिल नहीं दुखाता। मणजी के पिता खेती करते थे। खेत में एक कुआँ था। मणजी अकसर कुएँ के पास चला जाता और देर तक वहाँ बैठा-बैठा अपने खेत की लहलहाती फसल को देखा करता। गेहूँ की हरी-हरी बालियाँ उसे बहुत भातीं। गेहूँ की बालियाँ जब पक जातीं तो वे मणजी को सोने की बालियों जैसी दिखाई देतीं। 'बापू! देखना जब मैं खेती करने लगूँगा तो हमारे खेत में सोना ही सोना उगेगा।' मणजी अपने पिता से कहा करता। 'हाँ, बेटा! मैं भी यही चाहता हूँ कि तू जल्दी से और बड़ा हो जा और खेती-किसानी सम्हाल ले। फिर तू खेती करना और मैं बैठे-बैठे खेत ताका करूँगा।' काम-काज करने वाले घर में मणजी के पिता ही थे। मणजी उन दिनों कोई विशेष काम-धाम नहीं करता था। मणजी के पिता सोचते कि मणजी जरा और बड़ा हो जाए, जरा और सयाना हो जाए तब उसे काम-काज की जिम्मेदारी सौंपी जाए। मणजी का जब मन करता, तब वह जंगल निकल जाता। वहाँ से फल-फूल, कंद-मूल इकट्ठा कर लाता। बड़ी खुशी से दिन कट रहे थे। मगर कहते हैं न कि हर दिन एक समान नहीं रहता है। मणजी को भी दुर्भाग्य ने घेर लिया। हुआ ये कि एक साल वर्षा हुई ही नहीं। खेत में खड़ी फसल सूख गई। अकाल पड़ गया। चारों ओर हाहाकार मच गया। मणजी अपने खेत को देखता तो उसे बड़ा दुख होता। अब उसे अपने खेत में हरियाती हुई फसल के बदले सूखी हुई फसल दिखती। पहले उसके खेत में इतने पंछी आते थे कि उन्हें उड़ाते-उड़ाते मणजी थक जाया करता था। मगर अब एक भी पंछी नहीं आता। मणजी के खेत का कुआँ भी सूख गया। कुएँ में एक बूँद पानी नहीं बचा। कुएँ का तल साफ-साफ दिखाई देता। अगर पानी और खेती न बची हो तो

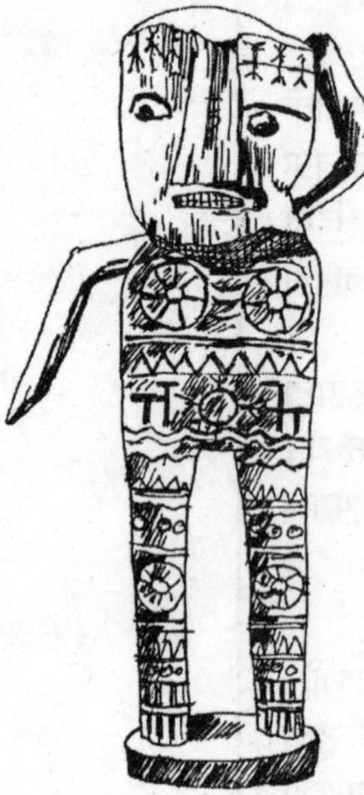

किसान किसानी कैसे करे? मणजी का पिता खेत और कुआँ सूख जाने के दुख से बीमार पड़ गया। मणजी ने अपने पिता की खूब सेवा की। उसका इलाज कराया, मगर मण्जी के पिता को तो खेत सूखने का दुख खाए जा रहा था। किसी दवा से उसे लाभ नहीं हुआ। एक दिन मणजी का पिता चल बसा। मणजी अकेला पड़ गया। अब परिवार के औरत बच्चों का लालन-पालन करने वाला वही एक व्यक्ति बचा। लेकिन खेत के बिना रोजी कमाने का और कोई उपाय नहीं था। उधर गाँव वालों ने मणजी से कहा कि उसे अपने पिता की आत्मा की शांति के लिए मृत्यु-भोज करना चाहिए। यदि उसने मृत्यु-भोज नहीं किया तो उसके पिता की आत्मा यहाँ-वहाँ भटकती रहेगी और दुख पाएगी। मणजी की माँ ने भी मणजी से कहा कि उसे गाँव वालों का कहना मानना चाहिए और अपने पिता की आत्मा की शांति के लिए मृत्यु-भोज कराना चाहिए।

मणजी जानता था कि मृत्यु-भोज कराने में बहुत धन खर्च होगा। अकाल के कारण फसल न होने से घर की आर्थिक स्थिति पहले से ही खराब हो चुकी थी और अब मृत्यु-भोज का खर्चा उठाने के बाद घर में एकाध रुपया ही बचेगा। ''माँ, हम मृत्यु भोज कैसे कराएँ? हमारे पास इतने पैसे नहीं हैं। जो पैसे हैं अगर हम उन्हें खर्च कर देंगे तो फिर हमारे पास कुछ नहीं बचेगा।'' मणजी ने अपनी माँ से कहा।

''लेकिन बेटा, गाँव, समाज के रीति-रिवाज तो मानने ही पड़ते हैं। फिर गाँव वाले भली बात कर रहे हैं। मृत्यु-भोज कराने से तुम्हारे पिता की आत्मा को शांति मिलेगी। क्या तुम नहीं चाहते हो कि तुम्हारे पिता की आत्मा शांति से रहे?'' माँ ने मणजी से पूछा।

''चाहता. तो मैं भी हूँ, माँ!'' मणजी ने कहा।

''तो फिर सोचना कैसा? कल ही सब को न्योता दे दो!'' माँ ने मणजी को समझाया। मणजी अपने पिता को बहुत चाहता था। वह अपने पिता की आत्मा को दुखी नहीं होने देना चाहता था, लेकिन मृत्यु-भोज में धन का अपव्यय करने की भी इच्छा नहीं हो रही थी। मणजी चिंता में डूबा हुआ अपनी खाट पर लेटा हुआ था। लेटे-लेटे उसे नींद आ गई। नींद में उसने एक सपना देखा। सपने में उसने देखा कि सूखे हुए खेत में कुएँ के पास उसके पिता बैठे हुए हैं। मणजी पिता से पूछता है—''बापू, आप ठीक तो हैं न? वहाँ स्वर्ग में आपको कोई दुख या कष्ट तो नहीं है?''

मणजी के पिता ने कोई उत्तर नहीं दिया।

''बापू आप बोल क्यों नहीं रहे हैं? क्या आप मुझसे नाराज हैं?'' मणजी ने फिर पूछा।

मणजी का पिता फिर चुप रहा।

''बापू कुछ बोलिए न!'' मणजी ने फिर कहा।

''क्या बोलूँ बेटा, मैं तो तेरे काम देख-देख कर दुखी हो रहा हूँ।'' मणजी के पिता

ने दुखी स्वर में कहा।

''आप दुखी न हों बापू, मैं कल ही आपकी आत्मा की शांति के लिए मृत्यु-भोज कराऊँगा। आप बिलकुल दुखी न हों!'' मणजी बोला। उसे लगा कि उसके पिता की आत्मा मृत्यु-भोज न कराए जाने के कारण अशांत है। और इसीलिए उसके पिता दुखी हैं।

''बेटा मणजी, मुझे तुझसे ये आशा नहीं थी। मैं तो समझता था कि तू बुद्धिमान है लेकिन तू तो बिलकुल मूर्ख निकला।'' मणजी के पिता ने मणजी को डपटते हुए कहा।

''मुझसे क्या गलती हुई, बापू?'' मणजी ने चकित होते हुए पूछा।

''गलती हुई नहीं है लेकिन होने जा रही है। अरे बेटा, एक किसान की आत्मा उसके खेत में फसल लहलहाने से सुखी और शांत होती है, मृत्यु-भोज कराने से नहीं। तू जितना धन मेरी आत्मा की शांति के नाम पर मृत्यु-भोज में खर्च करेगा, उतने धन में अगर तू एक दूसरा कुआँ खुदवा ले तो अपने खेत में एक बार फिर से फसल हो सकेगी। जब खेत में फसल लहलहाएगी तो मेरी आत्मा को अपने-आप शांति मिल जाएगी।'' मणजी के पिता ने मणजी को समझाया।

''हाँ बापू, आप ठीक कह रहे हैं। मैं सचमुच मूर्खता करने जा रहा था। आपने मेरी आँखें खोल दीं। अब चाहे गाँव वाले कुछ भी कहें लेकिन मैं अब मृत्यु-भोज कराने के बदले कुआँ खोदूँगा।'' मणजी ने अपने पिता से कहा।

मणजी की बात सुनते ही पिता ने मुस्कुरा कर मणजी की ओर देखा और फिर अदृश्य हो गए। मणजी की नींद टूट गई और वह उठ बैठा। उसने देखा कि भोर होने वाली है। मणजी ने हाथ-मुँह धोया, कपड़े बदले और तैयार होकर निकल पड़ा घर से।

''पूरे गाँव वालों को न्यौता देना, बेटा। देखना कोई छूट न जाए।'' माँ ने मणजी से कहा।

''मैं न्यौता देने जा रहा हूँ माँ, लेकिन पूरे गाँव वालों को नहीं बल्कि कुआँ खोदने वालों को। मैंने सोच लिया है कि मैं अब मृत्यु-भोज नहीं कराऊँगा।'' मणजी ने अपनी माँ को बताया।

''लेकिन फिर तेरे पिता की आत्मा को शांति कैसे मिलेगी?'' माँ ने चिंतित होते हुए पूछा।

''माँ, बापू ने मुझे सपने में आकर बताया है कि उनकी आत्मा को शांति तभी मिलेगी जब खेत में एक बार फिर फसल लहलहा उठेगी।'' मणजी ने अपनी माँ को बताया।

''ठीक है बेटा, फिर तो तू वही कर जो तेरे पिता ने तुझसे कहा है।'' माँ ने मणजी से कहा। मणजी जल्दी-जल्दी कुआँ खोदने वालों के पास पहुँचा। वे दो भाई थे। दोनों भाई कहीं काम पर जाने की तैयारी कर रहे थे कि मणजी ने उन दोनों भाइयों से कहा, ''तुम लोग आज से और कहीं मत जाओ क्योंकि आज से तुम लोगों को चल कर मेरे

खेत में एक नया कुआँ खोदना है।''

''मगर तुम तो मृत्यु-भोज कराने वाले हो न?'' दोनों में से एक भाई ने पूछा।

''हाँ, अगर तुम मृत्यु-भोज कराओगे तो हमें हमारी मजदूरी देने के लिए पैसे कहाँ से लाओगे? अगर हम मजदूरी नहीं लेंगे तो हम खाएँगे क्या?'' दूसरे भाई ने कहा।

''हाँ, हमें तुम्हारे खेत में कुआँ नहीं खोदना है। हम वहाँ जाकर काम करेंगे, जहाँ से हमें पैसे मिलें।'' पहले भाई ने कहा।

''अरे भैया! तुम लोग मेरी बात भी सुनोगे या अपनी-अपनी ही बोले जाओगे? सुनो! मैं मृत्यु-भोज नहीं करा रहा हूँ, मुझे कुआँ खुदवाना है। तुम लोगों को जितने पैसे चाहिए, वो मैं तुम्हें पहले ही दे देता हूँ ताकि तुम लोगों को मजदूरी न मिलने का डर न रहे।'' मणजी ने उन दोनों भाइयों से कहा।

''ठीक है, अगर ऐसा है तो तुम हमें हमारी मजदूरी पहले ही दे दो।'' दोनों भाइयों ने कहा।

''ये लो तुम्हारी मजदूरी!'' मणजी ने दोनों भाइयों की मजदूरी पहले से ही दे दी।

''ठीक है, तुम खेत पर पहुँचो, हम कुदाल आदि लेकर वहीं आ आते हैं।'' दोनों भाइयों ने कहा। मणजी अपने खेत की ओर चल पड़ा।

मणजी के जाने के बाद दोनों भाइयों ने अपनी-अपनी कुदाल और अन्य औजार निकाले और मणजी के खेत की ओर चल पड़े।

खेत में पहुँच कर दोनों भाइयों ने कुआँ खोदने लायक जगह देखी और कुआँ खोदने लगे। मणजी भी उनका हाथ बँटाता रहा। शाम तक वे तीनों काम करते रहे। अँधेरा होने पर वे अपने-अपने घर की ओर चल दिए। रास्ते में दोनों भाइयों को गाँव के कुछ लोग मिले।

''तुम लोग कहाँ से आ रहे हो?'' उन्होंने पूछा।

''मणजी के खेत से।'' दोनों भाइयों ने कहा।

''क्यों गए थे वहाँ?''

''कुआँ खोदने।''

''तुम लोग झूठ बोल रहे हो। अगर मणजी कुआँ खुदवाएगा तो मृत्यु-भोज कैसे कराएगा?''

''वह मृत्यु-भोज नहीं करा रहा है। वह कुआँ खुदवा रहा है।'' दोनों भाइयों ने बताया।

''ये तो घोर पाप है। और तुम लोग इस पाप में उसका साथ दे रहे हो? अगर तुमने उसका साथ दिया तो हम तुम्हें गाँव में नहीं रहने देंगे।'' गाँव वालों ने दोनों भाइयों को धमकाया।

''लेकिन हमने मणजी से मजदूरी के पैसे पहले ही ले लिए हैं। अब हम उसे मना

कैसे कर सकते हैं?'' दोनों भाइयों ने कहा।

''इसमें कौन-सी मुश्किल है? मणजी के पैसे लौटा दो और काम करने से मना कर दो।'' गाँव वालों ने कहा।

''अगर हम पैसे लौटा देंगे तो खाएँगे क्या?'' दोनों भाई बोल उठे।

''सोच लो, गाँव में रहना है या मणजी का काम करना है।'' गाँव वालों ने फिर धमकाया।

''ठीक है। जैसा आप लोग कहते हैं हम वैसा ही करेंगे।'' दोनों भाई डर गए।

दूसरे दिन सवेरे दोनों भाई मणजी के खेत पर पहुँचे। मणजी उनसे पहले खेत पर पहुँच गया था।

''हम तुम्हारा काम नहीं कर सकते।'' यह कहते हुए दोनों भाइयों ने मणजी से लिया हुआ रुपया मणजी को लौटा दिया।

''लेकिन क्यों? क्यों नहीं कर सकते हो?'' मणजी को उनकी बात सुनकर बड़ा आश्चर्य हुआ।

दोनों भाइयों ने मणजी को पूरी बात बता दी।

''ठीक है। अगर तुम काम नहीं करना चाहते हो तो मत करो। तुम्हारी इच्छा।'' मणजी ने कहा। दोनों भाई वापस चले गए।

मणजी ने सोचा कि कोई बात नहीं, शायद ये उसके धैर्य की और साहस की परीक्षा की घड़ी है। वह अपने निश्चय से पीछे नहीं हटेगा। चाहे कुछ भी हो जाए। जब लोग अपने पिता की आत्मा की शांति के लिए अपना घर-जेवर आदि सब कुछ बेच कर मृत्यु-भोज कराते हैं तो क्या वह अपनी पिता की आत्मा की शांति के लिए अपना खून-पसीना एक नहीं कर सकता है? फिर मृत्यु-भोज कराने के बाद परिवार के बाकी लोगों को भूखे मरने की नौबत आ जाती है। लेकिन कुआँ खोदने से तो फसल होगी और फसल होने से उसके परिवार को भरपेट भोजन मिलेगा। यह सोच कर मणजी अकेला ही कुआँ खोदने में जुट गया। मणजी तीन दिन तक दिन-रात मेहनत करता रहा। तीन दिन बाद कुएँ में पानी निकल आया, कुएँ में नए अंकुर फूट पड़े। धीरे-धीरे फसल खड़ी हो गई। इतनी अच्छी फसल पूरे गाँव में किसी के खेत में नहीं हुई थी। गाँव वालों ने मणजी के खेत की फसल देखी तो उन्हें अपनी भूल का अहसास हुआ। वे मणजी के पास पहुँचे।

''मणजी, हमें क्षमा कर दो। हमसे गलती हुई है। तुमने सच कहा था कि किसान की आत्मा को लहलहाती फसल देखकर जो शांति मिलती है वह शांति उसे और किसी विधि-विधान से नहीं मिल सकती है। अब हम भी रीति-रिवाज के नाम पर फिजूलखर्ची नहीं करेंगे।'' गाँव वालों ने मणजी से कहा। मणजी गाँव वालों की बात सुनकर बहुत खुश हुआ। उसने मन ही मन अपने पिता को धन्यवाद दिया। उन्हीं

की सलाह के कारण मणजी की सारी समस्याएँ दूर हो गई थीं। उस रात मणजी के सपने में उसके पिता ने फिर दर्शन दिए।

"बापू, अब तो आप खुश हैं न!" मणजी ने अपने पिता से पूछा।

"हाँ बेटा! अब मेरी आत्मा को शांति मिल गई है।" यह कहकर मणजी के पिता ने उसे आशीर्वाद दिया और वे अदृश्य हो गए। इसके बाद मणजी के गाँव में कभी अकाल नहीं पड़ा।

बुद्धिमान वेत्स्या

झाबुआ के एक छोटे से गाँव में एक भील रहता था। उस भील के सात बेटे थे। उन सातों बेटों में छः बड़े-बड़े और ताकतवर थे मगर छोटा, सातवाँ बेटा कमजोर और छोटा-सा था। एक दिन भील बीमार पड़ गया। उसने अपने सातों बेटों को बुलाया और उनसे कहा—"देखो, मैं तो अब मरने वाला हूँ। मेरे मरने के बाद तुम लोग आपस में मिल कर रहना। आपस में लड़ना-झगड़ना नहीं।"

"हम आपस में लड़ेंगे-झगड़ेंगे नहीं। आपस में मिलकर रहेंगे। आप चिंता न करें।" सातों भाइयों ने अपने पिता को भरोसा दिलाया।

"देखो, ये जो तुम्हारा सबसे छोटा भाई है, वह तुम सबसे कमजोर और दुबला-पतला है। तुम लोग इसका ध्यान रखना।" भील ने अपने छः बेटों से कहा।

"आप चिंता न करें पिता जी, ये हमारा सबसे छोटा भाई है इसलिए हम इसकी अच्छी तरह देख-भाल करेंगे।" छहों बेटों ने कहा। इसके बाद भील की मृत्यु हो गई।

एक दिन सातों भाइयों ने चोरी करने की योजना बनाई। रात होने पर छहों भाई अपने छोटे भाई सहित एक घर के पास पहुँचे। उनके छोटे भाई का नाम था वेत्स्या। वे छहों बड़े अवश्य थे लेकिन मूर्ख थे जबकि छोटा भाई वेत्स्या छोटा अवश्य था लेकिन बुद्धिमान था। चोरी वाले घर के पास पहुँच कर छहों भाइयों ने आपस में तय किया कि घर में घुसने से पहले इस बात की आहट ले लेनी चाहिए कि घर के लोग जाग तो नहीं रहे हैं। उन्हें याद आया कि उनका पिता उन्हें समझाया करता था कि आहट लेने के लिए पहले कान लगा कर सुनना चाहिए कि कहीं से कोई आवाज तो नहीं आ रही है। आहट लेने के लिए पहले उन छहों में से एक भाई घर के पास गया और दीवार से कान सटाकर आहट लेने की कोशिश करने लगा। जब उसे कोई आहट सुनाई नहीं दी तो उसने अपना एक कान काट कर वहीं दीवार पर खूँटे पर टाँग दिया। इसके बाद दूसरा भाई आहट सुनने पहुँचा। उसे भी आहट सुनाई नहीं दी तो उसने भी अपना एक कान काट कर खूँटे पर टाँग दिया। इसी प्रकार शेष चारों भाई एक-एक कर आहट सुनने के लिए घर के पास गए और अपने-अपने एक-एक कान काट कर खूँटे पर टाँग आए। अंत में वेत्स्या की बारी आई। वह भी घर के पास पहुँचा। उसने भी दीवार से कान

सटाकर आहट सुनने की कोशिश की। उसे भी कोई आवाज सुनाई नहीं दी। लेकिन वह बुद्धिमान था इसलिए उसने अपना कान काट कर खूँटे पर नहीं टाँगा। उसने दरवाजे की झिरी से घर के भीतर झाँक कर देखा। उसी समय घर के भीतर एक बच्चा रोने लगा। बच्चे को चुप कराते हुए बच्चे की माँ ने उससे कहा कि–''बेटा, रो मत! तू बड़ा हो जा तो मैं तेरा भी ब्याह करा दूँगी। अपने घर में रुपये-पैसों की कमी नहीं है। चूल्हे के पीछे एक घड़ा गड़ा हुआ है। घड़े में चाँदी-सोने के रुपए भरे पड़े हैं। दूसरा घड़ा घर के पूजाघर में भगवान जी की मूर्ति के पास जमीन में गड़ा हुआ है। वह भी सोने-चाँदी से भरा हुआ है।''

बच्चा माँ की बात सुनते-सुनते सो गया। इसके बाद माँ भी सो गई। इसके बाद वेत्स्या लौटकर अपने भाइयों के पास पहुँचा। छहों भाई वेत्स्या की बात सुन कर घर की दीवार फाँद कर भीतर घुस गए और घड़ा निकालने के लिए जमीन खोदने लगे। जहाँ वे जमीन खोद रहे थे, वहीं पास में चूल्हे पर गरम दूध रखा हुआ था। एक भाई ने दूध में आटा डाल कर लप्सी बनाई और खाने लगा। वहीं पास में बच्चे की माँ सो रही थी। अचानक माँ ने सोचा कि बच्चे की माँ भूखी है और लप्सी माँग रही है। उसने बच्चे की माँ के हाथ में गरम-गरम लप्सी रख दी। लप्सी रखते ही बच्चे की माँ चिल्ला उठी।

''बच्चे के बापू! ये क्या किया? मेरा हाथ जला दिया? कम से कम फूँक मार कर ठंडी कर के लप्सी देना था।'' यह कहती हुई उसने ध्यान से देखा तो उसे समझ में आया कि उसके हाथ में लप्सी रखने वाला उसका पति नहीं बल्कि कोई चोर है। वह जोर-जोर से चिल्लाने लगी। छहों भाइयों ने जल्दी से दोनों घड़े उठाए और साथ में लप्सी और आटा भी उठाया और घर से बाहर निकल आए। घर के बाहर से सातों भाई साथ हो लिए और भाग खड़े हुए। रास्ते में सबेरा हो गया। सातों भाइयों ने बरगद के पेड़ के नीच बैठकर धन करा बँटवारा किया। वेत्स्या बुद्धिमान था इसलिए उसने बँटवारे में अधिक धन ले लिया। उधर जिस व्यक्ति के घर चोरी हुई थी उसने थाने में रपट लिखाई। पुलिसवाले चोरों को ढूँढ़ने निकले। जब सातों भाइयों ने देखा कि पुलिसवाले उन्हें ढूँढ़ते हुए उनकी ओर आ रहे हैं तो वे झटपट बरगद के पेड़ पर चढ़ गए। बरगद का पेड़ बहुत घना और बड़ा था। इसलिए पुलिसवाले उन भाइयों को नहीं देख पाए और वे घोड़े से उतर कर उसी पेड़ के नीचे बैठ कर सुस्ताने लगे। उन्होंने अपने घोड़े उसी बरगद के पेड़ से बाँध दिए थे।

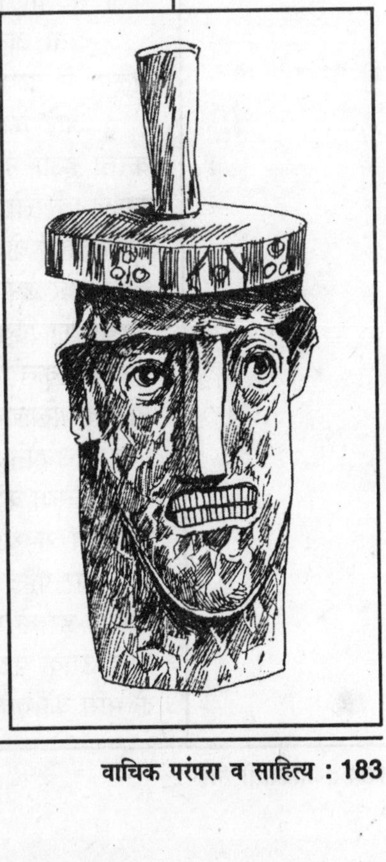

''मुझे पेशाब लगी है।'' वेत्स्या ने अपने भाइयों के कहा।

''तू अभी पेशाब मत कर, वरना नीचे बैठे पुलिसवालों को हमारा पता चल जाएगा।'' भाइयों ने उसे समझाया।

''नहीं, मैं नहीं रुक सकता हूँ।'' वेत्स्या ने कहा।

''मगर, तुझे रुकना ही होगा।'' भाइयों ने कहा।

''अगर तुम लोग मुझे पेशाब करने से रोकना ही चाहते हो तो जो मैंने तुम्हें कल सुबह अपने हिस्से में से जो आधी-आधी रोटियाँ दी थीं वो मुझे वापस कर दो।'' वेत्स्या ने कहा।

''अब हम यहाँ जंगल में, इस बरगद के पेड़ के ऊपर तुझे देने के लिए रोटियाँ कहाँ से लाएँगे? देख, तू जिद मत कर।' भाइयों ने समझाया।

''तो अब मैं भी क्या कर सकता हूँ। मैं तो पेशाब करके रहूँगा।'' वेत्स्या ने कहा और उसने पेशाब कर दी।

पुलिसवालों ने समझा कि बरगद पर कोई बंदर होगा जो ऊपर से पेशाब कर रहा है। इसलिए वे उठ खड़े हुए। इधर वेत्स्या को तब तक पुलिसवालों से पीछा छुड़ाने का एक उपाय सूझ गया। उसने अपने भाइयों से कहा कि—''ये आटे का बरतन मुझे बहुत भारी लग रहा है। मैं आटे को बरगद के पेड़ के नीचे गिरा देता हूँ।'' ''नहीं, ऐसा मत करना वरना पुलिसवालों को हमारा पता चल जाएगा।'' भाइयों ने कहा। ''अगर तुम लोग मुझ आटे का बरतन गिराने से रोकना ही चाहते हो तो जो मैंने तुम्हें कल सुबह अपने हिस्से में से जो आधी-आधी रोटियाँ दी थीं वो मुझे वापस कर दो।'' वेत्स्या ने कहा।

''अब हम यहाँ जंगल में, इस बगरद के पेड़ के ऊपर तुझे देने के लिए रोटियाँ कहाँ से लाएँगे। देख, तू जिद मत कर।'' भाइयों ने समझाया।

''तो अब मैं भी क्या कर सकता हूँ। मैं तो आटे का बरतन गिरा कर रहूँगा।'' वेत्स्या ने कहा और उसने आटे का बरतन नीचे गिरा दिया।

आटे का बरतन बरगद की डालियों और तने से टकराता हुआ जोर की आवाज करता हुआ नीचे गिरा। पुलिसवालों ने आवाज सुन कर समझा कि पेड़ टूट कर गिर रहा है। वे लोग अपनी जान बचा कर भाग खड़े हुए। उनके घोड़े पेड़ से बँधे रह गए। पुलिसवालों के जाने के बाद सातों भाई नीचे उतरे। उन्होंने पुलिसवालों के घोड़े पेड़ से खोले और उन पर सवार हो गए। उन्होंने उसमें से सबसे कमजोर और मरियल-सा घोड़ा वेत्स्या को दिया। वेत्स्या को अपने भाइयों के इस भेदभाव से बड़ा दुख पहुँचा। उसने उनकी अकल ठिकाने लगाने का फैसला किया। वेत्स्या ने अपने सारे रुपए अपने मरियल घोड़े को खिला दिए और जोर-जोर से चिल्लाने लगा—''मैं लुट गया! मुझे लुटेरों ने लूट लिया। उन्होंने मुझसे मेरे सारे रुपए छीन लिए।''

वेत्स्या की बात सुन कर उसके भाइयों को वेत्स्या पर दया आ गई और उन्होंने अपने हिस्से में से थोड़े-थोड़े रुपए वेत्स्या को दे दिए। इसके बाद वे अपने घर जा पहुँचे।

घर पहुँच कर वेत्स्या ने अपने घोड़े को घर के पिछवाड़े ले जाकर खूब पिटाई की। घोड़े ने डर के मारे ढेर सारी लीद कर दी, जिससे वेत्स्या द्वारा खिलाए गए रुपए लीद के साथ उसके पेट से बाहर आ गए। इसके बाद घोड़ा गिर कर मर गया। वेत्स्या ने घोड़े के मांस को बकरे का मांस कह कर बाजार में बेच दिया। इससे उसे बहुत से रुपए मिले।

भाइयों ने जब देखा कि वेत्स्या के पास उनसे ज्यादा रुपए हैं तो उन्होंने वेत्स्या से पूछा कि ये रुपए कहाँ से मिले? इस पर वेत्स्या ने उन्हें बताया कि घोड़े को पीटने से घोड़े के पेट से रुपए निकलते है। छहों भाइयों ने भी अपने-अपने घोड़ों को खूब पीटा। उनके घोड़े मार खा-खा कर मर गए मगर उनके पेट से रुपये नहीं निकले। तब भाइयों ने वेत्स्या के पास जा कर पूछा कि हमारे घोड़ों के पेट से तो रुपए नहीं निकले, उल्टे हमारे घोड़े जरूर मर गए। अब हम इन मरे हुए घोड़ों का क्या करें? इस पर वेत्स्या ने उन्हें सलाह दी कि वे अपने घोड़ों का मांस बाजार में ले जाएँ और 'घोड़े का मांस ले लो–घोड़ों का मांस ले लो' आवाज लगाते हुए घोड़े का मांस बेच दें। भाइयों ने वेत्स्या के कहने के अनुसार बाजार पहुँच कर माँस बेचना शुरू किया, मगर घोड़े का माँस कोई नहीं खाता था। इसलिए किसी ने नहीं खरीदा। छहों भाई घोड़ों के मांस को वहीं फेंक कर घर लौट आए। वे वेत्स्या से बहुत नाराज थे। उन्होंने गुस्से में आकर वेत्स्या का घर जला दिया। वेत्स्या बुद्धिमान था। वह अपने भाइयों के द्वारा घर जला दिए जाने पर भी घबराया नहीं। उसने घर की राख एक बैलगाड़ी में भर ली और शहर की तरफ चल दिया। रास्ते में उसे रानी और राजकुमारियाँ मिलीं। रानी की गाड़ी खराब हो गई थी। रानी ने वेत्स्या से कहा कि तुम हमें महल तक पहुँचा दो। हम महल पहुँच कर तुम्हें ढेर सारा इनाम देंगे। इस पर वेत्स्या ने कहा–"मेरी गाड़ी में सोना-चाँदी भरा हुआ है। यदि आपकी किसी राजकुमारी ने इस पर बैठ कर छींक दिया तो मेरा सोना-चाँदी राख में बदल जाएगा।"

"अगर तुम्हारी सारा सोना-चाँदी राख में बदल गया तो हम महल पहुँच कर तुम्हारी बैलगाड़ी खजाने के सोने-चाँदी से भरवा देंगे।" रानी ने वेत्स्या से कहा।

वेत्स्या ने रानी और राजकुमारियों को अपनी बैलगाड़ी पर चढ़ा लिया। कुछ दूर जाने पर जोर की हवा चली, जिससे धूल उड़ी। धूल उड़ने से एक राजकुमारी को छींक आ गई। राजकुमारी के छींकते ही वेत्स्या ने गाड़ी रोक दी और गाड़ी में भरी हुई राख दिखाते हुए कहा–"देख लीजिए, आपकी राजकुमारी के छींकने से मेरा सारा सोना-चाँदी राख में बदल गया। अब मैं क्या करूँगा। मैं तो बरबाद हो गया।"

"तुम चिंता मत करो। तुम्हारा सारा सोना-चाँदी राख में बदल गया है तो बदल जाने दो, हम महल पहुँच कर तुम्हारी बैलगाड़ी खजाने के सोने-चाँदी से भरवा देंगे।" रानी ने वेत्स्या से कहा। महल पहुँच कर रानी ने वेत्स्या की गाड़ी सोने-चाँदी से भरवा दी। वेत्स्या खुशी-खुशी अपने घर लौट आया। वेत्स्या के भाइयों ने देखा कि हमने तो वेत्स्या का घर भी जला दिया था फिर भी वेत्स्या गाड़ी भर कर सोना-चाँदी ले आया। वेत्स्या ने अपने भाइयों को धन्यवाद देते हुए कहा कि यह सोना-चाँदी मैं राख बेच कर लाया हूँ। यह सुन कर छहों भाइयों ने सोचा कि उनके घर तो वेत्स्या के घर से बड़े हैं। उनके घर जलने से राख भी ज्यादा निकलेगी और उन्हें उसे बेच कर पैसे भी ज्यादा

मिलेंगे। वे अपने-अपने घर आए और अपने घरों में आग लगा दी। छह-छह घर जलते हुए देख कर गाँव वाले आग बुझाने दौड़े तब छहों भाइयों ने गाँव वालों को डाँटते हुए कहा—''खबरदार! कोई आग नहीं बुझाएगा।'' गाँव वाले लौट गए। घर जल जाने पर भाइयों ने अपने-अपने घरों की राख बैलगाड़ियों में भरी और उसे बेचने शहर जा पहुँचे। जले हुए घरों की राख भला कौन खरीदता। उल्टे उन्हें बाजार से भगा दिया गया। वे राख शहर के बाहर फेंक कर रोते-रोते अपने गाँव लौट आए। वे वेत्स्या के पास पहुँचे और उससे बोले—''तूने हमें बरबाद कर दिया, अब हम तुझे जिंदा नहीं छोड़ेंगे।'' छहों भाइयों ने वेत्स्या के हाथ-पाँव बाँधे और उसे एक बोरे में बंद कर के जंगल के कुएँ में डालने को चल दिए। रास्ते में उन्हें पेशाब लगी। छहों भाई रुक गए। बोरे को जमीन पर रख कर वे पेशाब करने चले गए, वहीं पास में एक चरवाहा भैंसें चरा रहा था। उसने बोरा रखा देखा तो वह कौतूहलवश बोरे के पास आया। असने बोरा खोला तो उसमें से वेत्स्या निकल आया। ''तुम्हें बोरे में किसने बंद कर दिया?'' चरवाहे ने वेत्स्या ने पूछा।

''अब मैं क्या बताऊँ भाई! मेरी दो-दो पत्नियाँ हैं। मैं एक पत्नी के पास रहता हूँ। वहीं मेरी दूसरी पत्नी रहने वाली थी। मगर मेरी दूसरी पत्नी के इन छहों भाइयों ने पहले अपनी बहन को मेरे पास नहीं आने दिया और अब मुझे अपने साथ ले जाकर घरजवाँई बना कर रखना चाहते हैं। मैं अपनी दूसरी पत्नी का घरजवाँई नहीं बनना चाहता हूँ, मगर ये लोग मुझे बाँध कर बोरे में बंद करके ले जा रहे हैं।'' वेत्स्या ने चरवाहे से कहा। वेत्स्या की बात सुन कर चरवाहा सोचने लगा कि देखो तो यह आदमी कितना भाग्यवान है, इस आदमी की दो-दो पत्नियाँ हैं और एक मैं अभागा हूँ कि मेरी एक भी पत्नी नहीं है।

''यदि तुम बुरा न मानो तो क्या मैं तुम्हारे बदले तुम्हारी दूसरी पत्नी के पास चला जाऊँ? तुम तो जाना नहीं चाहते हो।'' चरवाहे ने वेत्स्या से कहा।

''इसमें बुरा मानने की क्या बात है? तुम तो ऐसा कर के मुझे एक बहुत बड़ी मुसीबत से बचा लोगे। मैं तुम्हारा ये अहसान जीवन भर नहीं भूलूँगा।'' वेत्स्या ने कहा और चरवाहे को अपने बदले बोरे में बाँध दिया।

जब छहों भाई पेशाब करके लौटे तो उन्होंने बोरा उठाया और कुएँ की ओर चल दिए। उन्हें यह पता नहीं चल पाया कि बोरे में वेत्स्या है या कोई और है। वे कुएँ के पास पहुँचे। उन्होंने बोरा कुएँ में फेंक दिया और अपने घर लौट आए।

इधर वेत्स्या ने चरवाहे की भैंसें इकट्ठी कीं और उन्हें अपने घर ले आया। जब भाइयों ने देखा कि जिस वेत्स्या को वे लोग हाथ-पाँव बाँध कर, बोरे में बंद करके जंगल के कुएँ में फेंक आए थे वह वेत्स्या जीवित भी है और भैंसों का मालिक बना बैठा है। वे वेत्स्या के पास पहुँचे। उन्होंने वेत्स्या से पूछा—''जब हमने तुझे हाथ-पैर बाँध कर, बोरे में बंद करके कुएँ में फेंक दिया था। और हमने तेरे बोरे को डूबते हुए अपनी आँखों

से देखा था तो फिर तू जिंदा कैसे बचा और तुझे ये भैंसें कैसे मिलीं?''

''बात ये है भाइयो कि जिस कुएँ में तुम लोगों ने मुझे फेंका, उसमे भैंसें रहती हैं। इन कुछ भैंसों ने मुझे बचा लिया और मेरे साथ चली आईं। वहाँ कुएँ में और भी बहुत सारी भैंसें थीं, मगर मैंने सोचा कि मैं अकेला अधिक भैंसों का क्या करूँगा इसलिए मैं उन्हें वहीं छोड़ आया।'' यह सुन कर छहों भाइयों ने सोचा कि वेत्स्या दुबला-पतला और मरियल-सा है, इस पर भी यह इतनी सारी भैंसें ले आया। हम लोग ताकतवर हैं इसलिए हम अधिक भैंसें ला सकते हैं। अगर हमें बहुत सारी भैंसें मिल जाएँ तो हम उन्हें ले आएँगे और एक भी भैंस कुएँ में नहीं छोड़ेंगे, यह सोच कर छहों भाई कुएँ के पास पहुँचे और उन्होंने एक साथ कुएँ में छलाँग लगा दी। उन्हें तैरना तो आता नहीं था। और कुआँ भी गहरा था, इसलिए वे लोग डूब कर मर गए। इसीलिए कहा जाता है कि एक बुद्धिमान हजार मूर्खों पर भारी पड़ता है।

वफ़ादार कुत्ता

यह कहानी है मंडला जिले के डिंडोरी के पास एक छोटे से गाँव में रहने वाले गोंडों की। वह गोंडों का गाँव था। उस गाँव में लमाना रहता था। लमाना के पास एक कुत्ता था। कुत्ता बहुत वफ़ादार था। लमाना जहाँ भी जाता, कुत्ता उसके साथ-साथ जाता। रात को कुत्ता लमाना के पर की चौकीदारी करता। लमाना भी कुत्ते से बहुत प्यार करता था। लमाना गाँव में एक छोटी-सी दुकान में छोटी-मोटी वस्तुएँ बेचा करता था, जिससे उसका और उसके कुत्ते का गुजारा हो जाया करता था। एक बार लमाना को किसी कारण से दुकान में बहुत घाटा हो गया। उसे अपनी दुकान के लिए पैसे उधार चाहिए थे। वह पैसे उधार लेने के लिए दूसरे गाँव के एक साहूकार के पास गया। लमाना का कुत्ता भी उसके साथ-साथ गया।

''मैं तुम्हें उधार तो दे दूँगा लेकिन इसके बदले तुम्हें अपना कोई कीमती सामान मेरे पास गिरवी रखना होगा।'' साहूकार ने लमाना से कहा।

''मेरे पास तो कोई कीमती सामान नहीं है।'' लमाना ने साहूकार से कहा।

''तो फिर मैं तुम्हें उधार भी नहीं दे सकता हूँ। क्योंकि यह मेरा वसूल है कि मैं बिना गिरवी रखवाए किसी को उधार नहीं देता हूँ।'' साहूकार ने लमाना से कहा। इस पर लमाना सोच में पड़ गया। उसे लगा कि यदि उसे पैसे नहीं मिले तो उसकी दुकान बंद हो जाएगी और फिर उसे और उसके कुत्ते को भूखों मरना पड़ेगा।

''देखिए, मेरा सबसे कीमती सामान मेरा यह कुत्ता है। यह मुझे बहुत प्रिय है। मैं इसे आपके पास गिरवी रख देता हूँ।'' लमाना ने कहा।

''ठीक है। मैं तुम्हारा कुत्ता गिरवी के रूप में रख लेता हूँ। मैं इसे तभी छोड़ूँगा, जब तुम उधार के पैसे चुका दोगे।'' साहूकार ने कहा और कुत्ते को

अपने पास रख लिया। लमाना कुत्ते को छोड़ कर जाते हुए बहुत दुखी हुआ। वह दुखी मन से पैसे लेकर अपने घर लौट आया। कुत्ता भी दुखी मन से साहूकार के पास रहने लगा। साहूकार उसका मालिक नहीं था। लेकिन कुत्ता उसकी रोटी खा रहा था इसलिए साहूकार के प्रति भी वफ़ादार था। एक रात साहूकार के घर कुछ चोर घुसे। वे हथियार लिए हुए थे। कुत्ते ने चोरों को देखा। मगर उसने भूँका नहीं। कुत्ते को लगा कि अगर उसने भूँका तो साहूकार जाग कर चोरों के सामने आ जाएगा और चोर उसे हथियार से घायल कर सकते हैं या मार सकते हैं। चोरों ने साहूकार के घर का कीमती सामान चुराया और चले गए। कुत्ता भी दबे पाँव उन चोरों के पीछे-पीछे चल पड़ा। उसने देखा कि चोरों ने सामान को एक कपड़े में बाँध कर तालाब में डाल दिया और वे खाली हाथ चले गए। कुत्ता यह सब देखकर साहूकार के घर लौट आया। भोर होने पर साहूकार के घर में कोहराम मच गया। साहूकार घर के बाहर खड़ा होकर अपने नौकरों से पूछ-ताछ करने लगा। उसी समय कुत्ता साहूकार के पास आया और उसने साहूकार की धोती पकड़कर खींचनी शुरू कर दी। साहूकार ने उसे दुत्कारते हुए अपनी धोती छुड़ा ली। साहूकार को लगा कि इस कुत्ते ने चोरों के आने पर तो भूँका नहीं और अब धोती खींच कर खेलने को कह रहा है। मगर कुत्ता बार-बार साहूकार के पास जाता और उसकी धोती पकड़ कर एक ओर खींचने लगता।

साहूकार के एक रिश्तेदार का कुत्ते की इस हरकत पर ध्यान गया तो उसने साहूकार से कहा—"मुझे लगता है कि इस कुत्ते को कुछ पता है और वही ये बताने की कोशिश कर रहा है। ये जिस ओर तुम्हें खींच रहा है उस ओर हमें चल कर देखना चाहिए।"

साहूकार ने अपने रिश्तेदार की बात मान ली। वे लोग कुत्ते के पीछे-पीछे चल दिए। कुत्ता चलता-चलता उसी तालाब के पास पहुँचा जहाँ चोरों ने सामान डाल दिया था। कुत्ते ने देखते ही देखते तालाब में छलाँग लगा दी और फिर बाहर निकल आया। सामानों की गठरी भारी थी। इसलिए वह गठरी पानी से निकाल कर नहीं ला सकता था। साहूकार ने तैरना जानने वाले गोताखोरों को तालाब में उतारा। गोताखोर तालाब में उतरे और तालाब के तल में पड़ी हुई सामानों की गठरी उठा लाए। गठरी में सारा सामान बँधा हुआ पाकर साहूकार बहुत खुश हुआ। वह समझ गया कि चोरों के पास हथियार रहे होंगे इसीलिए कुत्ते ने नहीं भूँका लेकिन उनका पीछा कर के सामान का पता लगा लिया। वह कुत्ते की वफ़ादारी से खुश हो गया। उसने देखा कि कुत्ता उसके पास दुखी रहता है। इसलिए उसने एक चिट्ठी में लमाना को सारी घटना लिखते हुए आगे लिखा कि—"मैं ऐसे वफ़ादार कुत्ते का दुख नहीं देख सकता हूँ इसलिए मैं इसे गिरवी के बंधन से आजाद करता हूँ। चूँकि यह तुम्हारा कुत्ता है और इसने मेरा सारा कीमती सामान बचाया है। इसलिए मैं तुम्हें उधार की वापसी से भी आजाद करता हूँ। अब तुम अपना कुत्ता अपने पास रखो और उधार का धन लौटाने की भी आवश्यकता नहीं

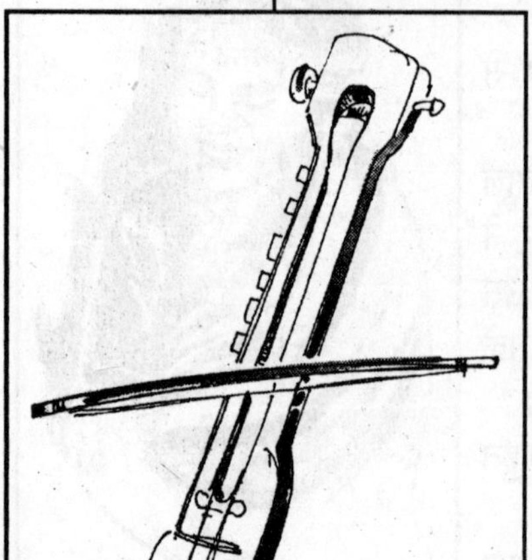

है।'' साहूकार ने चिट्ठी को कुत्ते के गले के पट्टे में बाँध दिया और उसे वापस अपने पुराने मालिक के पास जाने के लिए छोड़ दिया। कुत्ता खुशी-खुशी अपने मालिक के गाँव की ओर दौड़ चला।

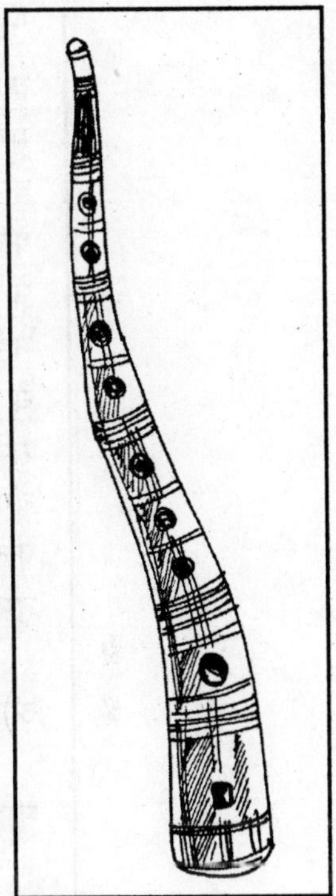

उधर लमाना भी कुत्ते के बिना बहुत दुखी था इसलिए उसने कहीं से कुछ पैसों का जुगाड़ किया और अपने कुत्ते को साहूकार से छुड़ाने के लिए चल पड़ा।

कुत्ता साहूकार के घर से ल माना की ओर आ रहा था। और लमाना अपने घर से साहूकार के घर की ओर जा रहा था। लमाना को रास्ते में अचानक अपना कुत्ता साहूकार के घर से चुपचाप भाग कर वापस आ रहा है और अब साहूकार लमाना को बेईमान कहेगा। लमाना को कुत्ते पर बहुत गुस्सा आया कि वह क्या उसे छुड़ाता नहीं, जो वह भागा चला आ रहा है? लमाना ने क्रोध से भर कर अपने हाथ में लिए हुए डंडे को कुत्ते की ओर फेंक कर मारा। डंडा कुत्ते के सिर पर लगा। कुत्ता वहीं गिर कर मर गया। लमाना कुत्ते के पास पहुँचा। उसने जब देखा कि कुत्ता मर गया है तो उसे बहुत दुख हुआ। उसने जान से मारने के लिए डंडा नहीं फेंका था। वह तो बस, भाग कर आने की उसे सजा देना चाहता था। लमाना रोता हुआ वहीं बैठ गया और अपने कुत्ते के शरीर को सहलाने लगा। अचानक उसका हाथ पट्टे पर पड़ा। पट्टे में उसे साहूकार की चिट्ठी मिली। चिट्ठी पढ़ कर उसे अपनी भूल का पता चला। मगर अब क्या हो सकता था? उसका वफ़ादार कुत्ता तो मर चुका था। लमाना अपनी करनी पर बहुत पछताया।

लमाना ने बाद में अपने कुत्ते की याद में एक मंदिर बनवाया। मंदिर में उसने कुत्ते की मूर्ति लगवाई। मंदिर की आज भी बहुत मान्यता है। आज भी वहाँ मेला लगता है और लोग उस वफ़ादार कुत्ते को याद करते हैं। साथ में इस बात की भी सीख लेते हैं कि बिना जाने-समझे कोई काम नहीं करना चाहिए।

बैंगन का पौधा और मुर्गी के चूजे

एक गाँव में एक माड़िया औरत रहती थी। उसने एक मुर्गी पाल रखी थी। मुर्गी आँगन में घूमती फिरती और दाने चुगती। उस माड़िया औरत को लगा कि घर में मुर्गी तो है यदि एक बैंगन का पौधा भी लगा दिया जाए तो अच्छा रहेगा। मुर्गी बैगन के पौधे की छाया में बैठ कर सुस्ता सकेगी। बैंगन में बैंगनी-बैंगनी फूल खिलेंगे तो आँगन सुन्दर दिखेगा। बैंगन फलेगा तो सब्जी बनाने के काम आएगा। यह सोच कर उस माड़िया औरत ने अपने घर के आँगन में बैंगन का एक पौधा लगाया।

बैंगन का पौधा बड़ी तेजी से बढ़ने लगा। मुर्गी को उस पौधे के नीचे बैठना बड़ा अच्छा लगता था। पौधे को भी उसके बैठने से कोई आपत्ति नहीं थी। मुर्गी के कई चूजे थे। वे भी मुर्गी और बैंगन के पौधे के चारों ओर घूमते, खेलते और दाना चुगते रहते थे। मुर्गी उन्हें देख-देख कर खुश होती। बैंगन भी उन्हें देख-देख कर खुश होता।

बैंगन में धीरे-धीरे कई फूल खिले। ये फूल कई-कई दिनों तक खिले रहे। मगर

उन फूलों से एक भी फल नहीं हुआ। धीरे-धीरे सारे फूल मुरझा कर गिर गए। फिर कुछ दिन बाद बैंगन में एक फूल खिला। इस एक फूल से सारा आँगन महक उठा। मुर्गी को भी यह फूल बड़ा भाया। वह रोज बैंगन के नीचे जा बैठती और फूल को देखा करती। कुछ दिन बाद फूल से फल बनने लगा। चटख बैंगनी रंग का फल। धीरे-धीरे फल बड़ा होने लगा। मुर्गी ने बैंगन के पौधे के नीचे बैठना नहीं छोड़ा। माड़िया औरत ने देखा कि उसके आँगन के बैंगन के पौधे में एक फल फला हुआ है, मगर उसने उसे नहीं तोड़ा। उसे लगा कि इस एक फल से कौन-सा उसका पेट भर जाएगा। मगर यदि ये फल पेड़ में लगा रहेगा तो आँगन की शोभा बनी रहेगी। इस तरह फल पौधे में लगा रहा और धीरे-धीरे बढ़ता रहा। एक दिन मुर्गी जब बैंगन के पौधे के नीचे पहुँची तो बैंगन के पौधे ने उसे टोका—''मुर्गी बहन, अब तुम मेरी छाया में मत बैठो क्योंकि मेरा फल बहुत बड़ा हो गया है, भारी हो गया है। यह कभी भी गिर सकता है। यदि ये तुम्हारे ऊपर गिरा तो तुम्हें चोट लग जाएगी।''

''भला एक फल के गिरने से मुझे चोट कैसे लगेगी?'' मुर्गी ने लापरवाही से कहा और वह बैंगन के पौधे की छाया में जाकर बैठ गई।

कुछ देर बाद वही हुआ जिसका उस बैंगन के पौधे को डर था। बैंगन का फल मुर्गी पर जा गिरा और मुर्गी फल से दब कर मर गई।

माड़िया औरत का घर गाँव के किनारे जंगल के पास था। इसलिए उसके घर के आस-पास एक लोमड़ी मँडराया करती थी। वह हमेशा मुर्गी के चूजों को खाने की ताक में रहती थी। जब तक मुर्गी जिन्दा थी, तब तक लोमड़ी का साहस नहीं हुआ कि वह उसके चूजों को मार सके। मुर्गी के मरते ही लोमड़ी की बन आई। एक रात लोमड़ी चुपके से घर के अहाते में घुस गई। उसने मुर्गी के चूजों को ढूँढ़ना शुरू किया। उसे एक भी चूजा नहीं मिला। वह बहुत हैरान हुई। वह चुपचाप वापस चली गई। सबेरा होने पर उसने अहाते के पास जाकर देखा तो उसे चूजे आँगन में दाना चुगते हुए दिखाई दिए। उसने सोचा कि रात को चूजे किसी खास जगह सोते हैं। इसलिए अच्छा यही होगा कि इन चूजों से ही यह पूछ लिया जाए कि वे रात को कहाँ सोते हैं। लोमड़ी वेश बदलकर चूजों के पास पहुँचती है और उनसे पूछती है—''बच्चो, मैं तुम्हारी माँ की सहेली हूँ। तुम्हारी माँ ने मरने से पहले मुझसे कहा था कि मैं तुम्हारी देख-भाल करूँ। उसने यह भी बताया था कि यहाँ जंगल से एक लोमड़ी आया करती है जो मेरे बच्चों को खा सकती है। इसलिए तुम बच्चों का ध्यान रखना। रात को जाकर उन्हें देख लिया करना। इसलिए तुम लोग मुझे बताओ कि तुम लोग कहाँ सोया करते हो?'' ''हम आँगन में बाँस की बड़ेरी पर सोते हैं।'' भोले-भाले चूजों ने लोमड़ी को बता दिया।

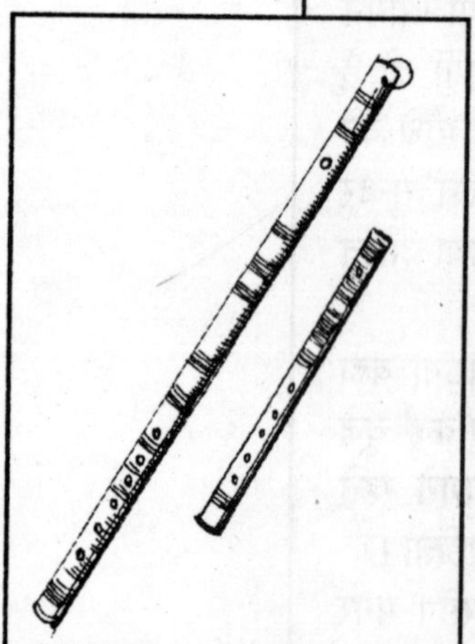

चूजों के सोने की जगह का पता लगा कर लोमड़ी बहुत खुश हुई। रात होने पर लोमड़ी घर के अहाते में घुसी और आँगन में जा पहुँची। आँगन में बाँस की बड़ेरी बनी हुई थी। लोमड़ी ने सोचा कि सारे चूजे उसी बड़ेरी के

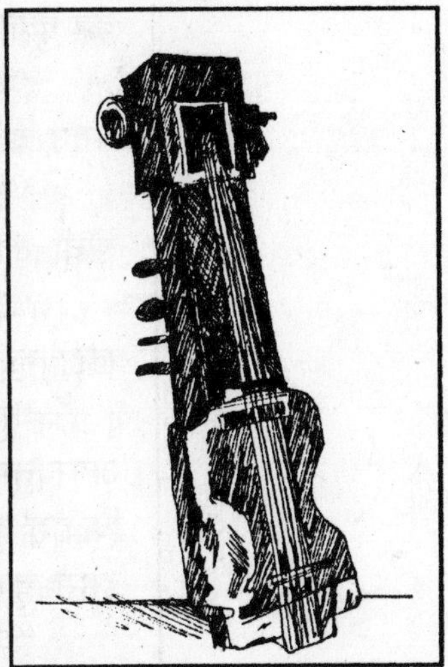

ऊपर सो रहे होंगे। वह खुश होती हुई बड़ेरी पर चढ़ी। उसने देखा कि वहाँ एक भी चूजा नहीं था। बल्कि बाँस की बड़ेरी कमजोर हो चुकी थी और वह लोमड़ी के वजन से टूट गई। लोमड़ी भरभरा कर नीचे गिरी। लोमड़ी के गिरने से जोरदार आवाज हुई। आवाज सुन कर माड़िया औरत जाग गई। वह दौड़ कर घर से बाहर आई और उसने लोमड़ी को देखा। औरत ने लोमड़ी को देखते ही एक लकड़ी उठा कर लोमड़ी की ओर फेंक कर मारी। लकड़ी लोमड़ी की पीठ पर लगी। लोमड़ी हाय-हाय करती हुई भाग खड़ी हुई। लोमड़ी की कमर देर तक दुखती रही।

लोमड़ी सोचने लगी कि आखिर चूजे बड़ेरी पर क्यों नहीं मिले? उन्होंने तो खुद ही बताया था कि वे बड़ेरी पर सोते हैं। कहीं चूजों ने उसे मूर्ख तो नहीं बना दिया? जबकि हुआ ये था कि जब लोमड़ी चूजों से पूछ रही थी कि वे कहाँ सोते हैं तो उस समय बैंगन के पौधे ने उन लोगों की बातचीत सुन ली थी। लोमड़ी के जाने के बाद उसने चूजों को समझाया था कि वे रोज एक ही जगह पर न सोया करें। वे रोज अपने सोने की जगह बदल लिया करें। चूजों ने देखा कि बैंगन के पौधे की सलाह नहीं मानने से उनकी माँ को अपने प्राण गँवाने पड़े थे। इसलिए चूजों ने बैंगन के पौधे की बात मान ली और वे एक टोकरी के नीचे छिप कर सो गए थे। उधर लोमड़ी ने सोचा कि मुझे यह पता लगाना चाहिए कि वे चूजे कहाँ छिपे हुए थे। वह एक बार फिर चूजों के पास पहुँची। उसने चूजों से कहा–''बच्चो मुझे पता चला है कि रात को लोमड़ी यहाँ आई थी, लेकिन तुम लोग कहीं छिप कर सो गए थे। इसलिए वह तुम्हें पकड़ नहीं सकी। तुम लोग कहाँ छिपे हुए थे?''

''हम लोगों को बैंगन के पौधे ने समझाया था कि रोज एक ही जगह पर सोने से खतरा रहता है। इसलिए रोज अलग-अलग जगह पर सोना चाहिए। इसलिए हम कल रात को एक टोकरी के नीचे छिप कर सो गए थे।'' भोले-भाले चूजों ने सारी बात बता दी।

''तुम लोग आज भी कहीं और दूसरी जगह पर सोना। भला कहाँ सोओगे तुम लोग?'' लोमड़ी ने चालाकी दिखाते हुए चूजों से पूछा।

''आज हम लोग लौकी के तूंबे (बुरका) में छिप कर सोएँगे।'' चूजों ने बता दिया।

लोमड़ी चूजों के सोने की जगह का पता लगा कर खुशी-खुशी चली गई। बैंगन का पौधा उस समय सो रहा था। इसलिए वह इन लोगों की बात नहीं सुन पाया।

रात हुई तो लोमड़ी दबे पाँव अहाते में घुसी। वह लौकी के तूंबे के पास पहुँची। उसने तूंबे में झाँक कर देखा। चूजे तूंबे में सो रहे थे। लोमड़ी अपनी चालाकी पर फूली नहीं समाई। उसने फौरन तूंबा उठाया और अहाते के बाहर चल दी। उसी समय बैंगन के पौधे को लोमड़ी की आहट मिल गई। उसने देखा कि लोमड़ी तूंबा उठा कर भाग रही है। वह ताड़ गया कि तूंबे में चूजे सो रहे होंगे। वह चिंता में पड़ गया कि चूजों को कैसे बचाया जाए? उसी समय उसे एक उपाय सूझा। उसने लोमड़ी को आवाज दे

कर पुकारा। ''लोमड़ी-लोमड़ी! कहाँ जा रही हो? जरा सुनो तो!'' बैंगन के पौधे ने पुकारा।

''धीरे बोलो! रात के समय यूँ चिल्लाना ठीक नहीं होता है।'' लोमड़ी डर गई कि बैंगन की आवाज सुन कर कहीं घर की मालकिन जाग न जाए।

''अगर तुम मेरे पास आकर मेरी बात सुनो तो मैं नहीं चिल्लाऊँगा। नहीं तो मुझे ऊँची आवाज में तुमसे बात करनी पड़ेगी।'' बैंगन के पौधे ने कहा।

''ठीक है कहो, जो कहना है जल्दी कहो!'' लोमड़ी बैंगन के पौधे के पास आ खड़ी हुई।

''सुनो, मैं जानता हूँ कि ये जो तूंबा तुम ले जा रही हो उसमें चूजे सो रहे हैं। अगर तुम चूजों को ऐसे ही खा जाओगी तो तुम्हें स्वाद नहीं आएगा। तुम ऐसा करो कि इस तूंबे को पत्थर पर पटक-पटककर पहले चूजों को खूब हिलाओ फिर खाना। देखना इससे चूजों का स्वाद बढ़ जाएगा।'' बैंगन के पौधे ने लोमड़ी को सलाह देते हुए कहा।

''ये तुम मुझे क्यों बता रहे हो? तुम तो चूजों के हितैषी हो। जरूर इसमें तुम्हारी कोई चाल है।'' चालाक लोमड़ी ने कहा।

''इसमें भला मेरी क्या चाल हो सकती है? मैं तुम्हें चूजों को छोड़ने को तो नहीं कह रहा हूँ। वैसे भी मैं एक पौधा हूँ। मेरे लिए तुममें और चूजों में कोई अंतर नहीं है। मैं तो तुम्हारे भले के लिए कह रहा हूँ। यदि तुम ऐसा नहीं करना चाहो तो मत करो। तुम्हारी इच्छा।'' बैंगन लोमड़ी से बोला।

''ठीक है सोचूँगी!'' लोमड़ी ने कहा और वह तूंबा लेकर अहाते से बाहर निकल आई। घर से कुछ दूर जाने पर लोमड़ी ने सोचा कि अब इन चूजों को खा लिया जाए। उसी समय उसे बैंगन के पौधे की बात याद आ गई। उसने सोचा कि यदि बैंगन के पौधे के कहने के अनुसार मैं तूंबे को पत्थर पर पटक-पटककर चूजों को पहले अच्छी तरह हिला लूँ तो इसमें कोई बुराई नहीं है। हो सकता है कि इससे चूजों का स्वाद सही में बढ़ जाए। यह सोच कर लोमड़ी ने तूंबे को अपनी पूँछ में लपेटा और उसे पत्थर पर पटकने लगी। तूंबा था चिकना। वह उसकी पूँछ से फिसल गया और पत्थर से टकरा कर उसी के सिर पर आ गिरा। तूंबा इतना कठोर था कि लोमड़ी के सिर से टकराते ही लोमड़ी का सिर फट गया और लोमड़ी वहीं गिर कर मर गई। लोमड़ी के मरते ही तूँबे से मुर्गी के चूजे निकले और दौड़ कर वापस अहाते में पहुँच गए। बैंगन के पौधे ने चूजों को सही-सलामत देखा तो वह बहुत खुश हुआ। इसके बाद सब हँसी-खुशी से रहने लगे।

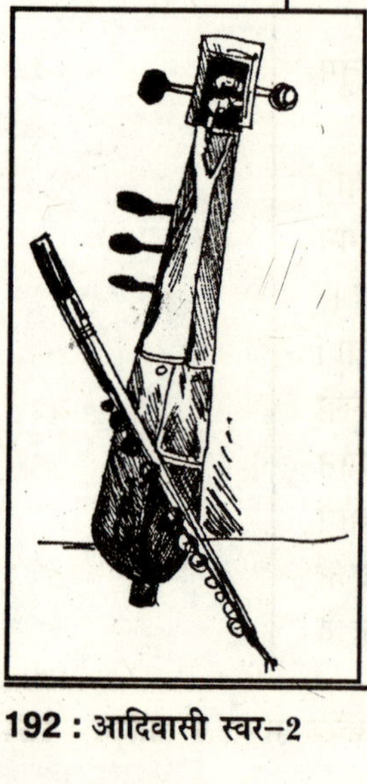

चोर का बेटा

एक गाँव में एक चोर रहता था। वह चोरी करके अपने परिवार का पेट पालता था। उसका एक बेटा था। बेटा थोड़ा बड़ा हुआ तो चोर ने सोचा कि अब अपने बेटे को भी अपने साथ ले जाना चाहिए। इससे वह धीरे-धीरे चोरी करना सीखेगा। यह सोच कर चोर अपने बेटे को अपने साथ ले जाने लगा। चोर के बेटे को चोरी

करने में मन नहीं लगता था। जिस समय उसका पिता चोरी करने किसी घर में घुसता, उस समय चोर का बेटा या तो ऊँघने लगता या फिर सो जाता। वह यह नहीं देखता कि उसका पिता किस ढंग से घर में घुसता है, कैसे चोरी करता है? चोर को अपने बेटे का यह हाल देख कर बड़ा दुख हुआ। उसे लगा कि इस तरह तो उसका बेटा चोरी करना सीख ही नहीं पाएगा और कभी उसकी तरह एक अच्छा चोर नहीं बन पाएगा। कई दिन तक चोर इसी सोच-विचार में डूबा रहा कि अपने बेटे को चोरी करना कैसे सिखाए? उसने भी अपने पिता को देख-देख कर चोरी करना सीखा था। वह चाहता था कि उसका बेटा भी उसे देख-देख कर चोरी करना सीखे। मगर बेटा तो सो जाया करता था। सोचते-सोचते उसे एक उपाय सूझा। उसने अपने बेटे से कहा–"गेहूँ की फसल पक गई है। आज रात को हम दोनों गेहूँ के खेत से गेहूँ चुराने चलेंगे।"

"मेरा मन नहीं है कहीं जाने का।" बेटे ने कहा।

"मन हो या न हो मगर तुम्हें साथ चलना होगा।" चोर ने बेटे को आदेश देते हुए कहा।

"लेकिन पिता जी मेरे जाने से क्या लाभ? मैं जब भी आपके साथ जाता हूँ तो वहीं जा कर सो जाता हूँ इससे तो अच्छा है कि आप मुझे घर पर ही सोने दें।" चोर के बेटे ने अपने पिता से कहा।

"नहीं, आज तुम नहीं सो सकोगे। मैंने इसका उपाय भी सोच लिया है। बस, अब और बातें मत करो और चलने की तैयारी करो। अँधेरा गहराते ही हम निकल पड़ेंगे।" चोर ने अपने बेटे को डपटते हुए कहा।

"ठीक है, जैसी आपकी आज्ञा।" चोर के बेटे ने कहा।

अँधेरा होते ही चोर अपने बेटे को साथ लेकर गेहूँ के खेत की ओर निकल पड़ा। बाप-बेटा दोनों खेत के पास पहुँचे। चोर ने खेत के बाहर से ही आहट ली कि खेत में कोई चौकीदारी तो नहीं कर रहा है। चोर को कोई आहट नहीं मिली। वह समझ गया कि खेत में कोई नहीं है। वह आराम से खेत में घुस कर गेहूँ की बालियाँ काट सकता है। खेत में घुसने से पहले उसने अपने बेटे को समझाया–"देख बेटा, मैं बालियाँ काटने खेत में घुस रहा हूँ। तुम यहाँ बाहर खड़े रहना और कोई आता दिखाई दे तो मुझे फौरन बता देना। वैसे तुम कहीं सो न जाओ इसलिए मैं तुमसे बीच-बीच में पूछता रहूँगा। तुम उत्तर देते जाना।"

"जैसी आपकी आज्ञा पिताजी।" चोर के बेटे ने उत्तर दिया। चोर खेत में घुस कर गेहूँ की बालियाँ काटने लगा। कुछ देर बाद उसने अपने बेटे से पूछा, "क्यों बेटा, किसी के आने की आहट मिल रही है क्या?"

"नहीं पिताजी, किसी के आने की आहट नहीं मिल रही है।" बेटे ने उत्तर दिया।

अपने बेटे का उत्तर सुनकर चोर फिर बालियाँ काटने लगा।

थोड़ी देर बाद चोर ने फिर अपने बेटे से प्रश्न किया।

''क्यों बेटा, कोई इधर आ तो नहीं रहा है?''

''नहीं पिता जी, इधर कोई नहीं आ रहा है।'' बेटे ने उत्तर दिया। अपने बेटे का उत्तर सुन कर चोर निश्चिंत हो गया और फिर बालियाँ काटने लगा। आज उसे इस बात की खुशी हो रही थी कि उसका बेटा आज सोया नहीं है। वह जाग रहा है और जाग कर उसके प्रश्नों का उत्तर दे रहा है। अब जब बेटा जाग रहा है तो वह अवश्य उसे चोरी करते हुए देख रहा होगा और उससे कुछ सीख रहा होगा।

थोड़ी देर बाद चोर ने फिर अपने बेटे से प्रश्न किया। ''क्यों बेटा, कोई हमारी आहट सुन तो नहीं रहा है?''

''नहीं पिताजी, हमारी आहट कोई नहीं सुन रहा है।'' बेटे ने उत्तर दिया। अपने बेटे का उत्तर सुन कर चोर फिर बालियाँ काटने लगा।

थोड़ी देर बाद चोर ने फिर अपने बेटे से प्रश्न किया, ''क्यों बेटा, कोई हमें देख तो नहीं रहा है?''

''हाँ पिताजी, कोई हमें देख रहा है।'' इस बार चोर के बेटे ने कहा। अपने बेटे का उत्तर सुन कर चोर के हाथ काँप गए।

उसने गेहूँ की बालियाँ काटना छोड़ कर तत्काल अपने बेटे से पूछा, ''कौन देख रहा है, बेटा?''

''भगवान देख रहा है, पिताजी।'' चोर के बेटे ने उत्तर दिया। अपने बेटे की बात सुनकर चोर ठिठक गया। उसने अपने बेटे की बात पर गौर किया। उसे लगा कि उसका बेटा सच कह रहा है कि भले ही कोई नहीं आ रहा हो, भले ही उनकी आहट किसी को नहीं मिल रही हो, भले ही उनका पता किसी को नहीं चल रहा है लेकिन उनके इस चोरी के काम को भगवान देख रहा है। चोर को अपनी गलती का भान हुआ। उसने उसी समय चोरी न करने की कसम खाई और अपने बेटे के साथ घर लौट आया। सवेरे चोर ने खेत के मालिक के पास जाकर उसे पूरी बात बताई और कहा—''आप जो सजा देना चाहते हों दे लें। आपके खेत से गेहूँ की बालियाँ मैंने काटी हैं।''

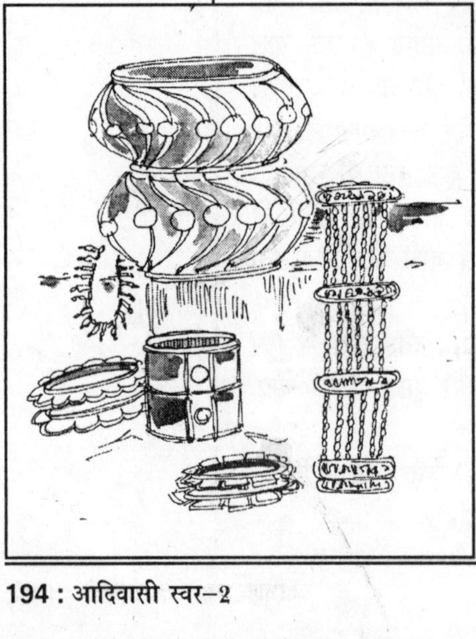

''नहीं, मैं तुम्हें अब कोई सजा नहीं दूँगा क्योंकि तुमने अपना अपराध स्वीकार कर लिया है और अब तुम सुधर गए हो।'' यह कहते हुए खेत के मालिक ने खुश होते हुए चोर को एक बोरा गेहूँ उपहार में दे दिया। चोर गेहूँ का बोरा लेकर खुशी-खुशी अपने घर आ गया और मेहनत-मजदूरी करके अपने बेटे के साथ हँसी-खुशी से रहने लगा।

आभार

'आदिवासी स्वर : वाचिक परंपरा व साहित्य' खंड में रचनात्मक सहयोग देने के लिए हम निम्नलिखित विद्वान लेखकों व पत्रिकाओं के प्रति आभार प्रकट करते हैं :

डॉ. कृष्णचंद्र टुडू, एशली इडेन, नवल शुक्ल, वसंत निरगुणे, निरंजन महावर और डॉ. सुश्री शरद सिंह।

इन सबके अतिरिक्त अन्य ऐसे ज्ञात-अज्ञात संदर्भ, जो इस पुस्तक में लिए गए हैं, उनके प्रति भी हम आभारी हैं।

'प्रभात खबर' राँची तथा इसके संपादक श्री हरिवंश जी का विशेष आभार।

–सम्पादक